文春文庫

恋《こい》雨《さめ》

柴田よしき

JN287242

文藝春秋

目次

単行本『ミスティー・レイン』二〇〇二年三月　角川書店刊
一次文庫『ミスティー・レイン』二〇〇五年十月　角川文庫

DTP制作　ジェイ エスキューブ

恋雨
<small>こいさめ</small>

プロローグ

突然、動物の雄叫《おたけ》びのような声が聞こえて来た。

川谷《かわたに》は反射的に、半開きのままだったドアを開けて中に飛び込んだ。

「うぎゃあーっ」

瞬間、言葉が出なくなった。

川谷は、三秒ほど黙って、それを見ていた。その足下では、先に部屋に入ったマネージャーの杉浦《すぎうら》が、ひれ伏すような姿勢でうつ伏せたままわなわなと震えている。

その姿が川谷を正気づかせた。

川谷は携帯電話を取り出した。

「美樹《みき》か？」

中山《なかやま》美樹の眠そうな声が聞こえた。

「伊藤《いとう》さん、そばにいるか」

「はあい」

美樹は電話を伊藤に代わった。

「社長、どうしました?」

「あんたの勘、当たったよ。かすみ、ダメだ。首吊《つ》った」

受話器の向こうから、伊藤冴子《さえこ》の溜《た》め息のような息づかいが聞こえた。

「遺書はありました?」

川谷は、リビングのテーブルの上を見た。白い封筒が一枚置かれている。

「ある」

「読み上げてください」

「ここでかい?」

「すぐです!」

川谷は冴子の声に叱咤《しった》されて、テーブルの上の封筒を手に取った。

「読むよ。……杉浦さん、伊藤さん、それに社長様。ワガママばかり言っていてごめんなさい。最後にまたご迷惑を掛けてしまうことになりました。ほんとにごめんなさい」

「それだけですか?」

「これだけだ」

「そうですか」

冴子の声が途切れた。

冴子の普段から回転の速い頭が、今は特別な速さでめまぐるしくくるくると回り、様々な計算に答えを出しているのだろう。

やがて冴子は言った。

「わかりました。救急車呼んでください、社長の携帯で」

「警察には？」

「消防署が勝手に連絡してくれます、首吊りなら」

冴子はどうしてこんなに冷静に、当たり前のような声で、首吊り、などという言葉がつかえるのだろう？

川谷は、自分が冴子無しでは何も出来ない人間になっていることをあらためて感じた。

冴子はあくまで冷静だった。

冷静に、続けた。

「警察の動きが遅くなればなるだけ時間が稼げます。その間に、こっちの対策は整えます。社長は警察が来るまでそこにいて、遺書を警察に渡してください」

「いいのか」

「そうしてください。後になって遺書の存在が発覚した方がよほどやっかいです。警察に呼ばれたら事情聴取には出来るだけ正直に答えておいてください」

「……わかった」

「それから監察医務院に遺体を引き取りに行って解剖が終わるのを待ってください」

「解剖されるのかな」

「変死ですから、たぶん。でも遺書があれば、司法解剖にはならないと思います。割とすぐかすみちゃんを返して貰《もら》えるはずです」

「記者会見とか、どうする？」

「マスコミが騒ぎ出してからセッティングすれば充分です。あまり手回しがいいと、痛くもない腹を探られることになります」

「かすみの親には？」

「そうですね」

冴子は腕時計でも見ているのだろうか。

「あたしがマンションの捜索を終える頃に駆けつけてくれるのがいいタイミングですから、一時間後に電話しましょう。それはこちらでします。社長、記者会見の前にマスコミに捕まったら、涙でもどんどん流してしどろもどろになって、出来るだけ質問に答えないように気をつけてくださいね」

「うん……頑張ってみるよ」

「お願いします。それから杉浦は？」

「ここでノビてる」

「気絶したんですか」

「しそうになってるが、まだ泣いている」

「こっちへ戻してください。杉浦では余計なことを喋《しゃべ》ってしまう危険がありますから、マネージャーは数日前から社長が兼務していたことにしましょう。杉浦には休暇をとらせます」

「大丈夫かな」

「かすみちゃんには危険信号が出てました。だからこそ、もともと自律神経失調症の持病のある杉浦を付けておいたんです。でなければあんな頼りないのを付けておくわけないでしょう？　杉浦には医師の診断書があります。休んでも誰にも不思議がられません」

「わかった……あんたの指示通りにする。何とか切り抜けよう」

「ええ、社長。切り抜けないと、これまでの努力が水の泡ですからね」

淡々と言い放つ冴子の声が耳に響いて、電話は切れた。

川谷は、冴子の言葉を頭の中で必死に繰り返し、手順を間違えないよう暗記した。それから、まだしゃくりあげたまま伏せている杉浦の横腹を蹴飛《けと》ばした。

「おまえはすぐ事務所に戻れ」

「し、しし、社長は……」

「俺はこれから、一世一代の大芝居をする。何としてでも、かすみの秘密は守ってやらないとな。それが、かすみをこの世界にスカウトした俺がかすみにしてやれる、最後のことだからな」

川谷は、今初めて、リビングの奥のロフトに上がる梯子《はしご》からぶら下がっている、芸名松崎《まつざき》かすみ、本名山田《やまだ》真美《まみ》の、その細いからだを見上げた。

だが、顔に視線を向けることはどうしても出来なかった。

川谷の頭の中には、三年前、制服姿で自分の前に立っていた時の、十五歳の真美の笑顔が甦《よみがえ》っていた。

俺は、この子の人生に何をしてしまったんだろう？

不意に、苦い、あまりにも苦い味が口の中に広がった。生まれて初めて味わう、後悔の味だ。

俺は真美の親に誓ったのではなかったか？

お嬢さんをお預かりする以上はきっと、この世界に入って良かったと後で思っていただけるようにします。お嬢さんの人生にとっても、輝かしい時代となるように最善の努力をいたします。

そう言って、頭を下げたのではなかったか？

誰のせいでもない。それは良くわかっている。

結局は、真美自身の問題だ。この子は弱すぎた。この世界で成功するには、あまりにも華奢《きゃしゃ》だった。他のタレントと比較しても、特に無理な要求をした覚えはない。あの冴子でさえ、真美のことは可愛がっていたのだ。

裏切ったのは真美の方なのだ。

俺や冴子の信頼を裏切り、してはいけないことをしてしまったのは、この子の責任だ。

川谷は、真美の裸足《はだし》の足先を見つめた。

ピンクのペディキュアがとても可愛い、と思ったとたん、川谷の目から大粒の涙がこぼれ落ちた。

1　パリと死体と撮影隊

1

別に珍しいことでもない。ただ、クビになっただけだ。

和泉茉莉緒《いずみまりお》は給与の精算書を眺めながら溜《た》め息をひとつつくと、諦《あきら》めて歩き出した。

いい季節だった。鴨川《かもがわ》の河原にはクローバーが柔らかな緑の絨毯《じゅうたん》を広げ、絵の具の水色そのままの空にはおきまりの白い雲が流れ、風は心地よい冷たさで、陽射しは少しだけ暑い。

束の間の休息。

京都では、こんなに気持ちのいい季節は本当に短い。もう二週間もしたら陽射しがきつくなって紫外線対策のUVカットファンデーションが不可欠になってしまい、ちょっと動いたら汗が背中をたらーっとつたうようになるのだ。

そして祇園《ぎおん》祭の頃には、死人が出るような気温の中を干物《ひもの》が出来そうな熱風が通り抜けるようになり、人々は諦めの心境で秋を待ち望むようになる。

それにしても、困った。昨年の夏の終わりにエアコンが故障したのだが、その時は余分なお金がなかったので、後少ししたら涼しくなるから、と自分に言い聞かせて我慢を通してしまったのだ。そしてそのまま、お金に余裕がある時でも、エアコンの修理などはわざと忘れたままだった。必要もない機械を直すのに数万円を遣うより、自分にとって有意義なお金の遣い方があると信じていた。たとえば、ちょっとお洒落《しゃれ》なブーツを一足とか、最新のゲームソフトを二、三本とか。

こんなに早く時が経ってしまうなんていったい誰が予想しただろう？　夏はもうすぐ目と鼻の先。そして茉莉緒の銀行通帳には、退職金と給与残金が振り込まれた今の今でも、すでに、エアコンの修理に回せそうな余分な金などはなかった。

失業保険はいつからおりるのかな。確か、すぐにはおりないと聞いたけど？　ともかく、失業保険をアテにして悠長に構えていたのでは、あの小さなコンクリートの部屋の中で熱中症にかかって死んでしまう。

茉莉緒は、コンビニに入っておにぎり三個とウーロン茶、それに就職情報誌を一冊買った。そして、鴨川の河原に降りて行った。

二条大橋から出町柳《でまちやなぎ》方向を向いたこの辺りのロケーションは、テレビ撮影のメッカだった。今日もまた、橋の上にはテレビスタッフらしい人間たちが数名いて、俳優二人の演技を取り囲んでいる。茉莉緒は、おにぎりをかじりながら野次馬を決め込んだ。

さては、二時間ドラマだな。

あの二人、見たことがある……

茉莉緒は、目をこらして撮影隊の真ん中にいる二人の俳優の顔を眺めた。

一人はその昔は二枚目で売り、一世を風靡《ふうび》したアイドル歌手と結婚して絶頂を迎えた後、そのまま何となく落ち目になってしまった男優の新浦《にうら》なんとか。下の名前は何だったっけ、思い出せないな。その相手役は、これまた十代の頃は大型アイドルなどと呼ばれて何曲かヒットを飛ばしたけれど、老けるにつれて平凡な顔だったことが強調されてしまい、今は二時間ドラマ以外ではテレビショッピングでしか顔を見なくなった、女優の村野《むらの》真希《まき》。

それにしても何てぶ厚く塗りたくっているんだろう、二人とも。撮影用のドーランというヤツなのだろうが、あまりにものっぺりとした皮膚になってしまって、生きた蠟人《ろうにん》形《ぎょう》みたいだ。あそこまでやらないと、カメラに映した時にはくすんだ顔に映るのだろうか。それに二人とも、何て頭が小さいんだ。あんなに小さな頭で、ちゃんと人間一人分の脳味噌《のうみそ》が詰まっているのかしら？　あんな頭がテレビ画面の中ではごく普通の大きさに見えるんだから、テレビってほんとに不思議だ。

どんなストーリーなんだろう。和服の三十代女優と四十代の元美男俳優。何だか月並みな内容が想像出来る。

「つまんなそう」

茉莉緒はほとんど無意識にそう呟《つぶや》いて、おにぎりを頬張った。

「そう思う？」

不意に声がした。振り向くと、若い男が立っている。

「つまんなそうだと思う？　なんで？」

「なんでって……よく出てるじゃない、二人とも」

「よく出てる奴がやるとつまんない？」

「そういうわけじゃないけど、あの二人はたいてい、おんなじような役だし。イメージが固まってるよね」

「でもその方が、見ていて安心するってこと、あるんじゃない？」

「そうかなぁ」

茉莉緒はおにぎりを噛《か》みながら首を傾げた。

「何で安心しないといけないわけ？」

「テレビドラマ見て不安になりたいって思ってる人はいないからさ。みんな安心したいんだよ。安心したいから、安心出来るドラマを求めるんだ。結末の予測がつくドラマ。自分たちの考え通りに物語が進むドラマ」

「じゃ、視聴者の予想を裏切ったらいけないわけね」

「その通り」

男は茉莉緒の横に座り込み、二本の脚を前に投げ出した。

ずいぶんと長い脚だ。

「意外な結末、だとか、予想のつかない展開、だとかって謳《うた》ってるドラマはけっこうあるけど、その実はね、ちゃんと予想のつく範囲に収めてあるんだよ。そうじゃないと終わってから視聴者から文句が出るんだ。あんな結末は納得出来ない、わたしは裏切られたって」

男はククッと笑った。

「裏切ってくれないとつまらないと言っておきながら、本当に裏切ったら、なんで裏切るのよっ、と怒る。視聴者はヒステリーでワガママな女の子に似てる」

「そんなもんなんだ」

茉莉緒は、指先についた飯粒を唇で吸い取りながら頷《うなず》いた。

「あなた、詳しいのね。テレビ関係者？」

「まあね」

「あそこの撮影隊の仲間？」

「うん。これから俺の出番」

茉莉緒は驚いた。

「うっそーっ」

茉莉緒は思わず、横に座った男の頭の先から足の先までじろじろと見てしまった。

「そんなに驚くかな、ふつう。俺って芸能人に見えない？」

「だってぇ……」

確かに、よく見ればちょっとハンサムだった。脚だってさっきも感じたように異様に長いし、そう言えば頭もいくらか小さいかも知れない。

「俳優さん？」

茉莉緒は訊《き》いてみた。出番、などと言っているけれど、本当はただのエキストラなのかも知れないし。

「わかんないんだよね、それが」

男は、あっけらかんと言った。

「俺って何屋なのかなぁ、いったい」

男は、草の上に寝転がって空を見る。何だか芝居がかった仕草だわ、と茉莉緒は思った。自分が何屋なのかわからないなんて、どういう意味よ。

変な奴。

「モデルしてたんだ」

男は空を見たまま独り言のように言った。

「中学三年の時から。アネキがやっぱりモデルやってて、自分のいた事務所に俺を連れて行ったんだ。別にそんなにやりたかったわけじゃないんだけど、欲しいもんがあってさ、金が必要だったから」

「欲しいものって？」

「いろいろ。ギターとかマウンテンバイクとか」

「なんだ……地味だね、何だか」

「貧乏だったんだもん、俺んち。お袋しかいないから。アネキは高校ん時に半蔵門線《はんぞうもん》の中でスカウトされたんだ。で、高校中退してモデル一本だったんだけど、二十歳過ぎたら仕事が減って、スーパーのチラシとかしか出られなくなっちゃったんでＡＶに転向。でもお袋にそのこと黙ってて、バレて家出した」

茉莉緒は、ぱちぱち瞬《まばた》きしながら男の話を聞いていた。初対面でお互い名前も知らないのに、こんなことべらべら喋《しゃべ》るなんて、どういう性格なんだろう？

「家出して半年くらいして俺に電話して来てさ、おまえもモデルしないかって。俺、ハダカかと思ってびびったんだけど、けっこうまともな仕事だったんだ。おっきな通販会社のカタログで、アウトドア用品持って山ん中で笑ってるみたいなやつ。小遣い貰《もら》えたし、けっこう面白かったからそのままモデルになっちゃった」

「高校は？」

「行ったよ。卒業もした。でも出席とかぎりぎり、成績はサイテー。お袋は大学行けってうるさくてさ……あんまりうるさかったんで、俺も家出」

「おかあさん、かわいそう」

茉莉緒は二つ目のおにぎりにかぶりついた。

「淋《さび》しかったろうねぇ」

「うまい、それ？」

「お腹空《す》いてるの？」

「うん」

「じゃ、あげる」

茉莉緒は袋の中に残っていた最後のおにぎりを男に手渡した。

「家出して、どうしたの？」

「うん……」

男は不器用に包装をはがすと、大きく一口かぶりついてもぐもぐと嚙み、呑《の》み込んでから言った。

「パリへ行った」

「パ」

茉莉緒はおにぎりから口を離した。

「パリぃ？」

「俺ってそんなに、イモっぽい？」

男は茉莉緒の顔を見上げながら、少し不満そうな声を出した。

「なんでそんなに驚くわけ？　パリで」

「別に、驚いたわけじゃないけど」

「驚いてるじゃん、事実」

「いきなり話が飛んだからよ。いきなりパリなんて出て来ると思わないもの」

「モデルならパリコレを目指すのは当たり前。シーズンになると世界中から、コレクションに出たがってるモデルが集まって、毎日どこかでオーディションやってる。俺もなけなしの貯金はたいてプロモビデオ作って送りまくって、オーディション受けまくってた」

茉莉緒は男に対する認識を少しあらためた。

「けっこう、真面目だったんだ」

「俺って真面目だぜ、いつも。パリにしばらくいて、小さなメゾンのだけど、何本かステージにも出られたんだ」

「本当？　じゃ、スーパーモデル？」

「スーパーモデルってのは、でかいブランドの専属で毎シーズン呼ばれるような奴のことを言うの。俺たちみたいにシーズン毎にオーディション受けないと仕事がないのは言わないの」

「でもすごいじゃない、パリコレに出られたんなら。どうしてやめちゃったのよ」

「やめたわけじゃない。たまたま話が来て、ふらっと映画に一本出たら、なんとなく次も仕事が来て、ふらふらっとやってる内に、何屋だかわかんなくなっちゃった」

男はおにぎりを食べ終わり、ヨッと言って上半身を起こした。

「もう行かないと」

「ねえ、何の役？　芸名、何て言うの？」

「どうして？」

「どうしてって、せっかくだからドラマ、観ようかなと思って」

「いいよ、観なくて」男は唇を少し尖《とが》らせた。「観たってしょうがないよ、あんなの」

「芸名ぐらい教えてよ」

男は立ち上がり、ジーンズの尻《しり》をはたいた。

「海」

「カイ？」

男は頷いた。「雨森海《あまもりかい》。雨と森と海」

茉莉緒は思わず笑った。

「作り過ぎぃ」

「本名だもん」

茉莉緒が瞬きする間に、雨森海は長い脚をひらひらと動かして、河原から道へと駆け上がって行った。

2

「東京へ戻って来れば?」

受話器の向こうで、友人の渚《なぎさ》の、けだるい声が言った。

「もうこだわらなくていいじゃん、京都に。充分堪能《たんのう》したでしょう、そっちの生活。大学で四年、OLで三年でしょ、潮時なんだよ、きっと。茉莉緒の親だってその方が喜ぶよ」

「戻ったって仕事、ないのは一緒じゃない」

「京都よりはましでしょう、広い分だけ。あたしも一緒に職探し手伝ってあげるからさ」

あてにはならないな、と茉莉緒は思う。

渚はお人好しで世話好きな、ほんとに気持ちのいい子なのだが、安請け合いするのが玉に瑕《きず》なタイプだった。

だいたい、この不景気だ。東京がいくら広くて大きいと言ったところで、それだけ失業者の数も多いのだから、京都にいるより就職に有利だとは思えなかった。

東京を出て丸七年、この町のペースにかなり馴染《なじ》んでしまった今となっては、わざわざ東京に戻るのも億劫《おっくう》だ。それに、東京に戻るということは必然的に、親元に戻るということ。それだけは、したくない。

元々、東京以外の大学に行こうと決心したのは、母親との関係に鬱陶《うっとう》しさを感じていたからだった。

茉莉緒は思う。自分は、ママとは気が合わない。ママはいつも自信たっぷりに茉莉緒に言った。女の子はね、結局は結婚する相手次第なのよ。なんだかんだ言ったって、結婚相手を間違ってご覧なさい、決して幸せになんかなれないんだから。

それは真実なのかも知れないが、ママのその、結婚相手に対する間違いか間違いでないかの基準が、あたしには納得出来ないのよ！

茉莉緒は話を変えた。

「ねえ、渚。雨森海って俳優、知ってる？」

「アマモリカイ？」

渚は受話器の向こうで笑い転げた。

「雨漏りかい？　なんて、何かおっかしー」

「やっぱり知らないんだ、渚も」

「何に出てるのよ」

「それがよくわかんないんだけど、たぶん、二時間ドラマかな」

「二時間ドラマって、一回きりみたいな感じじゃない。その俳優がどうかしたの？」

「うん」

渚にどう説明したらいいのだろう? 友達になった、というのとは違うだろうし、かと言って、単に見かけた、というのとも違う。

「おにぎりあげたのよ」

言ってしまってから、自分の言葉が唐突だったことに気づいた。

「おにぎりぃ?」

渚が素《す》っ頓狂《とんきょう》な声を上げる。

「何の話してんのよ」

「ああ……まあ、いいや」

「いいやって、茉莉緒?」

「いい。ごめん渚。じゃ、また電話するね」

「来週は来られるんでしょ?」

「行くつもり」

「新幹線代、カンパ集めてあげよっか」

「そこまではまだ大丈夫。ちょっとなら貯金もあるから。じゃ、バイ」

受話器を置いて、茉莉緒は頭を振った。

大学時代のクラスメートだった美砂《みさ》の結婚披露宴があったことを、すっかり忘れていたのだ。六月なのだから当然、そうした覚悟はしていなければならなかった。

新幹線往復、ホテル一泊、お祝い金。

またエアコンが遠のいてしまう。

こうなったら、ともかくアルバイトでもいいから臨時収入を得なければ。このままずるずるとお金を遣っていたのでは、失業手当が支給されるより前に家賃が払えなくなって、下手したらホームレスだ。

茉莉緒は、財布を掴《つか》んで部屋を出た。

就職情報誌ばかりか、アルバイト募集誌にまでお世話になることになろうとは。

大きな失敗をしたという自覚もないままに会社をクビになってしまった最大の理由が、上尾《あげお》との関係にあるのだ、ということは痛いほどわかっていた。

もちろん、クビだと露骨に言われたわけではない。だが、関連会社の喫茶室への配転というのは、どう考えても暗に辞めてくれと言われているのと一緒だった。事実、退職願を出した時、上司の山本《やまもと》課長は心底ホッとしたという顔をしたものである。

不倫。

どうしてそんな言葉しかないのだろう。その響きには、何だかひどく汚らしいものがある気がする。

自分を正当化しようとは思わない。

好きになってしまったものは仕方がない、不倫が発覚した時に、そう強弁する女は多いけれど、それは図々《ずうずう》しいというものだ。

やはり自分に甘さがあるから、家庭持ちの男などに惹《ひ》かれてしまったのだ、という自覚は茉莉緒にもあった。

だが人間には、そっちの方向に歩いてはダメだ、危険だとわかっていても、進むのを止められない時というのがある。今度のことでそれがわかった。

別れは仕方がない。

捨てられたのもしょうがない。

ただ一点、納得出来なかったのは、どうしてそのことで会社を辞めなくてはならないのか、そのことだけだった。

上尾は茉莉緒の勤めていた会社の社員ではない。単に、取引先の営業マン、というだけのことなのだ。不倫がいいことか悪いことかは別としても、恋愛には違いないのだから、それはプライベートな事柄のはずだ。それなのに、茉莉緒は会社によって排除されてしまったのだ。

結局、あたしはあの会社にとって、特に必要な存在ではなかった、ということ。

仕事だけはきちんとしようと、自分でも健気《けなげ》だと思うほど働いていたつもりだったのに、そんなことは会社にとって、大して有り難いことでもなかったのだ。仕事の出来る問題児よりも、従順で素直で問題を起こさず、給料が高くなる前に寿退社してくれる女子社員を有り難いと思う会社。

茉莉緒は、コンビニまでの五分間の道のりを歩きながら、ひとりで笑った。

今時、むしろ希少種じゃない？

焦ってはダメ。

茉莉緒は自分に言い聞かせた。

いくら就職先が見つからないからって、同じ失敗を繰り返して間違った会社選びをしてしまえば、いつかはあの時と同じように、おまえはもう必要ないよ、と言われてしまう時が来る。

お金のことだけなら、どんなバイトでもする覚悟がある。今度こそ、じっくりと考えて、自分に最もフィットする仕事を選ばなければ、あたしの未来は暗い。

コンビニに入り、就職情報誌の棚から『日刊バイト速報』を手に取った。ぱらぱらとめくっていくうち、ひときわ大きな募集広告に目が止まった。

『映画のエキストラ大募集！』

エキストラ！

茉莉緒は思わず、ヤッタ！　と呟《つぶや》いた。ずっと以前から一度やってみたいと思っていたアルバイトなのだ。

学生時代、同級生が怪獣映画のエキストラをやって、逃げまどうシーンに出演したと嬉《うれ》しそうに自慢したのを聞いて以来、いつかはエキストラを経験してやるんだ、と心に決めていた。だがいったいどこでエキストラの募集というのをしているものなのか、普通にバイト募集誌で探していたのでは滅多にお目に掛からない。そうこうしている内に就職してしまい、丸一日拘束されるエキストラのアルバイトなど、とても出来ない身分になってしまった。

今なら出来るのだ。どうせ失業中、丸一日だろうと何日だろうと拘束されたって、その分ギャラが貰《もら》えるならちっとも困らない。

ようし！　絶対これ、応募してやる！

早速買った『日刊バイト速報』を部屋に持ち帰って慎重に募集要項を眺めたが、特に問題になる項目はなかった。応募資格には充分だ。受付は先着順。電話のみ。

茉莉緒はさっそく番号をプッシュした。

「はい、生田《いくた》エージェンシー」

ぶっきらぼうな男の声が答えた。

「あの、『日刊バイト速報』読んだんですけど」

「エキストラの応募ですかぁ」

「はい」

「当日必ず来られますかぁ。キャンセルされると困るんですけどね」

「行かれます」

「そうですか。じゃ、名前と住所、電話番号、年齢」

茉莉緒は質問に総《すべ》て答えた。

「受付番号、二十三番です。当日、エキストラ受付が出来てますから、番号言ってくださいね。受付してないとお弁当貰えませんから。八時までに集合してください。あ、それと、ハンコ持って来てください、ミトメでいいです。ギャラ受け取る時必要ですからぁ。日当はそこに書いてあるように、七千円です。他に質問は？」

「あ、あの、どんな格好で行ったら」

「あなた学生さん？」

「あ、いえ」

「仕事してないの？」

「今は、はい」

「えっと……二十六。だったら奥さんみたいな格好して来てくれると助かるかな」

「は？」

「奥さんよ、奥さん。子供連れて買い物行くって感じの。エプロンとか着けてね。公募するとどうしても学生みたいなのばっかり集まるからねぇ。あ、でも心配しないでください。画面に大きく映るとこにはうちの専属を配置するからね。バイトさんは後ろのその他大勢だから。ではよろしくぅ」

何となく調子のいい声で、電話は切れてしまった。

奥さん……？？？

二十六ってやっぱり、奥さん、なんだろうか、イメージとしては。

それにしても、エプロン着けて来てくれって……そんな格好でバスに乗れってわけ？

仕方ない、エプロンとそれからおばさん風のサンダルくらい、持って行こう。

だけどいったい、どんな映画のエキストラなんだろう。

茉莉緒はもう一度、『日刊バイト速報』を見た。募集要項の下の隅に、『古都壊滅妖怪大戦争』と小さく出ている。

嬉しい。怪獣に追われて逃げまどう役こそ、一度はやってみたかったものだから。この『古都壊滅妖怪大戦争』がどんな内容の映画なのか、ちょっと知りたいよね。

茉莉緒はテーブルの上に置いてあるノートパソコンを開いた。すでに時代遅れになってしまった古いOSをつんだ古いマシン。買い替えたいけれど、もちろんそんなお金はない。まずは命にかかわる問題として、何よりもエアコンだ。

これだけ古いOSになると、インターネットを見ていても開けないページや表示されない動画などがけっこうあるが、それでも最低限の調べものくらいは出来た。『古都壊滅妖怪大戦争』とタイプして、検索された公式サイトをクリック。トップページの動画はうざったいのでスキップし、まず【キャスト】を開く。何はともあれ、どんなスターが出ているのか知らないとね。

　そして、その名前を見つけた。

　雨森海。

　あいつだ。あいつったら、出るんじゃないの、『古都壊滅妖怪大戦争』に！

　茉莉緒は不思議な気持ちになって画面に出ている名前を見つめた。

　自分が、まがりなりにも芸能人と親しく口をきいて、あろうことかおにぎりまであげてしまったのだ、という事実がどうもピンと来ない。雨森海、というあのモデルだか俳優だかよくわからないタレントは、全然芸能人ぽくなかったのだ。もっとも、芸能人ぽいってことがどういうことなのかは知らないけれど。

　茉莉緒はさらにネットを漁《あさ》り、今度は、雨森海についての情報を探した。

　情報はあまりなかった。

　わかったことと言えば、雨森海自身が茉莉緒に話してくれたことがほとんどで、それ以外の目新しいことは何もない。ただ、親友で自他共に認めるミーハー人間の渚が知らない名前だったということで、彼をまったく売れないタレントなのだろうと結論づけていたのは早とちりだったかも知れない。

　彼の名前は、意外なほどあちらこちらに顔を出していた。『古都壊滅妖怪大戦争』での役どころは、蛇の化身である美青年タキで、ヒロインの夏草麻衣《なつくさまい》演じる風子《ふうこ》とラブシーンもあるという、ちょっと得な役だった。夏草麻衣と言えば、バスト88のDカップに小悪魔のような顔立ちと、それでいて現役の有名大学在学中という知性派ブランドとを身につけた、今、人気抜群のタレントだ。その彼女の相手役のひとりだというだけでも、かなりのインパクトのある役のはずだ。

ただいま売り出し中の注目株、そんなところなんだろうか。でもテレビにはほとんど出ていないみたいだから、知名度がいまひとつ、という感じ?

まあ、何でもいいか。

茉莉緒はひとりでおかしくなって笑い出した。

別に雨森海と友達になったというわけではないのだから。ただ、ほんのちょっとお喋《しやべ》りをして、おにぎりを恵んであげた、それだけのことなんだから。

今度の映画のエキストラにしたって、同じ映画に出ているとは言っても顔を合わせることはないだろうし、合わせたとしても向こうはきっと、あたしのことなど忘れているだろう。

パソコンを閉じ、腕を上げて背中を伸ばして立ち上がった。ネットの情報よりもう少しまとまった情報が欲しい。やはり映画雑誌か何か読んだほうがいいだろう。

部屋を出てぶらぶらと二十分ほど歩き、河原町通りに出る。そのまま四条河原町までさらに十五分歩いて、書店に入った。映画雑誌を一冊選び、ついでに書店の近くのパン屋に寄った。さほど大きな店ではないが、神戸の有名パン店の支店で、いつも焼き立てのパンの香ばしい香りに溢《あふ》れた店だった。

高級品というほどの値段ではないのだが、コンビニで買う菓子パンと比較すればちょっとだけ贅沢《ぜいたく》。今の茉莉緒の経済状態では、そうそう無邪気に買い込むというわけにも行かない。

好物のミニ・クロワッサンも、十個買いたいところを五個に抑えて、後はトースト用の食パンを選んだ。

レジは混んでいた。並んでいるあいだ、手持ち無沙汰《ぶさた》なので店内を何気なく見回した。店の半分のスペースにはカウンターやテーブルが置かれ、店内で買ったパンを、コーヒーなどと一緒に食べられるシステムになっている。残りの半分がパン売場。自分でトレイを持って、好きなものを載せて会計する。

パン棚の前に、人目を惹《ひ》く女性がひとりいた。サングラスに白いスーツ、髪をきっちりひっつめてあるので、顔の形の良さが際だって見える。サングラスのせいで目元がわからないが、唇の形良さも鼻の小振りで上品なところも、並大抵の美女ではないな、と思わせるものがあった。服装と髪型から考えて、三十代前半？　それにしては、膝丈《ひざたけ》のスーツから出た二本の脚の細くて真っ直ぐなこと！　脚が若い。二十歳そこそこのプロポーションだ。

茉莉緒は見るとはなしにその女性に見とれた。

女性は、片手にトレイ、もう片方の手にトングを持ち、トレイを持った左の腕には紙袋を提げている。ジバンシイの紙袋だ。茉莉緒もひとつ持っている。三年も前にブラウスを一枚買った時に貰って、大切にとってあるヤツだ。

女性の右手が動き、アップルケーキをトングの先につまむとトレイの上に置いた。さらに、その隣のチョコマーブルのロールケーキをつまむ。クリームがたっぷりついたケーキなので、全体をビニールでくるんである。

チョコマーブルがトングにつままれた。……と！

茉莉緒は思わず声を出しそうになってしまった。チョコマーブルはトングの先からトレイの上には落ちずに、なんと、女性の提げているジバンシイの紙袋の中に落ちたのだ！

……落としちゃったの？

茉莉緒は瞬《まばた》きしながら、女性が慌てて袋からケーキを取り出すのを待った。だが女性は、まったく動じない。それどころか、もうひとつ同じチョコマーブルをトングの先で優雅につまむと、見事な手さばきで、サッと紙袋の中に落とした。

ま、ままま、万引きだ！

茉莉緒は、まるで自分が万引きをしているかのように心臓がドキドキするのを感じた。

どうして？　なんで？

あんな綺麗《きれい》な格好して、ジバンシイの紙袋まで持って、なぜ一個百四十円のチョコマーブルケーキを万引きするわけ???

「六百十九円でございます」

レジの女性の声で我に返り、茉莉緒は慌てて財布から千円札を出した。だが釣り銭を貰う僅《わず》かな間も、背後にいる、白いスーツの万引き美女のことが気になって仕方がない。釣り銭とパンの袋を受け取り、店外に出てからも、店のそばを離れる気になれずに足が止まった。

お節介はわかっているんだけど……

どうしよう。あの女性、店の人に気づかれたらやっぱり警察に突き出されてしまうだろうか。チョコマーブルケーキ二つでも、犯罪は犯罪だもん……

あっ。

茉莉緒の心配をよそに、白いスーツの女性が店から出て来た。警察を呼ばれることもなく、堂々としたものだ。左の肘《ひじ》には相変わらずジバンシイの紙袋。あの中に落とされたチョコマーブルケーキ、潰《つぶ》れてないかしら?

白いスーツにサングラスのその女性は、足早に地上に出る階段を上《のぼ》って行く。あとをつけるのも変だとは思ったが、茉莉緒もその階段を上がらないと家に帰れないので、何となくあとをつけるような形になりながら階段を上がった。

別に他人がケーキを二個万引きしたからってどうでもいいことなんだけど。

ただ茉莉緒には、ひどく不思議だったのだ。目元こそわからないにしても明らかに美人、膝から下の脚だけ見てもスタイル抜群だということも想像出来たし、サングラスも白いスーツも、絶対安物じゃない。それにジバンシイだ。

何も不足のない状態に思えるのに、なぜ万引きなどしてしまうのだろう。何が彼女に、そんな衝動を起こさせるのだろう。

女性は、地上に出ると、初夏の陽射しのまぶしさに少し、空を仰ぐような仕草をした。サングラスをしていれば眩《まぶ》しいということはないはずだが、地下から出て熱を感じたのかも知れない。

それから、女性は自分の場所を確認するかのように周囲を見回した。この辺りの地理に不案内なのだ。地下街から階段を上がって、自分がどこにいるのかわからなくなったらしい。

やがて女性は、横断歩道の方へ歩き出した。茉莉緒はそこで御池通りを横断する必然性がなかったので、そのまま東へと歩いた。信号が変わるのが横目に見える。

女性は横断歩道を渡り、茉莉緒と御池通りを隔てて平行するように歩いている。

不意に女性が向きを変えた。

京都ホテル。女性は、京都ホテルの中へと吸い込まれて行った。

茉莉緒にはますます、わけがわからなくなった。京都ホテルの宿泊客なのだとしたら、観光で京都に来たのだろうか。それともビジネスか。いずれにしても、安い室料ではないのだ。

たった二個のチョコマーブルケーキでも、盗めば犯罪。もし店員に見つかっていたら、仕事だとか家庭だとか、大切なものを一度に失ってしまう危険だってあったのに。

茉莉緒は、何か見てはいけないものを見てしまったかのような、苦い味を口の中に感じながら自分の部屋へと帰った。


部屋に戻ると、留守番電話の録音が点滅しているのに気づいた。誰だろう？

窓を全開にして涼しい風を部屋に入れてから、再生ボタンを押す。

流れて来た声に、茉莉緒は硬直した。


「あ、誠《まこと》です。茉莉緒、元気にしてるか？　会社辞めたんだってね。大丈夫？　逢《あ》いたいので携帯に電話ください」


信じられない。

茉莉緒は思わず、手に提げたままだったパンの袋で電話機を殴った。

何が、逢いたいから携帯に電話しろ、よ！

ヒトを馬鹿にするのもいい加減にしろ！

悔しさでこめかみがズキズキした。

女房に関係がバレたから、終わりにしてくれと言ったのは何だったのよ。こちらからいくら電話しても携帯を留守番電話サービスに設定したままだったのは、どこの誰なのよ！

一カ月近くもほったらかしにしたくせに。

どうして男って、こんなことが出来るんだろう？　何かの感性が欠落しているとしか思えない。

茉莉緒は、大きく深呼吸すると頭を振り、バスルームに入った。こんな気分の時にはシャワーに限る。

上尾誠との関係がいよいよ終わったのだと悟ったあの夜も、茉莉緒はシャワーを浴び続けていた。涙が止まるまでずっと。

いつかは終わると覚悟して始めた恋愛でも、やはり夢は見た。上尾の妻には恨みも憎しみもなかったが、ある日突然、上尾の妻が交通事故か何かで死んじゃったら？　という物騒な想像だって、何度もしたことがある。だがそのたびに茉莉緒は自分に言い聞かせた。死別は未練が残る。愛はきちんと終わりにならない限り、永遠に死なないものよ。

他人の死だの不幸だのの後釜《あとがま》に収まって得られる幸福なんて、所詮《しょせん》、まやかしなのだ。そう自分を納得させて、出来るだけむなしい夢は見ないようにして来たけれど、それでもやっぱり、終わった、と感じた時は無性に淋《さび》しかった。

ふられた、と知った時に誰でもひどく傷ついた気持ちになるのは、自尊心のせいばかりではないと思う。それは、ひとりぼっちになることへの恐怖でもあるのだ。恋人がいる、というだけで、自分はひとりじゃないと思っていられる、あの心地よさを失うことが怖いのだ。

だから、頭ではいくらわかっていても、未練がましくつきまとったり、相手の新しい恋を憎んだりしてしまう。自分はひとりにされたのに、相手だけはひとりではない心地よさに包まれている、それが許せなくて。

シャワーの湯の中に流せるだけの涙を流してしまった後で、茉莉緒は心の底から淋しくなり、怖くなった。生まれて初めて体験した、途方もない心細さだった。

その心細さを忘れる為に、この一カ月、どれだけ自分で自分を励まし、開き直った振りを通し、健気《けなげ》に努力して来たことか。それを考えると、いけしゃあしゃあと電話くれなどと言ってのける上尾のことが、心の底から憎くなった。

だいたい、今頃になってあたしが会社を辞めたことを知ったなんて、そんな嘘がよくつけるもんだ。あたしと上尾とのことが社内で評判になってしまい、上尾が一時、あたしの勤めていた会社から出入りを遠慮して欲しいと言われたことは、総務から聞いている。その時上尾が何と言い訳したのかも。

上尾は言ったのだ。和泉さんのことでは僕も少し困惑しているところなんです。僕は何も特別な感情を持っているわけではないんですが、どうも彼女に誤解されたというか、思い込まれてしまっているみたいで。

その言葉を総務の課長から聞かされた時のあたしの恥ずかしさと口惜しさには、慰謝料を一億円くらい貰わないと割が合わない。

でも、茉莉緒は弁解しなかった。上尾の本心がはっきりわかった以上、何を言ってもむなしいだけだと思ったから。

終わった恋なのだ。終わらせたいと望んだのは上尾自身なのだ。

なのになぜ、電話なんかしてくるのよ！

シャワーを浴び、髪も洗ってさっぱりすると、いくらか気持ちが落ち着いた。

無視すればいいのだ。あんな男のことで少しでも心を乱されるなんて、そんなことは貴重なあたしの時間の損失。

茉莉緒は、電話機のそばに落としたままだったパンの袋を取り上げた。怒りにまかせてこれで電話機を殴ってしまったのは大失敗だ。

おそるおそるパンを取り出す。ミニ・クロワッサンはどうやら無事。でも食パンは、菱形《ひしがた》にひしゃげてへこんでしまった。

それにしても……万引き。

パンを見つめている内に、茉莉緒はまた、白いスーツの女性のことを思い出した。あの女性の心の中には、どんなものが渦巻いているのだろう。百四十円のケーキ二個を万引きすることで、彼女の心は落ち着くことが出来るのだろうか。

茉莉緒には理解出来ないことだった。だがそれでも、彼女を蔑《さげす》む気にはなれない。

冷蔵庫を開け、ダイエットコーラを取り出す。ミニ・クロワッサンのチーズ入りを一個だけ袋からつまみ出し、コーラの缶とクロワッサンを手に、ベッドの形にしたままで片付けていないソファベッドに座り込んで、買って来た雑誌をめくった。

雨森海のことについて書かれているページをもう一度拾い読みする。『モデルとして活躍、若い女性に支持される』……ふうん。女の子に人気があったってことか。でも渚が名前を知らなかったくらいだから、メジャーとまでは行かなかったってことだよね。『演技力はまだ未知数だが』……未知数って、ドラマとか何本も出てるんだから、未知、ってことはないよな。つまり、下手だって意味だ。『不思議な存在感があり』……不思議な存在感ねぇ。変なヤツ、ってこと？『将来が期待される注目株である』……ほんとかいな。

自分のこと、何屋だかわからない、なんて言ってたのに。俳優としていっちょやったるか、みたいな覇気は全然感じられなかった。自分が出るドラマなのに、観たってしょうがない、なんて言ってたし。プロとしてはああいう態度って、まずいんじゃない？やる気がないって思われたら、仕事だってうまく行かないだろうしさ。

『しかし、今人気絶頂の夏草麻衣との共演は大きな注目を集めているので、この映画をきっかけにブレイクする可能性も大』

ブレイク。つまり、バーッと売れちゃうってことか。なるほどね、そんなもんかもね。それなら、サインくらい貰《もら》っておけば良かったなぁ。後でお宝になったのに。

あれ？

茉莉緒は、そのページの大半を埋め尽くしている夏草麻衣の写真に目を止めた。

ちょっと待ってよ、これ……


うっそー！


茉莉緒は、何度も瞬《まばた》きしてその写真を確認した。だが、見れば見るほど、確信が生まれて来る。

間違いない。あの万引き女は、夏草麻衣だ。

決め手はスーツだった。デザインは違うが、白いスーツは夏草麻衣のお気に入りらしい。映画の試写会に顔を出した夏草麻衣のスナップに、白いスーツを着た彼女があった。そしてそのスーツから突き出た二本の脚。膝《ひざ》の小ささやふくらはぎの微妙な曲線が、さっきパン屋で見かけたあの女性のものとそっくりなのだ。夏草麻衣はまだ十九歳。だがさっきの女性は三十代に見えた。そのカラクリは簡単だった。髪型だ。

夏草麻衣の写真には、額を出してひっつめた髪型のものは一枚もなかった。彼女のいわばトレードマークが、斜めにゆるく額を覆う前髪なのだから当然だ。それをかき上げるいる仕草が、年齢に不似合いなほどセクシーだというのが彼女の人気を支える大きな要素なのだ。その髪をすべてまとめて、額もきっちり出してしまったら、その整った卵形の顔の輪郭や古風な富士額という要素が逆に、彼女の印象をぐっと老けさせてしまうのは充分想像出来る。その上に、夏草麻衣の最大の魅力である、吸い込まれそうなほど大きな黒目がちの瞳《ひとみ》をサングラスで隠してしまえば、よほど注意して見ていない限りは、誰も夏草麻衣だとは気づかないだろう。

事実、茉莉緒自身も、彼女が万引きという仰天するようなことさえしなければ、彼女の姿をあれほど熱心に見つめ続けたりはしなかっただろうから、その後で白いスーツを着た彼女の写真をこうして見ても、同一人物だとは夢にも思わなかったに違いない。

彼女はきっと、病気なのだ。

茉莉緒は、大輪の芍薬《しやくやく》の花のようにあでやかな、夏草麻衣の笑顔を見ながら思った。

心の病なのだ。自分でもどうすることも出来ないまま、ああして万引きをしてしまうのだろう。芸能人であることって、それほど大変なことなのだ、きっと。心が押し潰《つぶ》され、歪《ゆが》んでしまうほど、辛《つら》いことがいっぱいあるに違いない。

そう考えると、無気力な様子で茉莉緒があげたおにぎりを頬ばり、自分の出演したドラマなど観てもしょうがない、と吐き捨てた雨森海の気持ちも、何とはなしに理解出来るような気がして来る。

今度のエキストラのアルバイトでは、彼とまた話をする機会などはないだろうが、もしあったとしたら、今度はもう少し優しくしてあげようかな……

3

快晴。今日の京都市内は暑くなりそうだ。

茉莉緒は、小さなバッグの中にエプロンとサンダルを詰め込んで、出来るだけ地味に見える服を選んだ。とは言っても、「ふつうの奥さん」に見える服ってどんなものなのか、どうも見当がつかない。仕方なく、新聞の折り込みチラシの中からスーパーの宣伝を見つけ、そこに載っていた、掃除機を手にしたモデルの着ている服を参考にする。白いカットソーに、ギャザーの入った紺色のスカート。ポケットのところに白いレースの縁取りが付いている。いかにも無難、いかにも普通。

持っている限りの服を必死にあたまに思い描いたが、白いカットソーはともかくとして、そんなスカートは持っていなかった。そもそも、普段着にスカートを穿くこと自体が滅多にない。うちにいる時は一年中、ジーンズだ。

代わりにチェストの奥から引っ張り出したのは、もう何年も持っていることさえ忘れていた花柄のフレアースカートだった。学生時代に着ていた記憶があるけれど、ここ数年はこんなものを着たいなどと考えたことすらない。それでも、イメージとしてはそれがいちばん近い。

鏡の前に立ってみると、予想以上のブリッ子スタイルに自分で驚く。要するに、広告の写真というのはある種の願望なのだ。男が考える理想の奥さんのイメージ。

現実問題として、こんなヤワな格好で主婦が勤まるとはとても思えなかった。トイレ掃除もしなくちゃならないし、子供を自転車のカゴに詰め込んで安売りしている隣町のスーパーまで行かなくちゃならないんだから、やっぱりジーパンでしょう、実際は。しかし、映画とは現実ではないはずだ。映画の画面で「奥さん」に見える為には、多くの人々の幻想を集約した「奥さん」の姿が必要なのだ。

茉莉緒は、自分で自分を無理に納得させながらフレアースカートのジッパーを引き上げた……そして嘆息した。

きつい。

太ったのだ。学生時代からウエストがこんなに……

ついてない。何時間かかるかわからない撮影の間中、息を吸い込んでお腹をへこませていないといけないなんて。これで七千円では、割が合わない。

茉莉緒は仕方なく、トーストを食べるのを我慢して、ダイエットビスケット二枚だけを呑《の》み込んで家を出た。お腹が膨れると苦しいので、水分も控えないとならないだろう。

集合場所は宇治《うじ》川の河川敷。京阪と近鉄を乗り継ぎ、バスに乗り換えて合計一時間強。降りたバス停にはすでに、自分と同じ境遇らしい学生や、会社員風の男女が大勢溜《た》まっていた。

茉莉緒は思わず、周囲をきょろきょろと見回していた。集まっている人々は特に不安そうでもなく、次に何をするべきかすっかり心得ている、といった感じでいる。だが茉莉緒は、どうしていいのかさっぱりわからなかった。

やがて目の前の大きな白い縦長の立て看板に気づいた。

『日本近代映画株式会社の撮影エキストラとしておいでの皆様は、この先の階段より河川敷に降りて受付を済ませてください』

よかった。

茉莉緒はホッとして、ぞろぞろと歩いている人々の後ろから近くの階段へと向かった。

バスの通る府道から河川敷への階段はかなり急な傾斜がついていて、油断すると転げ落ちそうだ。こんなところで転んで怪我でもしたら、いい笑い者だ。

受付はすぐにわかった。学校の会議室などによく置かれている、折り畳み式の簡単なテーブルが横にずらっと並べられ、白い紙が何枚か貼られている。その前には数名の男性がメガホンを持って立っていて、近づいて来る人々に何か怒鳴っていた。

茉莉緒は、前にいた数名の人にならって、『受付』と書かれた紙の前に行った。ダンガリーシャツをだらしなく左右違う長さに腕捲《うでま》くりした髪の短い女性が、表のようなものを盛んにめくってやって来る人々を捌《さば》いている。

「受付番号言ってください」

女性は下を向いたまま言った。

「二十三番です」

茉莉緒が答えると、女性は素晴らしい速さでリストをめくり、茉莉緒の名前を見つけ出した。だが、逆さまから覗《のぞ》き見ると、名前の漢字が見事に間違っている。ちゃんと説明したつもりだったのに。

「泉真理夫さんね」

「はい、でもあの、泉は和と泉で、真理夫じゃなくて……」

「Bの札のとこに行ってください」

「は？」

「Bです」

女性は指で河原の方を指した。

「あそこに札が見えてるでしょう？」

感じ悪い。

茉莉緒はむくれて頬をふくらませながら『B』と書かれた大きな札の下がっているテントに向かった。その札の真下には、立て看板のようなものが立てかけられている。

『シーン107、河原に転がる市民の死体』

……死体。

ちょっと待ってよ。

茉莉緒はますます頬をふくらませた。

それじゃ、何？　エキストラって死体の役をしろってことなわけ？

「はい、まだの人は急いで登録してください」

立て看板の横に立っていた男がメガホンで喚《わめ》く。

「時間ありませんよー！」

茉莉緒はよっぽどこのまま帰ろうかと思ったが、雨森海のことを思い出して踏みとどまった。どうせエキストラでは出演者である海と言葉を交わすことなど出来ないだろうが、それでもあの海が、役者として演技しているところを見てみたいという欲求を抑えることは難しかった。

茉莉緒は『B』のテントの下で、エキストラ登録を済ませた。

「説明がありますので、そのままお待ちください」

さっきの女性よりは幾分丁寧な口調で、ジーンズに半袖トレーナーの若い女性が登録の済んだエキストラたちを整理している。彼女も、そしてさっき受付していた女性も、茉莉緒より年下だろう。

彼女たちがどういう立場でここで仕事をしているのかは知らないが、ともかく、映画の撮影という仕事に従事しているというだけでも、茉莉緒には羨《うらや》ましい感じがした。少なくともきっと、あたしがあの会社で働いていた時よりは充実しているに違いない。

茉莉緒は、他のエキストラたちと共に、テントの前で待った。

河原は今や、人でいっぱいだった。いったい何人くらいのエキストラが集められたのだろう。ざっと見ても、百人はいそうだ。

テントはA、B、Cと三つあって、その前に集まっている人々の顔ぶれが、それぞれに若干異なっている。Aのテントには男女共にいるが、みな若い。せいぜい二十代前半までといったところ。Cのテントは年齢にはある程度の幅があるが、男性ばかりだ。そして茉莉緒がいるBのテントは、人数がいちばん多く、男女共にいて、実に雑多な感じがした。

「ついてないの」

茉莉緒のすぐ後ろで若い女性の声がする。

「あっちに行きたかったのになぁ。あのAのとこ、ヒロインの風子が河原で大学のクラブの子たちと歌を歌うってシーンのエキストラやわぁ、きっと。原作にそういう場面、あるもの」

「電話したんが遅かったんや、しゃあないやんか」

連れらしい男の声。

「でもええやんか、死体ってのも。滅多にやれん役やで」

女性の声が不満げに言う。

「動けないんでしょう？　じっとしてるなんて出来るかなぁ」

「動いたかてかまへんて。どうせ俺らのことなんかカメラで一回舐《な》めたら終わりなんやから。動いたらカットされるだけのことや。それより、今日は仕切りが生田エージェンシーやで、弁当、期待出来るでぇ」

「ほんま？」

「ほんま、ほんま。この前な、俺らの部にグランド走ってるだけってバイトが来たんや。それの仕切りが生田エージェンシーでな、出た弁当が、すげえ豪華な二段重ね幕の内！」

「もしかしてそれ、テレビちゃう？」

「うん。来月から始まる連続の青春ミステリ」

「あかーん」

女性が大袈裟《おおげさ》な声で言った。

「テレビの連ドラと映画とやったら、予算がちゃうわ。映画はしわいんよ。だいたい、うちとこの部員集めたって三十人もいないやん。ちょっと見て、今日はこんなに大勢やで。そんな豪華なお弁当なんて出してられへんわ。ま、せいぜい、シャケの入ったお好み弁当、ってとこやね。それにウーロン茶一缶付き」

茉莉緒は、小さな溜《た》め息をついて、自分が着て来た「奥さんに見えそうな」服装を点検した。どうせ死体の役になるなら、何もこんな服じゃなくても良かったのだ。電話受付の人のいい加減な話に乗せられて、まったく、バカみたい。

「はい、それでは説明をいたしますので、もう少し小さくまとまって前に来てくださーい」

メガホンを持った男が、やっとそう怒鳴り始めた。茉莉緒は、少しだけ前に進んだ。

「最初に確認しまーす。皆さんは、受付で、B組に行ってくださいと指示されていますね？　B組以外のところを指定された方はいらっしゃいませんね？」

小学生に話しかけるみたいなあの口調、何とかならないものかしら。

「いませーん」

何なんだ、まったく。答える方も答える方だわ。小学生！

「はい結構です。では、B組の本日の撮影分について、簡単にご説明いたしまーす。まずストーリーですが、鞍馬山《くらま》から飛んで来る火の玉に追われて河原に逃げて来た人々を吸血鳥が襲います。皆さんに出ていただく場面は、鳥の襲撃が終わった後、河原に死体がたくさん転がっている、その場面です」

集まった人々の間に、小さなざわつきが生まれた。誰だって、死体の役なんて嫌なんだわ。あたしだって嫌よ。

メガホンの男は、エキストラたちの失望を笑ってごまかして続けた。

「今から皆さんに、背中が汚れたり破れたりしている上着を配ります。それを、今着ておられる服の上から羽織ってください。設定は晩秋ですので、上着を着て丁度季節と合いますからね、ちょっと撮影の間は暑いと思いますが、我慢してくださいね。ええ、リハーサルはありますが、皆さんに実際に河原に寝転がっていただくのは本番一回だけです。それまでのリハーサルでは、俳優さんたちだけ寝転がることになります。見学は出来ますので、どんな感じかリハーサルをご覧になって摑《つか》んでおいてください。いちおう、おおよその時間をお知らせしておきますと、みなさんの出番の前に一シーン撮影しますので、だいたい、そうですね……」

男は腕時計を見る。仕草がいちいち大袈裟なのが映画関係者の特徴なのだろうか、それとも単にあの人の性格か。

「午後一時頃からの撮影になると思います」

ざわつきが大きくなった。それはそうだ、朝から呼びつけておいて出番は昼過ぎだとは。だが、茉莉緒のそばにいたカップルは全然動じた雰囲気がない。エキストラは一日拘束されるのが当たり前だと、達観しているようだ。

それにAだのBだのCだのという区分けが撮影の順番で付けられているとすれば、Cに区分けされたあの男性たちはBの撮影が終わるまでさらに待たされるということになる。もしかしたら夕方、いや、日没後になってしまうのかも知れない。

「それにしてもぉ」

さっきのカップルの女性が囁《ささや》くように言った。

「一日で三つも野外シーン撮っちゃうってのは、無茶やねぇ」

「予算がないんや。野外撮影を三回に分けたら、この河原の使用許可も三回分取り付けないとならないやろし、機材のレンタルも三回分、エキストラの手配も三回しないとならんやろ。エキストラ集めて整理するだけかて、かなりの金を生田エージェンシーに払いよるんやろから、三回よりは一回にしよ、て考えるやんか」

「そんなにお金、ないのかな？」

「ないと思うでぇ。日本近代映画は倒産寸前なんて噂もあるやんか。ほら、夏草麻衣の相手役、ほんまは滝川英次《たきがわえいじ》がやるはずやったん、急遽《きゅうきょ》雨森海に代わったんも、ギャラの問題があったからやて週刊誌に書いてあったやんか」

「あ、その話読んだ！　雨森海なら、今やったらどんなに値切っても事務所が仕事引き受けるからって、書いてあったわ」

雨森海なら、どんなに値切っても仕事を引き受ける……

茉莉緒は、カップルの会話に思わず真剣に聞き入った。それってどういう意味なんだろう？

彼は……海は、そんなにお金に困っているんだろうか。

「では、そういうことでひとつ、よろしくお願いしまーす！」

メガホンの男性が随分と軽い調子で言った。集まっていた人たちは、ぞろぞろと、服を支給する為に大きなダンボールを三個も引きずるようにテントの前に持ち出して来た、アルバイトらしい若い男の子の前へと移動して行った。

「サイズ言ってください」

男の子はしゃがれた声で言う。他の雑用でよほど声を酷使したのだろうか。

「九号です」

茉莉緒が言うと、男の子は真ん中のダンボールから手早く上着を掴み出した。

「どれにします？」

三枚の上着が掴み出されている。茉莉緒は手を伸ばし、薄いピンク色に見えるカーディガンをつまんだ。

「はい、次の人！」

迷っている暇などはなかった。仕方なく、茉莉緒はそのカーディガンを手にしたまま、土手の中腹にロープで囲われている場所まで登った。そこがエキストラの待機場所になっているらしい。

「うわぁ」

茉莉緒は草の上にしゃがみ込み、手にしたカーディガンを広げて思わず、声に出して嘆息した。

背中にわざと作った大きな鉤裂《かぎざ》きが数カ所、血のように見える赤い染みが、真ん中から裾《すそ》にかけて広がっている。茉莉緒は思わず、その染みに鼻を近づけた。幸い、インクのような化学物質の匂いがするだけだった。

本物の血のわけ、ないか。

茉莉緒はひとり笑いしながら、河原で繰り広げられている大騒ぎを見物した。

ロケバスのような白い車が数台、土手から河原に降りる道をこちらに向かって移動して来る。やがて車が停まると、中から子供たちが、およそ十名くらいだろうか、こぼれるように降りて来た。その後ろからは、丁度茉莉緒が着ているのと似たような、まったく特徴のないコーディネイトの服を着た女性が五、六人続く。中にはエプロンを着けている人もいる。前に降りた子供たちの母親かと一瞬思ったが、遠目にもそうではないことがわかった。皆、そこそこ綺麗《きれい》な顔をしているのだ。

最後に、場違いに綺麗な服を着込んだ女性たちが降りて来た。だが彼女たちも女優ではない。降りるとすぐ、子供たちがばらばらになってその女性たちに群がる。あの人たちが子役の母親なのだろう。

別のバスからは、スタッフらしい人々が次々と現れる。河原には今や、自分たちエキストラ要員も含めると二百人近い人が動き回っている。

映画を一本作る。それだけの為に、これだけ多くの人間が忙しく動き回る。どんなものでも、それが生み出されていく過程が目の前で見られるというのは嬉《うれ》しいものだ。

だが観ているだけより、作る側に参加する方がその何倍も興奮するに違いない。さっきの声を嗄《か》らしていた青年だって、この映画が完成して上映されるようになれば、自分がその為に働いたのだ、という満足感で心が満たされる経験をするはずだ。

羨《うらや》ましい。

やっぱり、羨ましかった。

大学を出て普通に就職して、事務仕事をこなして来たこと自体に後悔があるわけではない。それなりに一所懸命働いていたのだし、些細《ささい》なこととは言え、首尾良く仕事の片をつけた時にはそれなりの達成感は得ることが出来た。だが、こうして会社を辞めてしまった後になってみれば、あたしはあの会社で何をし、そのことによって何が残ったのだろう、という自問に対して答えが見つからないのだ。何もしなかったわけではない、確かに何かをしていたはずなのに、気がついてみれば何も残っていない。そして後悔すら、ない。

生きるために働いていた。ただそれだけ。

それだけが悪いとは思わない。

だが、自分があの会社で働いていた痕跡《こんせき》など、たぶんものの数週間ですっかり消えてしまうのだろうと考えると、言い様のない淋《さび》しさに胸が締めつけられてしまう。

今、目の前で動き、働いている人々は、今のこの仕事を辞めて暫《しばら》くした時、同じ自問に対して、少なくともひとつの答えは持つことになるのだ。

「いろいろあったけど、ともかく、あたしは『古都壊滅妖怪大戦争』を作る仕事をしてたんだよ」と。

茉莉緒は大きな溜《た》め息をついた。

明日から、本当に本気を入れて仕事を探そう。今度こそ、何かひとつでもあたしの心の中に残せるような仕事を。

三十分ほども経ってから、ようやく撮影が始まった。新たに到着したワゴン車からは俳優たちが続々と降り立ち、台本を手にして打ち合わせらしい人の輪に混じり、その輪が壊れると今度はカメラが動き出して、監督らしい人が何か指図を始める。

芸能界にはほとんど知識がなかったので、演技している俳優の名前がまったくわからない。かろうじて、テレビドラマで見た覚えがあるな、と思う程度だ。

だいたい茉莉緒は、ヒロインの夏草麻衣の顔すらまともには知らない。人気抜群であること、スタイルがとても良いことは何となく知っているのだが、夏草麻衣の出ている番組というのを観たことがないので、雑誌の写真でしかその姿に記憶がないのだ。

しかし、夏草麻衣がまだ撮影現場に到着していないことだけはわかった。今日は出番がないのだろうか？

また一台、車が現場に近づいて来る。黒いワゴン車だった。その車が河原に降りると、不思議なことが起こった。ばらばらと、数名の人間が車に走り寄ったのだ。

ドアが開いて出て来たのは二人の男性。それから、後ろから女性がひとり、降り立った。

夏草麻衣だ！

真っ白でふわふわとしたワンピースを川風に揺らしながら、小柄だが脚の長い女性がゆったりと歩いて来る。夏草麻衣のことはほとんど知らないのに、遠目からでもその存在感が他の俳優たちより際立って大きいことで、彼女だ、とすぐにわかった。彼女の少し後ろを歩いているのがマネージャーだろうか。何の変哲もない中年の男性で、街で擦れ違っても芸能界の仕事をしている人間だとはとても想像出来ないタイプだ。

夏草麻衣と彼女を取りまいた人々の一団は、河原を横切るようにして、茉莉緒たちが座って出番を待っているすぐ近くまでやって来た。よく見れば、エキストラの受付テントの真後ろに、メイクアップ関係の人らしい女性が座っているテントが見えている。これから夏草麻衣のメイクが始まるのだ。

茉莉緒の近くに座っていた人々も、夏草麻衣の登場には色めき立っている。小型のカメラを向けて撮影している人もいる。今日のエキストラバイトに応募した人の多くは、夏草麻衣を生で見ることが目的なのかも知れない。

茉莉緒は、テントの奥に姿を消した夏草麻衣から目を逸《そ》らし、また撮影現場の方に視線を移した。

あっ！

茉莉緒は思わず半腰になった。

雨森海だ！

あの日鴨川の土手で、茉莉緒のおにぎりをひとつ食べて身の上話をして行った海の姿が、撮影現場の真ん中にあった。

海は、乱闘シーンのようなものを演じている。リハーサルのようだった。数名のアクション俳優たちの間に立って、殴り合いの真似のような仕草を何度も何度も繰り返している。本当に、見ているとイライラするほど何度も同じ動作をする。ああやって綿密に演技の確認をしておかないと、乱闘シーンのようなものはうまく行かないのかも。

海は、この前見た時よりも背が高く見えた。動いているからだ、と茉莉緒は思った。演じているから、大きく見えるのだ。

「あれが雨森海?」

甲高い声が茉莉緒の後ろから聞こえた。さっきの、お喋《しやべ》りで事情通なカップルの片割れだった。

「けっこうイケてるやん」

「モデル出身やから、ルックスはなぁ。そやけど、演技はあかんて噂やで」

「演技なんかそのうち、うまなるんと違う? 滝川英次より、うち、好きかも」

「千夏《ちなつ》は面食いやな」

「芸能人なんてどうせ顔だけやないの。それより、週刊誌に書いてあったこと、ほんまやろか。雨森海の事務所が、松崎かすみの自殺でものすごい借金背負っちゃってるって。倒産寸前て書いてあった」

「俺の聞いた話ではほんまやで。松崎かすみが死んで、不履行になった契約が相当あったらしいんや」

「松崎かすみて、トラブルメーカーやったもんねえ。一年前に、仕事すっぽかしてどっか南の島に男と逃げたばかりやったのに」

「あの時にも穴を空けた仕事の賠償で、事務所はかなり痛い目に遭ってたんや。その借金が残ってるのに今度は自殺やもんな。特にCMの契約が痛かったみたいやで。男と逃げた時のイメージダウンがようやく回復して新しいCMを何本か撮《と》ったばかりやったのに、自殺したタレントのCMなんか使えへんもんなぁ」

「やっぱりあかんやろか」

女性の言葉に、業界通らしい男性は即座に答える。

「あかん、あかん。イメージ悪過ぎるで。そりゃスポンサーかて怒るで。ごっついペナルティ取られたって噂や」

「それで、雨森海が松崎かすみの尻《しり》ぬぐいでこき使われるわけかぁ」

「新人歌手より安い給料しか払てへんのやて。ギャラなんて最低でもいいから使《つこ》てください、て、事務所が売り込みかけてるそうや。そんなことでもせんと、もうその事務所にどこも仕事なんか回さんやろしな」

「かわいそー。なんで他の事務所に移籍しないんやろ」

「芸人の移籍はそんなに簡単にはいかんねん。最初にどんな契約で事務所に入ったか、その後どんな契約を交わしているかで、いろいろ大変なんや。でもな、雨森海にしてみたら、そりゃ腹立ってると思うでぇ。大きな仕事して早くブレイクして、事務所を変わりたいて思てるに違いないで」

茉莉緒は、聞くともなしに耳に入って来る話を信じられない思いで聞いていた。

あの時の海の、どこか投げやりな態度の理由がこれだったのだろうか。確かに、働いたことに対して正当な対価が支払われなければ、働く意欲がなくなるのは当然だ。

でも……

何だか少し、違う、と茉莉緒は思った。

お金のことだけが理由なら、俳優であるということに不満はないはずだ。だがあの時の海は、自分が俳優という仕事をしていることそのものに、幻滅のようなものを感じているようだった。俳優という仕事に幻滅しているのではなく、その仕事をしている自分自身に幻滅している……そんな印象。

目の前では、何度目かのリハーサルが終わり、本番の撮影が始まろうとしている。

スタッフが緊張するのが見て取れた。

監督も、椅子から乗り出すようにして、海と彼を取りまく「殴られ役」の輪を見つめている。

「本番行きまーす」

メガホンを持った男が叫んだ。

「絶対、声出さないでねー。携帯電話のスイッチ切ってくださーい」

茉莉緒はなぜか自分が、両手の指を祈りを捧《ささ》げる時のように組み合わせていることに気づいた。

海のために、祈る。

失敗しませんように。ちゃんと撮影が出来ますように。

自分で自分がおかしくて、声を出さずに笑い出してしまう。あたしは彼の、恋人でも何でもないのに！


カチンコが鳴る。

海が動き出した。周囲の俳優たちも一斉に動く。乱闘が始まった。

茉莉緒は掌《てのひら》に汗をかいている自分に気づいた。

「はい、カット！」

大きな声がして、張りつめていた緊張がどっと解ける。

「チェック入りまーす」

監督の後ろでメガホンを持って指示を伝えているのが助監督だろうか。

監督が椅子から立ち上がり、すぐ近くのテントの中に入った。そこにはテレビのようなものが置かれている。今撮影したばかりの映像をチェックするのだ。

待機しているエキストラは、一斉にまたお喋りを始める。

ひとつの場面を撮影するのに、これほど時間がかかるとは想像していなかった。打ち合わせとリハーサルを繰り返し、何度か試しに撮ってみて、それからやっと本番。その映像はすぐにチェックされ、ダメならまた撮り直しだ。

海は、小さなペットボトルから何か飲み物を飲みながら、スタッフと談笑していた。とてもリラックスした様子だ。

茉莉緒は、海が気づいてくれないかと期待しながら海を見つめた。だがもちろん、気づくはずがない。

「オッケーでーす！」

大きな声がして、スタッフも俳優も一斉に小さな歓声をあげた。

一発合格。

茉莉緒は、心の中で海に、良かったね、と声を掛けた。

「お疲れさまでーす。次、シーン七十八行きまーす」

メガホンの男がエキストラの待機場所に向かって怒鳴った。

「はい、Aの人たち、ここに集まってくださーい！」

ロープが張られた土手から、二十名ほどの若い男女が立ち上がって河原へと降りて行った。

「いいなぁ！」

例の女性が言う。

「夏草麻衣と一緒に映れるなんてさぁ」

「映りゃせんて。横に座って歌ってる振りするだけやん」

「運が良かったら映るやないの。あーあ、せっかく、現代芸能研究部にいるんだから、ちょっとでも映りたいよねえ」

現代芸能研究部。大学のクラブか。

それにしても、彼女たちが研究している現代芸能とは、つまり、芸能界のことなんだろうか。芸能の意味もいろいろあるものだ。


シーン七十八、は、今さっき海が演技をした場所よりだいぶ川下で撮られるようで、スタッフにメガホンで怒鳴られながらみんなぞろぞろと河原を歩いて遠ざかる。その一団よりだいぶ遅れて、テントの中から夏草麻衣がようやくまた姿を現した。彼女のイメージとよくマッチしていた白いワンピースは姿を消し、代わりに、ジーンズの上に長袖のトレーナーというスタイルだ。髪もポニーテールに結んでいる。

せっかく芸能界にデビュー出来ても、彼女のような位置に辿《たど》り着けるタレントはほんのひと握り。あれほど自然に、ごく普通の女子大生のように振る舞っていても、その一挙手一投足が星の数ほどの憧《あこが》れの頂点を示すものなのだ。

茉莉緒は眩《まぶ》しさに瞬きした。陽射しのせいではなく、夏草麻衣の存在の眩しさに。

でも。

あの万引きのことはいったい、どうなっているんだろう？

どうして彼女のように、欲しいものは何でも手に入る女性があんなこと……それともやっぱり、あたしの思い違い？

あれ？

茉莉緒は夏草麻衣の五メートルほど後ろを歩いている二人の人間に目を止めた。ひとりは中年の男性で、さっきの様子から夏草麻衣のマネージャーではないかと思われる人物だ。もうひとりは女性……

あの歩き方。膝《ひざ》から下の動かし方に、確かに見覚えがある。モデルがステージで歩くような、颯爽《さっそう》とした大股《おおまた》で、どこか挑むように足先を前に出す。

茉莉緒は女性に注目した。白っぽいスーツにサングラス。

サングラス！

やだ！

そんな馬鹿な……でも……

茉莉緒は何度も瞬《まばた》きしてその女性を見つめた。だが見れば見るほどわからなくなって来た。万引きしていたのは夏草麻衣じゃなくて……あの女のひと？

そう考えれば、万引きしていた女が三十くらいに見えた謎も解ける。実際、あのサングラスの女性は三十前後という感じなんだもの。髪型でごまかしていたわけじゃなかったのかな。

だけど……何てそっくりなんだろう。

顔はわからないけれど、からだのラインやふくらはぎの形まで、あまりにも似ている。でも夏草麻衣の母親にしては若すぎるし。夏草麻衣のマネージャーと何か話しながら歩いているから、夏草麻衣の事務所の関係者、とか？

「ねえ！」

耳元で声が聞こえて振り向いた。芸能界の噂話にやたらと詳しかったカップルの片割れの女の子が、茉莉緒に呼び掛けていた。

「あなたのこと、呼んでるのと違う？」

そう言われて、茉莉緒は彼女が指差した方向を見た。

「あそこ。さっきから。おたく、雨森海の知り合いなん？」

エキストラが待機させられているロープで仕切られた場所からほんの数メートルのところに立って、海が手を振っていた。

茉莉緒が驚いて立ち上がると、足下でさっきの女の子が言った。

「知り合いやったら、サイン貰《もら》えへんかなぁ。訊《き》いてみてよ」

「し、知り合いってほどのもんじゃないんだけど」

茉莉緒は上の空で言って、座っているエキストラたちの間を苦労して歩きながら仕切りの外に出た。

「あ、あの」

茉莉緒が口を開こうとすると、海がテントの方を指差す。

「あっち。おにぎりの御礼《おれい》、するよ」

茉莉緒は呆気《あっけ》に取られながら頷《うなず》き、海の後についてテントのひとつに移動した。そこは、俳優の控え室になっているらしい。

折り畳みの椅子を茉莉緒の為に開きながら、海はにこにこして言う。

「ウーロン茶かコーヒー、どっちにする？」

「ど、どっちでも」

海はテントの隅のクーラーボックスから缶コーヒーを取り出し、茉莉緒の手に渡した。

「初めは見間違いかと思ったよ。エキストラのバイトなんてするんだ」

「初めてなの。バイト情報に載ってたから」

「効率悪いでしょう、一日中拘束されてさ。いちばん早い組だと良かったのにね、昼の弁当貰ってあがりだから。二番目？」

「だと思うけど……初めてなんで勝手がわからなくて。あまり説明して貰えないのね」

「ひどいよね」

海は肩を竦《すく》めて声を低めた。

「一日でエキストラ使うような大きなシーンを三つも撮っちゃうなんてさ。東京からスタッフ連れて来てるから、滞在費も馬鹿にならないんだよね。この映画も予算、かつかつらしいから。ま、そのおかげで俺なんかにお鉢が回ってきたわけだけどさ」

「でもあなた、期待されてるじゃない。雑誌によく出てるよね、最近」

「夏草麻衣のおまけでね」

「いい役だって書いてあったわよ」

「まあね。でも、出番は少ない。演《や》る側からしたらそんなにおいしい役じゃない。悪役でも出番が多くて強烈な印象を与える役の方が、こっちから見るといい役だったりするんだ。俺の役は、たぶん、映画館を出て晩御飯でも食べてる内に忘れちゃうよ、見た人」

海は相変わらずだ、と茉莉緒は思った。

特に修業も積まず下積み経験もなしに俳優としてデビュー出来て、しかもそこそこに目立つ役を映画の中で貰えるという幸運に恵まれていながら、海にはそれを大切にするという気持ちが薄いのだ。

俳優という仕事がそんなに気にくわないなら、どうしてさっさとやめて元のモデルに戻らないのだろうか。いや、俳優業が気にくわないわけではないのかも知れない。彼が気にくわないと思っているのは、現在の環境なのかも。

さっき、芸能ゴシップ好きのカップルが話していた内容が思い出される。所属事務所のタレントが自殺した事件のとばっちりで安いギャラでこき使われているというのが本当だとしたら、やる気が出ないのも仕方ないことなのかも知れない。茉莉緒自身にしたところで、会社勤めをしていた時には、何だかんだ言っても給料が少ないことがいちばんの不満の種だったのだから。

「ねえ」

茉莉緒は話題を変えたいと思い、さり気なく訊いた。

「あの、白っぽいスーツの女の人、誰？」

「どの人？」

「あの人。夏草麻衣さんの撮影を、背の高い中年の男の人と一緒に見てる」

茉莉緒がそっと指さした先を、海は熱心に見て、それからちょっと驚いたような顔になった。

「君、彼女のこと知ってるの？」

「あ、ううん、知ってるってわけじゃないんだけど……歩き方が格好良かったから女優さんなのかなぁと思って」

「いい勘してるよ」

海は苦笑いした。

「確かに彼女、元は女優だったらしいから。もっとも俺はさ、彼女が現役だった時に出たものってひとつも見たことないんだけど。彼女の名前は伊藤冴子、芸名は岩下冴子とか言って、十五年くらい前までは昼の帯ドラの脇役なんかにはよく出てたんだってさ。ほら、ヒロインの妹とか、隣の元気なお姉さん、なんて役」

「今は女優さんじゃないのね」

「マネージャー。俺の」

「あなたの？　でも、どうして夏草麻衣さんのとこにいるの？　ここにいないで」

海は肩を竦めてから、内緒話でもするように茉莉緒の耳に口を寄せた。

「あの人、俺には興味がないんだ。俺のことなんてどうでもいいんだよ。元々さ、マネージャー業はだいぶ前にやめて、事務所の経営とかそっちの方の仕事してる人だから。俺のいる事務所の社長の片腕って感じかな。いや……実質的には、彼女の会社みたいなもんだね」

海はさらに声をひそめ、テントの中にいる他の俳優たちに聞こえないように言った。

「でも俺の事務所って今、人手不足なのに金がなくてマネージャーを増やせないから、取りあえず彼女が俺のマネージャーやってくれてるわけだけど、彼女から見ると俺って才能ないんだな、たぶん。いつもこんな感じでほったらかし」

「それで、どうしてあんなとこで夏草麻衣さんの撮影なんか見学しているの？」

「見学してるんじゃないよ。たぶん、何か頼んでるんだ。東条俊介《とうじょうしゅんすけ》に」

「東条……俊介？」

「夏草麻衣のマネージャーで、業界では辣腕《らつわん》マネージャーとして有名な人だよ。伊藤さんは昔、今は夏草麻衣も所属してるライトウィングって大手事務所にいたらしいんだ。で、その頃から東条俊介とは知り合いだったんじゃないかな。伊藤さんの頭の中は今、事務所の経営の立て直しのことでいっぱいなんだ。東条俊介に頼んで、テレビ局の有力者に紹介して貰うとか何とか、そんなこと考えてるんじゃない？」

「でも……あなたのマネージャーなら、あなたのことが第一でしょう？」

茉莉緒が唇を尖《とが》らせたのを見て、海は面白そうに笑った。

「まあね。だけど彼女の名誉の為に付け加えておくとさ、彼女、マネージャーとしての仕事をほっぽり出してるわけじゃないんだ。マネージャーってのはさ、結局、何がいちばん重要な仕事かって言えば、担当してるタレントに仕事を見つけて来ることだろ。その点では彼女はさすがだよ。彼女が担当してくれるようになってから、けっこう大きな仕事がそこそこ入って来てるもの。俺としては、それで充分ってとこかな。あんまり世話やかれると鬱陶《うっとう》しいしさ」

「ふうん」

茉莉緒はそう言う以外に何と言えばいいのかわからなかった。海がそれでいいと言うならいいのだろうが、一般的にタレントとマネージャーというものに対して世間で思われているイメージとは随分違うんだな、と感じた。

「だけど随分こだわるんだね、伊藤さんに」

「え？」

茉莉緒は海に言われてどぎまぎした。あの万引きのことなど言いつけるつもりはなかったけれど、有能な女性らしい彼女が、チョコマーブルケーキを直接紙袋に放り込むような万引きをしたというのが、どうしても引っかかるのだ。それに、夏草麻衣にからだの線があまりにも似ている点も。

「あの」

茉莉緒はおずおずと言った。

「あの伊藤さんってもしかして、夏草麻衣さんの……親戚《しんせき》か何か？」

今度は海が驚いて口を開けた。

「き、君は」

海は周囲をさっと見回して茉莉緒の耳元に口を近づける。

「どうしてそのこと知ってるの？」

やっぱり。やっぱりそうなんだ。

だけど……これって、もしかして秘密？

「し、知らないけど……ただ、脚の形とかあまり似てたから……頭の形とかも」

「すごい勘」

海は感心しきっていた。

「君って芸能レポーターになれるよ。いや、ルポライターの方がいいかな。ともかく、これはまだ発表されてないことだから、くれぐれも内緒にしてよね」

「……うん」

「伊藤さんはさ、夏草麻衣の、実のお姉さんなんだ」

「ほんと？」

「詳しいことはちょっとここではまずいけど」

海はまた周囲を気にした。

「そうだ、ね、電話番号教えてよ。出来れば携帯がいい」

茉莉緒が頷《うなず》くと、海が自分の携帯を足下に置いてあった大きめのデイパックから取り出した。茉莉緒は番号を告げた。海は、器用に片手だけで携帯を操作してその番号を登録する。

「名前は？　前に聞いたっけ」

「言ったと思うけど……茉莉緒」

「まりお。スーパー、って付けたくなるのはセンスが古いかな」

「古い」

海は笑いながら携帯をしまった。

「じゃ、近い内に電話する。あ、ＯＫ出たね」

海が夏草麻衣の撮影の方を見ながら頷いた。

「すごいよな、また一発でＯＫだ。夏草さんはテレビドラマでも滅多にＮＧを出さないんだってさ」

「セリフの覚えがいいの？」

茉莉緒の言葉に、海は、アハハ、と笑う。

「今時、よっぽどの売れっ子か大物でもなけりゃ、セリフをちゃんと入れて来ない役者なんて使って貰《もら》えないよ。彼女はもちろんきっちりとセリフを入れて来るけど、それだけじゃない。抜群に勘がいいんだ。天才なんだよ」

「ふぅん、そうなんだ」

茉莉緒は、つい溜《た》め息を吐いた。

「どうしたのさ」

海が心配そうに顔を覗《のぞ》き込む。

「なんか、元気ないね」

「何でもない……ただね……、なんか、随分差のついた人生だなあって思っちゃっただけ」

「彼女と？」

「おかしいでしょう？」

茉莉緒は自分でおかしくなって笑った。

「比べたって仕方ないよね。馬鹿みたい。顔だってスタイルだって頭だって、出来が違うのにね……でも、何だかあたし、いったい何やってんのかなぁって考えちゃったの。仕事もまだ決まらないって言うのにこんな呑気《のんき》なバイトをミーハー気分でやって、目の前には夏草麻衣さんみたいな女の子が歩いてて、あたしは……河原で死体のエキストラする為にぼーっと時間待ち。ほんと……なんか情けなくなっちゃう」

どうしてなんだろう。

茉莉緒は、突然溢《あふ》れて来た涙をすすり上げた。

なんで涙なんか、出るのかな。

海は何も言わなかった。なぜ泣くの、とも訊《き》かないし、泣かないで、とも言わない。

それでちょっとだけ、助かった気がした。

「で……何がしたいの？」

少しの間沈黙があってから海が言った。

「え？」

「仕事だよ。何かしたい仕事、あるの？」

茉莉緒は下を向いて首を横に振った。

「具体的には……考えつかないの。ただ、ただね、今度こそ……ああ、自分は今働いているんだ、ともかく社会に出て何かしてるんだって納得出来るような、そんな仕事がしたい。だけど……贅沢《ぜいたく》なんだよね、そういうのがいちばん。この不景気で資格も特技もなくて、普通の仕事は嫌ですなんて言ってられる身分じゃないものね。でもね、あたし……もう二度と嫌なのよ」

茉莉緒は、また大きな溜め息をついた。

「何が？」

海が優しく訊く。

茉莉緒は、一言ずつ噛《か》みしめるように言った。

「自分が……コピーし損ねた紙みたいに、結局何の役にも立たないまま使いものにならなくなって捨てられた、そう感じるのが」

「そんなふうに、思ったんだ」

茉莉緒は頷いた。

「自分なりにね……一所懸命やって来たつもりだったから、ショックだったの。今度働くなら、もう、他の誰でも代わりが勤まるって簡単に思われないような、そんな仕事がしてみたい。贅沢だってわかってるけど……」

「贅沢だとは思わないけど。でもさ、もしかしたら考え方、少し間違ってないかな」

茉莉緒は海を見た。海は、とても真面目な顔をしていた。

「間違って……る？」

「ごめん。気にしないで」

「いいの。いいから聞かせて」

「うん」

海は頭を掻《か》いた。

「何か……柄じゃないからな、こういうこと言うの。ただき……他の誰にも代わりが勤まらない仕事なんて、この世の中にはないんじゃないかと思うんだ。たとえば……たとえばだよ、夏草さんはこの世にひとりきりだ。だから誰にも夏草さんの代わりになることは出来ない。でも、映画の主役としての夏草さんを考えたらどうだろう。夏草さんが何かのアクシデントでこの映画を降りることがあったとしても、誰かが彼女の代わりに主役に抜擢《ばってき》されてやっぱり映画は作られるだろうし、上映もされるよね、きっと。どんな仕事だって結局そういうことなんだよ。君は会社で、し損じたコピーの紙みたいに捨てられたと感じたって言うけど……もし、君って紙に素晴らしい設計図が書かれていたとしたら、君は捨てられるどころか大切な会社の財産として扱われたわけだよね。でも、コピーのし損じだろうと設計図だろうと、紙は紙だ。なくなれば誰かが何とかして補充するだろう。設計図が消えてしまっても、会社はそれですぐ潰《つぶ》れたりしない。誰かが新しい設計図を書くよ。あ、ごめん、俺、何が言いたかったかっていうと」

海は、ひとりで笑い出した。

「やっぱ柄じゃないよ。他人に説教垂れるなんて俺、いちばん似合わないもんな。ともかくさ、捨てられるかどうかは、その紙の質が問題なんじゃなくて、その紙に何が書かれているかで決まるわけだろ。仕事そのものに過剰に期待してもしょうがないんだよ、たぶん。俳優だって会社の事務員だって、その点は一緒だと思うよ」

海はあたしを慰めてくれているつもりなんだろうか。

茉莉緒は、やけに真剣な海の目を見つめながら考えた。そして、嬉《うれ》しい、と思った。

おにぎりをひとつあげただけの縁なのに、海に出逢《であ》えて良かった、そう感じる。

だって……今までこんなに真面目に、あたしに何かを「語って」くれた男って、いなかったんだもの。

メガホンを持った男性が何か喚《わめ》き始めた。

「休憩だね」

海がデイパックを肩に背負う。

「お弁当貰えるよ。午後から出番だね」

「出番って」茉莉緒は笑った。「死体になって転がってるだけよ」

「そんなこと言うけど、やってみたら難しいんで驚くよ」

「ほんと？」

「うん。動かないでじっとしてるって、技術がいるんだ」

「でも、エキストラなんて映らないでしょ」

「それはわからないよ。カメラはいちおう全部舐《な》めるんだよ。後でどの部分が使われるかは監督次第だけど、映画が完成したら楽しみにしてるといいと思うよ。背中とお尻《しり》がばっちり映ってるかも」

「やだ」

茉莉緒は思わず背中に首を回した。

「さっき破れたカーディガン配って貰ったの。あれを着なくちゃ」

「次のシーン、俺も出るから、君のお尻を見つけたら出来るだけそばで演技するね。そしたら君が画面に映る」

海は笑いながら、手を前に出した。

「ともかく、握手」

「え？」

「再会を祝して。後できっと電話するね。ほんとは弁当一緒に食べたいけど、俺、伊藤さんと打ち合わせしないといけないから」

「あ」茉莉緒は海の手をおずおずと握った。「どうもありがとう……缶コーヒー」

「俺の金じゃないもん」

海は笑いながらテントを出て行った。

海がいなくなってしまうと、場違いなところにいる、という感覚が急に茉莉緒をおそった。茉莉緒は飲みかけのコーヒーをどうしようか困ってテントの中を見回した。

立ったまま煙草をふかしていた男と視線が合った。

「このビニール袋に缶をすてれば」

男がさし出してくれて、茉莉緒はホッとした。

茉莉緒もテントを出て、メガホンの男がエキストラに弁当を貰《もら》えと指示している方へと歩いた。

少し離れたところにもう一つテントが張られている。その下で、伊藤冴子がテーブルにつき、何か書きものをしているのが見えた。忙しそうだ。

夏草麻衣の実の姉。でもそのことはどうやら、芸能界の秘密。そして、小さな芸能プロダクションを事実上切り盛りしているキャリアウーマン。だけど、チョコマーブルケーキを万引きしちゃった女でもある……？

伊藤冴子。


学校給食を思い出すような行列に並んで弁当とウーロン茶一缶を支給され、茉莉緒はまたエキストラが集められている一画に戻った。出来ればあの芸能通カップルからは遠ざかっていたいと思ったのだが、運悪く他に空いた場所がなくて、結局彼等のそばに腰を下ろすことになった。

案の定、茉莉緒の姿を見つけるとカップルの片割れが顔を輝かせた。

「ねえねえ、おたく！」

馴れ馴れしい口調に少しムッとする。

「雨森海とやっぱり親しいんやないの。ね、どこで知り合ったん？　ねえ、彼、どんな感じ?」

「どんな感じって?」

「いい人?」

「あ、まあ」

茉莉緒はともかく弁当の透明な蓋《ふた》を開けた。よくある、鮭入り幕の内弁当。

「感じは悪くない……と思うけど。でもほんとに、そんなに親しいわけじゃないから」

「昔から知ってるん?」

「ううん。つい最近」

「どこで?」

遠慮も何もない。まるでテレビで目にする芸能レポーターのようだ。

「鴨川の河原」

茉莉緒は正直に答えた。嘘を考えるのも面倒だった。

「半月くらい前だったかな、鴨川でドラマの撮影してるの見てたら、声を掛けられたの」

「うっそー!」

芸能通女子大生の彼女が素《す》っ頓狂《とんきょう》な声をあげた。

「ナンパされたんやーっ」

「違うわよ……ただその……あの人、出番待ちで退屈していたみたいで」

「だからそれ、ナンパやん！　タクちゃん聞いた？　この人、雨森海にナンパされたんやって！」

「ほんま？」

男の方が身を乗り出す。

「遊ばれるでぇ。芸能人ってシロウトと遊びたがるらしいやん」

「そういうのじゃないと思う」

茉莉緒はいい加減腹が立って、鮭の切り身にかぶりついた。食べていればこの無神経な二人の言葉に答えなくて済む。

「そやけどええやん。雨森海ってパリコレに出たこともあるんやから、かっこええもん」

「そやけど金は持ってへん」

男が断定する。

「ギャラはむっちゃ安いんや。気の毒やなぁ」

二人はかしましく喋《しゃべ》り続ける。茉莉緒は聞いている振りをしながら出来るだけ会話を聞かないようにして食べることに専念した。

そうだ。

茉莉緒はふと思いついた。この人たちなら、伊藤冴子についても何か知っているかも知れない。

半分食べ終えた弁当に蓋をすると、茉莉緒は二人の方に向き直った。

「ね、あなたたち、岩下冴子って女優さんのこと、何か知ってる？」

「岩下……冴子？」

女性の方は首を傾げた。だが男性の方が即座に頷《うなず》いた。

「知ってる。伊藤冴子のことでしょ」

「ほんま？　タクちゃん。伊藤冴子って雨森海の事務所の？」

「元は女優なんや。岩下冴子。昔のドラマの再放送とかでたまに観るで。美人やったけど、特徴のない女優やったなぁ。大した当たり役もなくて、いつの間にかいなくなってたゆう感じとちゃう？」

「それが今では、芸能プロの女社長かぁ」

「社長とちゃう。週刊誌にも書いてあったやんか。実質的な権力は彼女が握ってるけど、社長は別におるんや」

「あの、松崎かすみ事件の時も、暗躍していろんなこと揉《も》み消したんは伊藤冴子やて書いてあったね」

「ごっつい女らしいでぇ。雨森海も、馬鹿みたいに安いギャラで映画やドラマに出てるのは、伊藤冴子に何か弱味握られてるからとちゃうか」

「弱味って？」

「シロウトの女の子妊娠させて中絶させたことがあるとか、何とかさ」

二人が下卑た笑い声を立てるのを我慢して聞き流してから茉莉緒はさらに質問した。

「あの……あたし、芸能界のことはよく知らないんだけど、松崎かすみの事件って……松崎かすみが自殺したって、あれ？」

「それもあるけど、自殺の前からいろいろ書かれてたの。変な女やったね、松崎かすみって。番組の中でもさ、何か、ボケてんのか何なのかわかんない返事したりして」

「単にあたま悪かったんやで」

「そうかなぁ。悪い言うより、おかしなってたんとちゃう？　クスリやってるて噂もあったみたいやん」

「スカウトされる前はヤンキーやったらしいもんな」

男の方が立ち上がった。

「ほな俺ちょっと行ってくる」

「出番には間に合うん？」

「大丈夫や。大した数やない言うてた。何事も会報のネタやで」

「タクちゃん、雑用頼まれたんやて」

女の方がうれしそうに言った。

「おもしろいネタ、ひろえるとええなあ」

茉莉緒はあいまいに笑って、残りの弁当を食べることに専念した。

十分ほどして男が戻って来たのとほぼ同時に、茉莉緒たちのすぐ目の前で、メガホン男が怒鳴り始めた。

「はーい、それじゃ、B組の皆さん、ちょっと聞いてくださーい！　お弁当が済んだら、先程お渡しした衣装を持って、川下の撮影場所に移動します。歩いてすぐのところです。河原に、シーン百七、1、0、7と書かれた立て札が立ってますので、そこまで行きまーす。最初に、役者さんたちのリハーサルがあります。リハーサルの時にも、河原でみなさんと同じような役をする役者さんがいますから、その人たちのすることをよぉく見ていてください。リハーサルが終わったら合図しますので、指定された位置で倒れた形になっていただきます。基本的に本番は一回ですから、指示をよく聞いて、間違いのないようにお願いしまーす」

周囲にいた人々が一斉に立ち上がる。

「やっとやね」

カップルの片割れが大きなあくびをひとつした。

「そやけどこれからがまた長いで」

「ま、しゃあないやん。これで今月号の会報にばっちり記事が書けるし」

彼等二人にとっては、芸能界の情報を追いかけたり映画のエキストラをやったりすること総《すべ》てが、大学生活を活性化させるアイテムなのだ。彼等はきっと、そうやって芸能界のことを追いかけて遊んでいる自分たちそのものを含めて、現代の社会現象として分析してさらに楽しむつもりでいるのだろう。

　茉莉緒も、弁当の空容器をスタッフが用意した特大のゴミ袋に放り込むと、破れたカーディガンとバッグを手に河原へ降りて、皆が歩く方向へと歩き始めた。

　五分ほど下流へ歩くと、さっきいた場所よりも格段に河原が広くなっている場所に着いた。そこに、メガホン男の説明通り、107と書かれた大きな立て札が立っていた。

　またどこからともなくお馴染みのメガホン男が現れ、エキストラをロープで囲った一画に誘導する。茉莉緒もその中に入った。さっきまで待機させられていた場所よりさらに狭い区画で、草の上に腰を下ろすと隣の男性と足が触れ合ってしまうほどだ。

　小型のマイクロバスが狭い河原を徐行してやって来た。バスが停まると、中からばらばらと人が降りて来る。子供たちが数名と、男女取り混ぜて七人ほどの人。女性が女優であることは、きっちりとメイクされた白っぽい顔ですぐにわかった。そうすると子供たちがさっきちらりと遠くから見た子役たちで、彼女たちはその子役の母親役というところか。男性も、茉莉緒は顔を知らないがどうやら俳優のようだ。彼等はセリフを貰《もら》えるほどの出番はないが、茉莉緒たちエキストラとは違って、群衆シーンでも何らかの演技が要求され、顔を映して貰えるということだろう。

　子役の本当の母親たちはバスには乗せて貰えなかったらしく、ゆっくりと歩いて来るのがすぐに見えた。

茉莉緒は海の姿を待った。だが、スタッフがほとんど揃った時点でまだ、海はその場に現れなかった。

リハーサルが始まった。

茉莉緒たちには台本も渡されないし説明もないが、リハーサルを見ているとその場面の物語は充分に理解出来た。

怪物に襲われて群衆は河原に逃げるが、そこでまた攻撃されてほとんどが死ぬ。子供を連れた母親たちはパニックになりながら子供を守ろうとしているが、そこに新たな怪物が現れて子供を殺そうとする。生き残っている男たちが救おうとするが次々に倒され、いよいよ駄目かと思った瞬間に、雨森海扮《ふん》するタキが現れ、子供と母親の危機を救う。だがタキが探している風子はそこにはいなかった……ざっとそんな話らしい。

子役に演技をつけるのに少し難渋しながらも、リハーサルはおおむね順調のようだった。茉莉緒は、最近の子役というのはみなあんなに聞き分けがよく、頭の回転が早いのだろうか、と感心した。おそらくは、茉莉緒たちエキストラの横に設けられた、簡単なベンチと日除《ひよ》けのある一画で不安げに我が子の演技を見守っているステージママたちの教育の賜《たまもの》なんだろう。

セリフがないのかと思っていた女優の一団の中に、茉莉緒の知っている顔がひとりだけ混じっていた。美川《みかわ》さなえ、昼の帯ドラマや公共放送の連続ドラマなどで時々顔を見かける女優だ。いわゆる人気タレントではないのだろうが、脇役の若手女優としてはよく出ている方ではないだろうか。

彼女はさすがに、他の出演者とは扱われ方も違っていた。子役の中でもいちばん賢そうな男の子と掛け合いのセリフもあり、その子の母親という設定でどうやら、海とのセリフの絡みもあるようだ。

海が遅れているのが気になった。伊藤冴子と打ち合わせをすると言っていたが、撮影現場から遠くへ出掛けてしまったのだろうか。

と思った時、マイクロバスが通って来た道を真っ赤な車がのろのろとやって来た。最近町中で時々見かけるようになった、小さなベンツだ。

ベンツが停まると、中から海が現れた。そして、運転席からは伊藤冴子が。

二人が近づいて来る。

伊藤冴子の顔がはっきりとわかるようになった。美人だった。今でも本人がその気なら、この映画の中にはめ込んでセリフを喋《しゃべ》らせても違和感はないだろう。そのくらい、洗練された美しさのある顔立ちだった。

でも。

茉莉緒はほぼ正面から見る伊藤冴子の姿に当惑した。

あの時の女の人とはやっぱり……感じが違う。あの、チョコマーブルケーキを万引きした人とは……

茉莉緒は、自分の判断に自信がなくなった。やっぱりあの時の女性は、伊藤冴子ではなくて夏草麻衣だったのではないだろうか。

年齢的には確かに伊藤冴子の方がずっと違和感がないのだが、でも……そうだ、どこが違うのかわかった。あの時の女性は、肩幅がとても小さかったのだ。だが伊藤冴子は、こうして見ると、決して華奢《きゃしゃ》ではない。肩パッドの入ったスーツなので本当の肩幅はわからないけれど、そんなに細いということはないに違いない。

でもそれじゃ……万引きしていたのはやっぱり、夏草麻衣なの……？

「雨森さん、入ります」

誰かが叫んだ。海のそばにメイクの担当者が駆け寄る。だがちょっと何か顔にはたいただけで終わりだった。そう言えばさっきも、海はメイクを付けたままだったが、あまり違和感は感じなかった。元々の顔立ちがはっきりしているので、いじる必要がないのだろう。

海は美川さなえのそばに立ち、演技を確認している。

伊藤冴子は……わっ。

茉莉緒はドキッとした。伊藤冴子が自分の方に向かって歩いて来るのだ。

茉莉緒は周囲を見回した。誰か、彼女が用がありそうな人間を探して。だがやはり、彼女の視線は真っ直ぐに自分に向けられている。

「あの、あなた」

遂《つい》に伊藤冴子が茉莉緒に話しかけた。

「ちょっといいかしら」

「は、はい」

「こっちにいらしてくださる？」

茉莉緒は逆らうことも出来ずに頷《うなず》くと、立ち上がってロープを跨《また》いだ。背中でざわめきが聞こえる。みな、何事かと思っているのだろう。実際、何事なんだろう？

茉莉緒は伊藤冴子の後ろについて、ステージママたちが座っている日除けのあるベンチに腰を下ろした。

「海からいろいろ聞きました。以前に鴨川で、あの子にお昼、ご馳走《ちそう》してくださったんですってね」

「ご、ご馳走って、あの、おにぎり一個あげただけです」

「ごめんなさいね、あの日はあたし、別の仕事で海とは別行動取っていたものだから、御礼《おれい》も言えなくて」

「い、いいえ」

茉莉緒はどぎまぎして、何をどう受け答えていいのかわからなかった。おにぎり一個のことでまさか、マネージャーから直々《じきじき》に礼を言われるとは思ってもみなかったのだ。

「それであの……海からちょっと聞いたんですけど、あなた今、お仕事探していらっしゃるって」

「あ……はい。失業中なんです」

「おひとりで暮らしていらっしゃるの?」

茉莉緒は頷いた。

「あなた、言葉が関東の方みたいだって海が言ってたんですけれど、京都にはご実家が?」

「いえ……実家は東京です。大学でこっちに来てそのまま住んでいるだけで」

「そう」

伊藤冴子は大きく頷いた。

「それなら話し易いわ。あの、突然のことなんで驚かれると思うんだけど、あなた、うちの事務所で働いてみるつもり、ないかしら」

「……は?」

茉莉緒は何度も瞬《まばた》きして伊藤冴子の顔を見た。

「引っ越し費用とかはうちが持たせていただくし、もしご実家じゃなくてどこか住むところを借りてひとりで暮らしたいということでしたら、家賃もいくらかは負担させていただくわ。実を言うとね、うちの事務所、今、とても人手不足で困っているのよ。でもちょっと事情があって、誰でも雇うというわけには行かなくて」

「で、でも」茉莉緒は唇をなめて動揺を鎮めようとしながら言った。「あ、あたし、芸能界のことはなんにも知らなくて」

「その方がいいの」

伊藤冴子は、とてもクールに微笑んだ。

「やたらと芸能界に興味がある子とか、お喋りな子は困るの。海がね、あなたは絶対にそういうタイプじゃないと思うって言うのよ。お話ししていてそう感じたんですって。何て言うのか……とても自然に話が出来たって。海が女性についてそんなふうに評価したことってなかったから、たぶん本当にそうなんだろうってわたしも思ったの。ね、考えてみてくださらない？　もちろん、すぐに返事しろなんて言わないわ」

伊藤冴子はハンドバッグを開けて名刺を取り出した。

「決心がついたらここに連絡してくださいな。誰が出ても話が通じるようにしておきますから。ね」

それだけ言うと、伊藤冴子は立ち上がり、もう一度微笑んでさっさとベンチから離れて行ってしまった。

茉莉緒も元のロープの中へと戻ったが、あまりにも突飛な話に、頭がボーッとしていた。

雨森海の所属している芸能プロダクションで働く……？

なぜいきなり、そんな話になってしまったのだろう。海はいったい、何を考えているんだろう？

「はい、オッケーでーす。それじゃ、本番行きまーす」

エキストラがみな立ち上がった。お馴染みのメガホン男が飛んで来る。

「では、みなさんに参加していただきます。えー、もう一度説明しますが、みなさんは死体でーす。いいですかぁ？　少しぐらいは動いても構いませんが、死にかけている人ということでよろしく、お願いします。絶対に歯を見せて笑わないこと。歯は目立ちますからねー。鼻の脇を掻《か》いたりもしないでくださいね。瞬きも困ります。自信のない方は、地面に顔を伏せるようにして倒れてください。役者さんたちの演技が終わっても、こちらがオッケーです、と言うまでは絶対そのままの姿勢でいてくださいね。いちおうみなさんの上もカメラは通りますからねー。じゃ、こちらに出て来て、まず適当な場所に倒れてみてください。後は指示しまーす」

初めはみなおずおずという感じだったが、ひとりふたりと地面に倒れ始めると後は一斉に場所取り合戦のようになった。だがせっかくここと決めて倒れても、すぐに立ち上がらされてあっちへ行け、ここに倒れろ、と細かく移動させられる。適当な間隔に死体を転がすというのはけっこう大変なことのようだ。茉莉緒も何回か場所を変えられたあげく、なぜか全体の真ん中辺りに定位置を決められてしまった。海の言っていたことは冗談だったに違いないが、これでは本当に、やぶけたカーディガンとあまり自慢出来ないお尻《しり》が画面に映ってしまいそうだ。

茉莉緒のすぐ横に大きく空いたスペースがあったが、そこには母親役の女優がひとり、子役を抱きかかえるように横になった。リハーサルで、子供をしっかり抱きしめながらがっくりと息絶える演技をしていた女優さんだ。彼女も茉莉緒と同様、ひどく汚れた服を着ていたが、それでも顔を上げるのが辛《つら》くなるほど綺麗《きれい》な肌をしている。仕事がら化粧を付けたり取ったりと肌を随分と酷使しているだろうに、やはりお手入れに対する気合いが違うのだろう。

ふと見ると、芸能通カップルの片割れの男性がすぐそばに寝転んでいた。そばに相棒の姿は見えない。いろいろと位置を動かされたあげくにはぐれてしまったらしい。

「はい、では、本番行きまーす！」

いよいよだ。茉莉緒は、やっぱりドキドキしている自分に気づいていた。

目を閉じて顔を地面に伏せる。こめかみのあたりで流れる自分の血の音が聞こえる。

カチン

カチンコが鳴らされる音がした。リハーサルの時と同じ呻《うめ》き声、叫び、泣き声が聞こえた。

俳優って、すごい。

茉莉緒は素直にそう思った。目を瞑《つぶ》っていても、声だけで完成された映画の一場面を観るように光景が頭に浮かび上がる。茉莉緒のすぐそばで、さっきの女優さんが悲しみの声をあげ、それが呻き声になり、子供の名前を呼び続ける切ない喘《あえ》ぎになって、消えた。同時に子役が泣き出す。上手だ。やっぱり、オーディションで選ばれるだけのことはある。学芸会とはレベルが違う。

あたしは、死体なんだ。死体になり切れ。

茉莉緒は自分に言い聞かせた。たとえエキストラのアルバイトだって、今この瞬間、自分がひとつの映画を作る一員になっていることが嬉《うれ》しかった。

こんな気持ちになったのは何年振りのことだろう?

海の声が聞こえた。朗々とよく響く声だ。茉莉緒と何気ないお喋《しゃべ》りをしている時とは別人のようだった。

ワンカットなのにとても長い。監督の癖なのだろうが、まるで舞台のお芝居のようだ。海が格闘を演じている。だが、その部分はすぐに終わってしまった。格闘の本格的なシーンは別に撮影するのだろう。

海の声がどんどん近づいて来た。リハーサルでは、母親を失って泣いている子供を抱き上げて風子の名前を呼ぶところでカット、のはず。あとちょっとだ。

海が近づいて来る気配が濃くなると、子役はまた声を上げて泣き出した。何もかも心得ているのに驚かされる。

海の足音がすぐそばで止まった。子供が抱き上げられるのがわかる。茉莉緒は固く目を瞑り続けながら、海が最後のセリフを失敗なく言えるように、と祈った。

「風子……風子、君はどこにいるんだ……風子――っ」


「カア～～ット！」


茉莉緒の心臓は、どきどきするのをなかなかやめなかった。

「はい、お疲れさまあ～っ」

男の声がすると、周囲に一斉に人の気配が戻った。同時に、場を支配していた奇妙な連帯感もすっとほどける。

右隣に倒れていた人が起き上がった気配がしたので、茉莉緒もそろそろとからだを起こした。

「チェック入りまあ～す」

監督が今撮影した場面をモニターでチェックする。駄目ならもう一度やり直し。

「エキストラの方は控え室に戻ってくださぁぁぁい」

控え室、という表現に失笑が漏れた。草の上をロープで仕切ってあるだけなのに。

茉莉緒もひとり笑いを抑えながら周囲を見回した。海はどんな表情をしているだろう。さっきの演技に、自分で満足出来ただろうか。

あれ？　あの人……

変だった。なぜ起き上がらないのだろう。エキストラがひとり、倒れたままだった。地面にうつ伏せたままでじっとしている。あの上着は……そうだ、芸能通カップルの男性だ。

茉莉緒以外にも異変に気づいた人々が、遠巻きに倒れたままの男性を取り囲み出した。

「どうしたんですか」

助監督が走り寄って来る。

「何かトラブル？」

「あの人、起きないんですけど」

誰かが言った。不安げに震えた声で。

助監督が男に近づいた。

「もしもし？　大丈夫？　気分悪いの？」

膝《ひざ》をついて男の顔をそっと手で起こす。

「具合悪いなら救急車呼びますよ……もしもし、もしもし……？」

「し、死んでるんじゃ……」

誰が呟《つぶや》いたんだろう。周囲の人々が息を止めるのがわかった。茉莉緒の心臓も鼓動を停止したかのように、一時沈黙した。それから、恐ろしいほどの寒気が背中を這《は》い上る。

「救急車！」

助監督が跳ね上がって叫んだ。

「おい、すぐ一一九に電話してくれ、誰か！」

悲鳴が上がった。ひとつ上がると、次々にあちこちから。茉莉緒は唇が震えるのに気づいて唇を噛《か》んだ。

「タクちゃん？」

女の声がした。

「タクちゃん……タクちゃんっ！　いったいどうしたん、タクちゃぁぁぁぁぁんっ！」

芸能通カップルの片割れの女の子が、倒れたまま動かない男のからだにしがみついて泣き喚《わめ》き出した。

「ちょっと、落ち着いて、落ち着いてください！　病気かも知れない、からだをゆすったら駄目ですったら！　今、救急車呼びましたから！　落ち着いて！」

助監督と数名のスタッフが女の子に駆け寄り、暴れるからだを抱き止める。

茉莉緒は自分のからだの震えを止める為に両腕で自分を抱いた。

「……こっち」

耳元で声がした。振り向くと、海が立っていた。だがその目は茉莉緒ではなく、倒れた男に釘付《くぎづ》けになっている。

「こっちにおいでよ……大丈夫?」

茉莉緒は頷《うなず》いて海に手を取られ、何重にもなってしまった人の輪を離れた。

「び、病気……よね?」

「たぶん」

海はなぜか険しい顔をしている。そのまま河原を歩いて、赤い小さなベンツが停めてある場所へと茉莉緒を連れて行った。

ベンツの運転席が開き、伊藤冴子が半身を覗《のぞ》かせた。

「いったい何があったの、海。あそこ、どうしてあんなに人だかりがしてるの?」

「エキストラがひとり、死んでるらしい」

「し、死んでるっ?……どういうこと?」

「わからない。病気かも知れない」

「冗談じゃないわ!」

伊藤冴子が呆《あき》れた、というように両手を上に上げた。

「何よ、それ。なんで病気持ちのくせにエキストラなんてやったのかしら! いい加減にして欲しいわ、これでまた一日延びるじゃないの! もう何カ月、こんな映画に拘束されてると思ってるのよ、まったく。来月からあなた、マウイなのよ、スケジュールが合わなくなったらどうしたらいいのよ!」

「仕方ないじゃない」

海が、茉莉緒の為に後部座席のドアを開けてくれた。茉莉緒はおとなしく中に入った。

「仕方ないって、この撮りが終わらないと美樹ちゃんのプロモートにかかれないのよ」

「マウイには俺ひとりで行くよ。冴子さんは美樹ちゃんについてあげてよ」

「あなたにひとりで仕事なんて無理よ。すぐどっか行っちゃって時間忘れるくせに。あ、もう、なんでこう物事がスムーズに運ばないのかしら。天中殺《てんちゅうさつ》ね、きっと」

海は笑い出しながら、ダッシュボードを開けてガムを取り出し、冴子の鼻先に出す。

「どう？」

「いらない」

海は自分の分を一枚とってから、後ろを向いて茉莉緒の顔の前にガムを突き出した。

「好き？」

「あ、いただきます」

茉莉緒の声で、伊藤冴子は初めて茉莉緒の存在に気づいたかのように振り返った。

「エキストラのバイトするの、初めて？」

「はい」

「けっこう大変でしょ、拘束時間が長いし」

「でも……楽しかったです。死体になって転がっていただけなのに、なんだか一緒に映画を作っているみたいな気分になれたし」

「今のシーン、使われるといいんだけどねぇ」

「……ボツになることもあるんですか」

「縁起が悪いじゃない、死人が出たシーンなんて。もっともハリウッドだったらそういうのも売り物にしちゃうんだろうけど。でも、ほんとに死んだのかしら……あ、救急車じゃない？」

サイレンの音が後ろから近づいていた。振り向くと、後部のウィンドウに救急車が見えた。救急車は、未舗装の河原をかなりのスピードで近づいて来て、ベンツの脇を通り抜けた。フロントガラスの向こうに見えていた人の輪がほどけて、停車した救急車から隊員が降りて来るのを一斉に見つめている。

「いったい何の病気なのかしら。心臓発作？」

伊藤冴子の言葉に、海が横を向いた。その横顔がまた険しくなっているのに、茉莉緒はどきりとした。

「冴子さん、あのさ」

海の声はいつもより一段低くなっていた。

「病気……じゃないかも知れない」

伊藤冴子が海の顔を見て瞬《まばた》きする。茉莉緒のすぐ目の前の二人の動きは、まるでテレビの画面に映った芝居のように思える。

「何よそれ……どういう意味？　まさか、撮影絡みの事故だとでも？」

「いや、あのシーンはエキストラに危険が及ぶことなんてなかったから」

「そうでしょう？　だって、戦闘場面は後からCGではめ込むんでしょ」

「そういうことじゃないんだ」

「だったらいったい、何よ。はっきりしないのねぇ、海」

「うん……俺にも、はっきりしたことはわからないんだ。ただ……あの男」

「あの男って、倒れたエキストラ？」

海は頷いた。

「あいつ、撮影が始まった時、俺に変なこと言ったんだよね」

「……変なこと？」

「意味がわからなかったんだ……すみません、ひとつ貰《もら》っちゃいました。後で渡します。そう言った」

「何……それ？」

「だから、わからないよ。意味がまるでわからなかった」

4

海は本当に困惑していた。

「丁度、エキストラの位置決めしてる最中に俺の立ち位置も確認してたじゃない。あの時、そばにあいつがいてそう言ったんだ。どういう意味なの、って聞き返そうとした時に小林さんが来て、立ち位置のことでいろいろ話してる内に、あいつも位置を変えられちゃって見当たらなくなってたんだ。その後すぐに本番がスタートしたから、まあいいや、後でまた何か言って来るだろうと思ってて」

「それだけじゃ」

伊藤冴子が言葉を選ぶようにゆっくりと言った。

「何だかさっぱり、ね……だけどそれでどうして、その男が病気で死んだんじゃないかもってことになるわけ?」

「考えてみたんだ……あいつの言葉の意味を考えてみた。そしたら、こんなふうにも解釈出来るなって……あいつは誰かから、俺に何かを渡して欲しいと頼まれた。それは……食べるもの、或《あ》いは口に入れるものだ。それはいくつもあった。たとえばね、キャンディみたいに。で、あいつはそれを俺に渡す前に、その中から一個失敬して、自分で食べてしまったんだ」

狭い車内を、奇妙な沈黙が支配した。茉莉緒も驚きのあまり声を出すことが出来なかった。

沈黙を破ったのは伊藤冴子だった。甲高い笑い声をたてて冴子が言った。

「ば、馬鹿馬鹿しい! そ、それじゃなに、そのキャンディだか何だかに毒でも塗ってあって、そのせいでその男が死んじゃったってこと? やめてよ、海。あなた自分で自分が何言ってるかわかってる？　それってつまり、殺されるはずだったのはその男じゃなくて……」

「俺だった」

海は、冴子の言葉が途切れた途端に、言った。

また沈黙。それから、伊藤冴子が大きく深呼吸した。

「やめなさい」

冴子の声は厳しかった。

「つまらないこと言わないで。病気よ、病気に決まってるでしょう？　だいたい、変な話じゃないの。エキストラに応募して来たくらいだから芸能界に興味がないわけじゃないとしてもよ、他人に頼まれたものを無断で食べてしまうなんてそんな非常識なこと、普通の人がすると思う？　あなたが今をときめくトップスターとか言うならともかく」

「……それはわかってるよ」

海が溜《た》め息をついた。茉莉緒は何となく冴子の口調が気に入らなかった。海のことを、自意識過剰だ、自惚《うぬぼ》れるな、と叱責《しっせき》したように感じた。

海を弁護したい気持ちが抑えきれず、茉莉緒は口を開いた。

「でも……あの人ならそういうこと、したかも知れません」

途端に冴子が振り向いたので、茉莉緒は後悔した。余計なことを言わなければ良かった。冴子は、きつい目をしている。

「あなた、あのエキストラと知り合いだったの？」

「い、いいえ。ただ、待っている間に少し話をしたんです。彼は、もうひとり友達の女の子と来ていて、どこかの大学の学生さんです。それであの、二人は芸能界のことを研究する、みたいなクラブに入っているらしくて……」

「芸能界を、研究？　社会学か何か？」

「そ、そういう真面目なものなのかどうかちょっとわからないんですけど……最近は大学生でも、スターのおっかけみたいなことをクラブ単位でやったりするって、聞いたことがあります」

「おっかけを、クラブで？」

冴子は笑い出した。

「何やってんのかしらねぇ、この就職難に。じゃ、あの死んだエキストラもその連中のひとりだったってわけね」

「だと思います。いろいろと芸能界のことに詳しいみたいでしたから」

「詳しいったって、ワイドショーでしょ、どうせ。だけど、それじゃつまり、海に宛てたものをちょっと味見したっていうのも？」

「あの人たち、クラブの会報にエキストラ体験を書く、みたいな話をしていたんです。だから、雨森さん宛てのキャンディとかなら、その会報のネタにする為に味見してしまうような非常識なことも、もしかしたらしちゃったかも、と……」

「学生のノリ、で、か。まあ……あり得ないことはないでしょうけど。でもねえ……イヤだわ、海。やっぱりあなたの思い過ごしよ。あなたのこと、殺そうなんていったい誰が考えるのよ」

「夏草さんの関係かも知れないよ」

海は低い声のまま言った。

「彼女、以前にもステージで変な男に抱きつかれた騒ぎとかあったじゃない」

「つまり、夏草麻衣の相手役のあなたに嫉妬《しっと》して、ってこと？　いくら何でも殺人は過激なんじゃないの？」

「殺すつもりでやったんじゃないかも知れない。毒は毒でも弱いもので、脅すぐらいのつもりだったのに、あの人の体質が合わなかったか何かで」

「止《や》めましょう！」

冴子はハンドルを両手で叩《たた》いた。

「止めるのよ、こんな話。まだ毒で死んだなんて決まったわけじゃないんだから」

冴子はイライラした様子でドアを開け、半身を乗り出すように救急車の方を見る。やがてまたサイレンの音がした。今度はパトカーだ。

「どういうことよ！」

冴子の声が一層不機嫌になった。

「誰が警察なんて呼んだのよ！」

パトカーが救急車の横に滑り込んだのと同時に、人だかりの方から二十代半ばくらいの若い男がひとり駆け寄って来て、冴子に飛びつくようにして言った。

「伊藤さん、今日の撮り、中止になります」

「マッちゃん、それ決定?」

「はい。すみません」

「今撮ったやつは使ってくれるんでしょうね」

「それはもう少し経たないと決まらないと思います」

「もう少しって、撮り直しになったらまた京都に来ないとならなくなるじゃないの!」

「そのへんのことは、いざとなったら合成でやりますから」

「頼むわよ、本当に。雨森のスケジュール、それでなくても随分押せ押せにされちゃってて苦しいのよ。そっちが大変なのもわかるけど、夏草麻衣さんのスケジュールばかりじゃなくて、雨森のこともちょっとは考えてちょうだいよ、ね、マッちゃん」

短髪に野球帽をかぶったその若い男は、苦笑いしながら頷《うなず》いた。

「ほんとにすみません、伊藤さん。それと、大変ご足労なんですが、雨森さんにお聴きしたいことがあるんだそうです、警察の人が」

「ちょっと。それ、どういうこと?」

「いえ、あの人が雨森さんに何か言ってたのを聞いていたエキストラがいたみたいなんですよ。それで」

「それでって……病死なんでしょう？　その男、病気で死んだんでしょう？」

「いやそれが……今から検視があるんだそうです。変死らしいですよ……うつ伏せていたんでわからなかったんですけど、口から血が出ていて……毒を飲まされたんじゃないかって疑いがあるんだとか」

冴子が車の中にからだを引き戻した。後ろからでも、冴子の肩が微《かす》かに震えているのがわかった。

「やめてよ……もういい加減にして」

「冴子さん、今のこと、警察に言った方がいいよね」

「だめよ、海！」

「だめって……無理だよ、隠しておくことは出来ないよ」

「冗談じゃないわ。もし警察からマスコミに漏れて、あなたが殺されかけたなんて話が広まったらどうするの？　あなた、この撮りが終わったらＣＭの話だってあるのよ！」

冴子が厳しい口調で言うと、海はそれ以上何も言わなかった。ただ黙って助手席のドアを開け、マッちゃんと呼ばれている男と共にパトカーの方へ歩いて行った。

「まったくもう」

冴子が大きな溜め息をついて言った。

「どうせ喋《しゃべ》っちゃうわ、あの子。これでＣＭはしばらく諦《あきら》めね」

「どうしてなんですか」

茉莉緒が思わず訊《き》くと、冴子は茉莉緒の存在をすっかり忘れていたのか、ビクッとして、それから頭を横に振った。

「CMってのはさ、普通、暗いのはダメなのよ。イメージが大切なの。命を狙われたようなタレントを使うなんて、それだけで縁起が悪いでしょ……あーあ、せっかく決まりそうだったのに。昭和製菓のパリッツよ、これまでもあれに出て人気者になったタレントがいっぱいいる、あれよ！　半年近く根回しして、ようやく興亜広告からいい感触が来るようになったとこだったのよ……それにねぇ、あなたももうじきうちの人間になるわけだから話しておくけど、CMは入って来るお金も大きいのよ。一本決まると、それで小さな事務所が開けるなんて言われるくらいなの。この映画の後にCMが決まれば、あの子もこれで上げ潮に乗れるって安心してたのに」

茉莉緒は、冴子が茉莉緒の返事も待たずに事務所で働くと決めていることに驚きながらも、冴子の気持ちがわかって自分までがっかりした。こんなことで海が大きなチャンスを逃がしてしまったのかと思うと腹立たしい。

「あの子には欲ってもんがないのよね。この世界にデビューしたくて、仕事を貰《もら》えるならどんなことでもしますって人間もたくさんいるって言うのに……資質はあるんだけどねぇ。ねえ、あなたはどう思う？　海は若い女の子にもっと人気が出てもいいと思わない？」

「……思います」

「でしょう？　なのに、いまひとつ人気が盛り上がらないのはなぜなのかしら。いろいろ手は打ってるんだけどな。でもあたしもね、あの子だけにかかってるわけには行かないのよね。他にも育てないとならない子がいるし、事務所のこともいろいろやらないとならないし。あなたが来てくれると助かるわ」

もう完全に、あたしが就職することは決まってしまったみたいだ。

茉莉緒は、何だかすっかり冴子のペースにはめられたな、という気がしていた。きっと彼女はいつもそうなのだ。相手に考える時間を与えるようなポーズだけは作るけれど、結局のところは、自分の思うようにしてしまう。

「一日も早い方がいいわね」

冴子はひとりで頷いた。

「ね、ご実家から通う？　それともどこかに住むとこ、探したい？」

「あ、あの」

茉莉緒は、もう少し考える時間が欲しい、と言おうとしたが、なぜか言葉にならなかった。本当はもう、茉莉緒自身、決心がついていたのだ。

「実家だと……ちょっと気詰まりで」

「うん、なら、どこかに住むとこ見つけないとね。希望の地域を指定してくれたらこっちで探してあげられるわよ。どこに住みたい？」

「……お任せします。通勤が楽な方が嬉《うれ》しいです」

「ＯＫ、わかった。一週間以内に連絡するから、あなたはいつでも引っ越し出来るように準備しておいて。それからここにね、前の会社から貰った離職票と、履歴書を送っておいてちょうだい」

「あの、お仕事の内容なんですけど」

「仕事のことは、東京に出て来てから説明するわ。何も心配いらないわよ、あなたならきっと出来るから。海と気心が知れてるなら大丈夫」

「でも……雨森さんとはまだ、今日で二回目なんです、お会いするの」

「あの子はあなたのこと、すごく気に入ってるわよ。それで充分よ。最初の内は何をしたらいいかあたしが指示してあげるから。それに、あの子みたいに完全ギャラ制の俳優の場合は私生活の管理までしなくてもいいから比較的楽なのよ。大切なのはまずスケジュールの確保。あの子、時間にはルーズなとこがあるからそれだけしっかりやって貰えば、何とかなるわ」

茉莉緒は、今度こそ本当に驚いて何度も瞬《まばた》きした。

「あ、あの、あたしの仕事って……事務所の仕事じゃ……」

「もちろん、うちの事務所の仕事よ。なんで？」

「いえ、そうじゃなくて、あの、まさか……雨森さんのマネージャーをするってことですか？」

「いやあね」

冴子はおかしそうに笑った。

「当たり前じゃないの。ただの事務員を雇うのに、わざわざ京都くんだりから引っ越し費用まで負担してスカウトしたりしないわよ。あなたの仕事は、取りあえず海のマネージャー。もちろん、海だけのためにお給料払うわけには行かないから、おいおい他の子の面倒もみて貰うだろうけど」

信じられなかった。こんなことって、あるんだろうか。

まさか、まさか、芸能マネージャーになってしまうなんて……あたしが！

2　お弁当と死体と親衛隊

1

「だめ」

冴子は一言だけ言って、茉莉緒の手に領収書を返した。

「使えない、それじゃ。日付」

「あ、はい！」

茉莉緒は慌てて、領収書に日付を書き込んだ。

「これでいいですか」

「よし」

冴子は無造作に領収書を机の引き出しに突っ込んだ。茉莉緒はホッとして自分の机に戻った。

会社勤めをしていたのだ、茉莉緒だって経費の精算の仕方くらいは知っていた。だがこの事務所に来てからは、会社勤めしていた時の「常識」が通用しないことがあまりに多くて、面食らってばかりだ。何しろ、領収書に何も書かず、白紙状態でくれる店がこんなにあるなんて。いったい他のみんなはどうしているのだろう。茉莉緒と同じように、必死にその時使った金額を思い出して書き込んでいるのだろうか。それとも……

「茉莉緒、四時にあんた、からだ空く？」

茉莉緒の前の席に座っている先輩の高村洋子《たかむらようこ》が訊く。

「大東テレビ、山下《やました》さんが会ってくれるってさ。一緒においで」

「はい！　ありがとうございます」

「飛び込みで局に入っても絶対会えない人だからさ、海の資料、ぬかりなく持ってくんだよ」

「はい！」

返事だけは威勢が良いが、その実、茉莉緒はパニックになりそうだった。この事務所は総勢たった八名の小さな事務所だが、それでも一人のマネージャーが二人から三人のタレントを抱えている。茉莉緒だけが、今のところ、雨森海の専用マネージャー、それも「見習い中」という札が背中に貼られている状態。ところが、見習わなければならないはずの前任マネージャー伊藤冴子は、最初の三日間は茉莉緒を連れていろいろと歩いてくれたのだが、四日目からは指示を出すだけで他の仕事にかかり切りになっている。三日間で一通りは教えた、後は実践学習しろ、ということだ。

海の資料、と一言で言われたが、いったい何をどうしたらいいのか。泣き出しそうな気持ちで冴子の顔を盗み見ると、冴子は読心術の心得でもあるかのように、机の引き出しからクリアファイルを取り出して茉莉緒に差し出した。だが何も茉莉緒に言葉を掛けてはくれない。電話で別口の仕事の話に夢中だ。

立ち上がってファイルを受け取る。開くと、海のこれまで雑誌などに掲載された記事やグラビアの切り抜きがどっさりと入っていた。

「それ、全部持ってくんじゃないよ、茉莉緒」

洋子が何か書類に書き込みしながら言う。この事務所では誰も、茉莉緒に何か話しかけるだけの為に仕事の手を休めたりはしない。

「山下さんに会う目的は連ドラだよ。海をドラマに使って貰うのに役立ちそうなのだけ選んで、別にファイル作るの」

「は、はい」

また難関だ。ドラマに使って貰うのに役立ちそうなの、って、いったいどれなんだ？だがそこまで訊《き》いたら馬鹿にされるか、自分で考えな、と冷たく言われるのが予測出来たので、茉莉緒は黙って資料と取り組んだ。

ドラマ、ドラマ。それも連ドラ。

テレビは動きだ。泣いたり笑ったり。そうだ、モデル風に取り澄ました写真は少しでいい。それより、笑顔とか、他のいろいろな表情のあるものを選ぼう。後は記事。海が気の利いたことを答えているインタビューは必要だ。海が馬鹿だと思われない為に。

一時間があっという間に過ぎた。茉莉緒の机の上の小さな目覚まし時計が鳴り出す。

「いけない、出掛けないと」

机の上を片付け始めた茉莉緒に、洋子が顔をしかめて言った。

「あのさあ、その目覚まし、何とかなんない？　あんたのお出掛けの時間のたびに鳴られたら、あたしがドキドキしちゃうじゃん」

「ご、ごめんなさい」

茉莉緒は頭を下げ、目覚ましを机の引き出しに突っ込んだ。こうでもしないと遅刻しそうで恐かったのに……何か他の方法を考えないと。

「四時だよ。大東テレビの玄関。遅れないでよ」

「はい！」

茉莉緒は駆け出した。駆けながら、海の携帯電話を自分の携帯で呼び出す。

「も、もしもし」

「はい」

「あの、一時間前です。そろそろあの、撮影場所に向かっていただけますか」

「はーい」

「あ、それか……」

海は電話を切ってしまった。四時に大東テレビに行く、という自分の予定を伝えようとしたのだが。まあいい。どうせ海は、あたしの予定なんかに興味はないだろう。

ドラマや小説の中で知っていたマネージャー稼業とは、随分感じが違うな。それが、この仕事を始めて十日目の茉莉緒の感想だった。

もっと、密接なものだと思っていたのだ、マネージャーとタレントとは。もちろん密接な場合も多いらしい。だが雨森海のような、「役者さん」に属するタレントの場合は、私生活にまでマネージャーが深く関わるということはあまりなかった。海は事務所から給与を貰《もら》っているのではなく、自分に対して払われたギャラから事務所に経費としてマネージメント料を支払っているのだ。だから、事務所の側が海の私生活まで管理する義務も権利も発生しない。

それでも海の場合には、遅刻の常習犯である、というネックがあって、完璧《かんぺき》にクールな関係というわけには行かない。

地下鉄に飛び乗って空いた席を見つけると、茉莉緒は手帳を取り出した。左半分が自分の予定、右半分に海のスケジュールが書き込まれている。

海のスケジュールはまだまだ、白い部分が多かった。この白い部分が少なくなればなるほど、海が売れっ子になったということなのだが、エキストラの変死事件のせいで出番の撮影が二つほど先に延びた例の映画が終わってしまうと、単発の小さな仕事以外は、八月の終わりからポスターの撮影でマウイ島に行くのがいちばん大きな仕事、というのが現状。注目株、期待の新人、などと映画雑誌などに取り上げられていた割には、正直に言って「売れていない」。冴子の分析によれば、海の場合、イメージが漠然としていてどう使っていいのかわかり難《にく》いのが難点なのだと言う。ファッションのセンスにしても、パリコレに出ていたモデルというのはテレビ的な人気を得るには「高級過ぎる」のだそうだ。もう少し視聴者に「わかり易い」センスの方が、「あのひと、カッコイイ!」とすぐに反応して貰えるのだとか。そう説明されても、だからどうしたらいいのか、茉莉緒にはわからなかった。海はどうせ着たいものしか着ないだろうし、喋《しゃべ》ることにしても、事務所が書いた台本なんかの通りに喋るような人間ではない。

それに茉莉緒自身、海を無理にテレビの人気者にする必要はないように感じている。海には映画の方が向いているのだ、たぶん。

幸い、あの芸能通学生の変死事件で、海が狙われた可能性がある、という話は、まだマスコミには漏れていない。そのおかげで、冴子の念願だったCM出演の話はまだ潰《つぶ》れたわけではないのだが、万一CM契約期間中にそのことがバレてトラブルになると、黙っていたことで賠償問題に発展する危険性があるらしい。冴子はそのことで頭を痛めている。CMの仕事は利益が莫大《ばくだい》な代わりに、制約も多いのだ。

まったく、ツイてないんだから。それが冴子の口癖だった。

それにしても。

茉莉緒は、あの時、うつ伏せになったまま動かなかった芸能通の大学生の姿を思い出した。あの人とは言葉も交わしたのだ。会話のひとつひとつも、まだ思い出せる。

彼の名は、一ノ瀬拓也《いちのせたくや》。まだ二十二歳、京都の私立の名門D大の学生だった。

一ノ瀬拓也の胃の中には昼食に食べた弁当の未消化分が大量にあったが、そのどれからも毒物は検出されなかった。だが死因は〝未知の毒物〟による中毒死。毒成分の検出は出来たらしいが、具体的にどんな薬品が使われたのかがまだ不明らしい。単純に考えれば彼は、食べ物以外の物を口に含んだ、そしてその物に毒が塗ってあったのだ、ということになる。だが、それが何なのかはまだ特定されていない。従って、極めて不自然な状況ではあるが、一ノ瀬拓也が自殺したのではないと言い切ることも出来なかった。

もっとも、一ノ瀬拓也のからだの表面からは毒物が検出されず、その他にも、当日一ノ瀬が触れたと思われる物総《すべ》てを検査しても毒物は出なかったらしい。

警察が海の証言を重要視したのは当然だったが、当日一ノ瀬が誰かから海宛ての菓子の類《たぐい》を預かったという目撃証言は遂《つい》に出なかった。ほとんどの時間を一ノ瀬と共にいた、ガールフレンドであり大学のクラブ仲間でもある柳沢《やなぎさわ》千夏も、一ノ瀬があの日、自分以外で話をしていたのは、他ならぬ茉莉緒だけだったと証言したのだ。

捜査は暗礁に乗り上げているようだった。茉莉緒も何度か京都府警の刑事から事情を聴かれたが、提供出来る情報は極めて少なかった。

そんな最中に東京に引っ越して海の所属する芸能プロダクションに就職したわけだから、茉莉緒は刑事たちにちょっと注目されることになったらしい。東京の新居にも、わざわざ京都からやって来た刑事が訪ねて来たりする。だが聴かれることと言えば、相変わらず、何か変わったことを見なかったか、何か気がついたことはないか、というもの。もちろん、気がついていれば言わないわけがないのであって、要するに茉莉緒は何も特別なものを見ていないし、何も特別なことに気づいてはいなかったのだ。

今日の仕事は海の得意な分野だ。雑誌のグラビアの撮影と簡単なインタビュー。さすがにパリコレに出られただけあって、写真一枚の中での海の説得力というか迫力は、本当に素晴らしい。茉莉緒のような写真の素人にも、海の目線の強さ、表情に現れる物語の鮮明さは伝わって来る。

だから、そうした仕事だと茉莉緒は、安心して見ていることが出来た。問題は遅刻しないで現場に来られるのかどうか、そのことだけ。

撮影場所は青山通りだった。表参道で地下鉄を降りると、ダッシュで階段を駆け上がる。時間的余裕は充分にあるのだが、気持ちが焦るのと、何か不測の事態が起こった時のことをつい考えてしまう。ベルコモンズの方角に早足で歩き出した途端、腕をぐいっと摑《つか》まれた感覚がして後ろに仰《の》け反った。

ひったくりだ！

茉莉緒は悲鳴を上げながらからだをよじった。だが、肘《ひじ》にかけていた小さなボストンバッグがむしり取られるように腕から離れる。

「誰かぁっ！」

茉莉緒は叫んだ。

「誰か、捕まえて！　ひったくりよ！」

前を駆けて行く男の後ろ姿が目に入った。茉莉緒は男の背中を叫びながら追いかけた。だがここは東京で、しかも青山だ。誰も、茉莉緒に協力してくれる人間はいない。と言うよりも、何かのパフォーマンスか男女の痴話喧嘩《げんか》くらいに思って見物しているのだ。

「か、返してぇっ！　あたしのバッグ、返してよ！」

それで返してくれるなら苦労はない。だがそう叫ばずにはいられなかった。男との距離は次第に開く。

あっ。

突然、何かが宙を飛んで来て茉莉緒の目の前に落ちた。茉莉緒はそれに躓《つまず》いて転んだ。バッグだった。ひったくられたバッグ。

顔を上げると、どこから現れたのか一台のオートバイが、逃げる男を拾って２４６を消えて行くところだった。

2

何なのよ、いったい。

茉莉緒は尻餅《しりもち》をついたまま放り出されたバッグを見つめた。まさか、返してと言われて返したわけじゃないでしょうに。

もちろんそうではなかった。バッグのチャックが開いている。あの男は走りながら中身を物色していたのだ。手を伸ばして中を確かめると、財布も定期券も見つかった。

いったい、何を狙ったんだろう、あいつ。

「そんなとこで何してんの」

頭の上から声がした。見上げると、海が茉莉緒を見下ろしていた。

「すっげぇ注目されちゃってるよ、おたく。転んだの？」

海が手を伸ばしてくれたので、茉莉緒はそれに摑《つか》まって立ち上がった。ストッキングの膝《ひざ》が破れて、少し血が滲《にじ》んでいる。

どこかで穿《は》き替えないと。時計を見た。まだ約束の時間までには二十分あった。

「あの、あたしこの格好じゃ恥ずかしいんで、どこかでストッキング替えてから行きます。場所、わかりますよね？　この先の『ラ・メール』っていうレストランの、二階の個室です」

「うん、わかった。じゃね」

海は茉莉緒の膝にちらっと心配そうな視線を向けたが、そのまま手を振って歩き出した。茉莉緒は周囲を見回し、結局地下鉄の駅まで戻ると、駅のトイレに駆け込んだ。

全速力で『ラ・メール』に辿《たど》り着いた時、まだ約束時間までに一分あった。茉莉緒が二階に上がると、個室の前で事務所が指定したカメラマンが仏頂面で立っていた。

「遅いなあ」

カメラマンは不機嫌に言った。

「マネージャーなら十分前には来てるの、当然じゃないの？」

「ごめんなさい、板野《いたの》さん。ちょっとアクシデントがあって」

「雨森さんは？　一緒じゃないの？」

茉莉緒の背筋に冷たいものが流れた。

海が、まだ来ていない……？

「あ、あの、まだなんですか？　二十分くらい前に表参道のとこで別れて……ここの場所は教えてあるんですけど」

「一緒にいたなら、どうして連れて来ないのよ、ここまで。彼が鉄砲玉だっての、おたくも知ってるでしょうが。俺、三時から別口入ってるんだよね。先に撮影済ませてくれるって話だったから引き受けたんだよ。雑誌のグラビアなんか、その雑誌のカメラマン使うのが普通なんだからさ。冴子さんが海の写真はあんたが専属で撮ってくれって頼むから……」

「ちょっと失礼します！」

茉莉緒は今上って来た階段を駆け下り、青山通りに飛び出した。表参道の駅までのわずか二百メートルくらいの距離を、一軒ずつ店の中を覗《のぞ》き込みながら探す。他には考えられない。海は、どこかで道草を食ったまま時間を忘れているのだ。

案の定、海は一軒のブティックで引っかかっていた。

「雨森さん！」

茉莉緒が血相を変えて飛び込むと、海は丁度レジで精算を済ませたところのようで、紙袋をちょっと上げて見せた。

「帽子。なかなかいいんだ、これ」

「そんなことといいから！」

茉莉緒は海の腕を摑んでせかせた。

「もう時間になっちゃったんですよ。どうして真っ直ぐ行ってくれなかったんですか」

「あ、ほんと？」

海は腕時計を見て舌を出す。

「わ、ほんとだ。ごめん」

海は無邪気に笑った。茉莉緒は泣きたくなった。

『ラ・メール』の個室に二人で駆け込んだ時には既に、十分の遅刻だった。

最初にグラビアの撮影をするということで、水を一杯飲む間もなく青山通りに出る。カメラマンの板野が、あらかじめ自分で目星をつけていたところに皆を誘導した。

海は、カメラを向けられると表情が変わる。それまでの穏やかな瞳《ひとみ》が急に熱を帯び、強烈な自己主張が現れる。

世界中から檜《ひのき》舞台を夢見て集まった数多くのモデルたちの中でオーディションを勝ち抜いてトップの舞台に立ったその存在感は、やはり非凡なものだった。さっきは仏頂面をしていたカメラマンの板野も、ファインダーを覗いた途端に夢中になってシャッターを切り始める。雑誌のグラビア撮影であることなど忘れて、まるで自分の写真集でも作っているかのような入れ込み方だった。

「あ、ちょっと待って」

板野が一息ついた時、海が言った。

「せっかく買ったし、これ、試してみようよ」

海はブティックの紙袋から、寄り道して買った帽子を取り出した。レディース物のよくある形のものだったが、海が目深《まぶか》に被《かぶ》ると驚いたことに、まるで海の今日の服装にあつらえたかのように雰囲気がぴったりだった。

「いいね！　それ、いいよ！」

板野が嬉《うれ》しそうにまたファインダーを覗く。茉莉緒はただ、溜《た》め息をついてそんな海を見つめているだけだった。海のファッション・モデルとしてのセンスは本物なのだ。もしモデルとして突き詰めて仕事をして行けば、パリコレだけではない、ニューヨークでもどこでも、世界中で通用するモデルになれたかも知れない。

いったい、海に何があったのだろう。どうして彼は、パリから戻って来てしまったのだろう。

「はい、お疲れさま」

板野がようやく満足してカメラを仕舞った。

「いい写真撮れましたよ。じゃ、俺は次の仕事があるんで行きます」

「ありがとうございました」

雑誌の担当者が頭を下げた。

「後で見せて下さい。楽しみにしてます。それでは雨森さんとマネージャーさん、インタビューをお願いしたいので先程のお部屋へ」

一行が個室に戻ると、記事を担当するライターがＩＣレコーダーをセットして海の前に座った。コーヒーがサービスされ、インタビューが始まる。

茉莉緒は黙って座っていた。海は無難に答えている。今回のテーマは『男が結婚を決意する時』ということだったが、質問の内容は他愛のないものばかりだった。

一時間ほどでインタビューも終わり、ともかく一仕事終了してホッとする。お金にはほとんどならないが、雨森海を宣伝する意味では効果の高い仕事だった。

外に出ると、海は自慢の帽子を被って鼻歌を歌っている。

「あの、雨森さん」

茉莉緒は、茉莉緒のことなど気にせずに自分のペースでどんどん歩いて行く海に声を掛けた。

「あたしこれから、大東テレビに行きますから」

海は振り返り、邪気のない顔で手を振る。

「あ、そう。それじゃ、気をつけてね」

「雨森さんは？」

「うん、せっかく原宿まで来たから買い物して帰る。じゃね」

「あの、明日は剣術の佐伯《さえき》先生のところに」

「わかってる。一時でしょ。遅刻しないで行くよ」

「お願いします」

茉莉緒は頭を下げた。だがその頭を上げた時、もう海の背中は遠くにあった。

なんで、淋《さび》しいんだろう。

茉莉緒はひとりで苦笑いして、雑踏の中に消えてしまった海の背中から視線を戻し、地下鉄の階段へと向かった。

この仕事を引き受けた時から、覚悟していたことだった。あの映画のロケで言葉を交わした時までは、茉莉緒は海にとって「女の子の友達」だったのだ。だから海は、海なりに茉莉緒に気を遣ってくれていた。だが今は違うのだ。気を遣わなければならないのは茉莉緒であって、海が茉莉緒を気遣う理由はない。海に気持ちよく仕事をこなして貰《もら》う為にあれこれと気を回すのが、茉莉緒の仕事なのだ。

せっかく、こんないい天気の午後に原宿にいても、ふたりで買い物したり散歩を楽しんだりする立場では、お互いに、ない。当たり前のことなのに、ああして海の背中を見送ってしまうと、表現の出来ない淋しさに包まれるのをどうしようもなかった。

「そんなこと言ってる場合じゃないでしょ」

茉莉緒は自分で自分を叱咤《しった》して、勢い良く階段を駆け下りた。

車内はさっきとは違って混んでいた。

茉莉緒はバッグを肘《ひじ》にかけたまま、中からスケジュール帳を取り出そうと手探りした。

……おかしい。

手帳がない。

いくら探しても、この十日間愛用している赤いギンガムチェックの布張りの大きな手帳が出て来ない。片側に自分の予定、もう半分に海のスケジュールが書き込まれたあの手帳が、見つからないのだ。

しばらくゴソゴソとバッグの中を探り続けて、茉莉緒はやっと確信した。

さっきのひったくりだ！　あいつが、手帳を盗んだのだ。

だけど……なぜ？　ブランド物の何万円もする手帳ならいざ知らず、生活雑貨の店でバーゲン品として籠《かご》に山積みされていた中から引っ張り出した、売れ残りなのだ。確か、千三百八十円。

わけがわからない。財布と間違えたのかしら？

やっぱり、警察に届けておけば良かったかも。

茉莉緒は憂鬱《ゆううつ》になった。何も盗まれていないと思ったし、アポの時間に遅れそうだったのであのままにしてしまったけれど、やっぱり盗まれていたのだ。安物の手帳とは言え、自分にとっては大事な商売道具だったのに。

幸い、事務所に戻れば海のスケジュールに関してはパソコンにデータを入れてあるので、仕事に支障を来《きた》すことはなかった。だがまた新しい手帳を手に入れて、テレビ局だのスタジオだの、カメラマンだのの電話番号を五十近くも書き写さないとならないと思うとうんざりした。

冴子の口癖ではないが、ったく、ツイてないんだから！

3

大東テレビの玄関前に着いたのは四時十五分前、今度は無事に間に合った。茉莉緒は、テレビ局のガードマンに不審に思われないよう、玄関から少し離れたところに立って洋子を待つことにした。

高村洋子は、冴子に次いで事務所では古株だった。

茉莉緒が働いている『オフィスK』の社長、川谷栄《さかえ》は元脇役専門俳優だったが、肝臓を悪くして現役を引退、病気が完治してからも俳優の道には復帰せず、そのままある大手プロダクションでマネージャーとして再出発した。そして、当時担当していた多川《たがわ》ふたば、という人気演歌歌手が個人事務所を設立した時に引き抜かれて退社。ところが多川ふたばが結婚し夫を事務所の重役に就任させると、事務所の内部に軋轢《あつれき》が起こり、派閥争いのようなものに巻き込まれてそこを辞めさせられることになったらしい。その後、弱小の芸能プロダクションを転々としている間に伊藤冴子と知り合って『オフィスK』を設立した。伊藤冴子も女優業から足を洗って友人のモデル事務所を手伝っていたのだが、その間に着々と自分の事務所を持つ計画を進めていたそうで、『オフィスK』が設立されると冴子のコネクションで一度に五人もの俳優が移籍、その中には大物の年輩俳優、和歌山善次郎《わかやまぜんじろう》もいた。そんな関係で『オフィスK』は、どちらかと言えば脇役や渋い役どころの実力派俳優がいる事務所として徐々に業界に認知されていったと言う。

そうした様子を一転させたのが、川谷が街でスカウトして来た、松崎かすみの登場だったようだ。松崎かすみは、その少し不良っぽいが迫力のある歌でたちまち人気を得て、アイドル系のロックシンガーとして立て続けにヒットを飛ばした。茉莉緒もこの業界に入るまでは知らなかったことだが、芸能事務所というのは、たったひとりブレイクすれば、そのひとりの生み出す利益だけで充分やって行けるものらしい。

松崎かすみはその利益を生み出した。オフィスKの経営は安定し、俳優だけではなく、アイドルタレントも数名抱えられるようになった。だが、何もかも順調というわけにはいかなかった。

まず、事務所のステイタスシンボルとも言える和歌山善次郎が急死した。和歌山の死後、和歌山の人徳でオフィスKに移籍して来たベテラン俳優が数名、他の事務所へと移籍してしまった。そして、次第に我儘《わがまま》になっていた松崎かすみが遂《つい》にトラブルメーカーになった。彼女は男性タレントと浮名を流し、写真週刊誌の絶好のターゲットとなり、やがて仕事に穴をあけて男と駆け落ちまがいの逃避行劇を演じてしまった。だが彼女の歌は、そうした反抗的な所業がかえってロックシンガーにふさわしいと思われたのか相変わらず売れ続けていた。松崎かすみはCMやドラマにも進出、それにともなって、監督に逆らってドラマの撮影を途中で放り出して帰ってしまったとか、スタッフと大喧嘩《おおげんか》して椅子で頭を殴って怪我をさせた、などという醜聞も頻繁になり、世間の松崎かすみバッシングが強まっていった。

最後に、松崎かすみは自分のマンションで首を吊《つ》って死んでしまった。

かすみの死は、オフィスKにとってとてつもない痛手となった。彼女の自殺によって撮影済みだったCFが使えなくなった広告代理店からは賠償請求され、示談にはなったが、数千万単位の違約金支払いが残った。かすみの生み出す利益をあてにして抱えていた新人タレントのプロモート費用が捻出《ねんしゅつ》出来なくなり、タレントの卵たちはオフィスKから逃げて行った。

こうして、今のオフィスKには、雨森海の他に俳優が四人、ロックバンドが三組、アイドルタレントの卵二人だけが残り、従業員も、社長の他には冴子と洋子、それに病気休養中の杉浦英一《えいいち》の他にマネージャーが二人と事務員一人、そして芸能マネージャー歴十日と数時間、というほとんどド素人の茉莉緒がいるだけになっていた。そして、あの芸能通カップルが噂していた通り、オフィスKには億に届く借金があった。

しかし洋子に言わせれば、借金が億未満であれば、心配することはないのだそうだ。

そんな話を聞かされると、芸能界というところでは金銭感覚も他の社会と違うのだろうか、と思ってしまうのだが、たとえば洋子が担当している新人タレントで、海に次いで事務所が力を入れて売り出そうとしている中山美樹のプロモート費用などを耳にすると、その金額の巨大さに仰天してしまう。タレントをひとり売り出すという事業は、それだけ金のかかる事業なのだ。数千万の借金などはしていて当然、むしろ、この規模の事務所でそれだけの借金で済んでいることが、伊藤冴子の有能さの証《あかし》なのである。

だとすれば、芸能通カップルの噂話は半分間違っていることになる。つまり、海が、事務所に何か弱味を握られたあげく松崎かすみのせいで出来た借金の返済にこき使われている、というのは変だということになるわけだ。

だが事実、雨森海のギャラは、同じぐらいの男優の相場に比べて安いらしい。茉莉緒にはそのあたりのことは良くわからないが、洋子もそれがなぜなのか、首を傾げていた。

「たぶんさ、戦略だと思うのよね、冴子さんの」

洋子はこっそりと茉莉緒に耳打ちしてくれた。

「海はいまいち、これといった売り物のない子でしょ。だから相場より安く売ることで、少しでも多く仕事を取りたいって考えたんじゃないかな、冴子さん」

茉莉緒には理解出来ない。なぜオフィスKの人々は、海の実力に気づかないのだろう。海には「売り物」があるのに、ちゃんと。

カメラを向けられた時のあの目、あの存在感。あれは絶対、本物なのに。


そろそろ洋子が来る頃だな。

茉莉緒はもう一度腕時計を見た。その時、視界の隅に、自分に向かって近づいて来る女性の姿が見えた。

「……あなたは……」

茉莉緒は驚いた。それは、あの日、変死した一ノ瀬拓也のそばにずっといた女子大生、柳沢千夏だった。

「今さっき、事務所にお電話したんです。そしたら、和泉さんはここで待ち合わせしてるはずやて教えてもろて」

「お久しぶり……あの」

茉莉緒は何を言っていいのかわからずに困惑した。だが柳沢千夏の表情は硬かった。

「教えてください！」

千夏がいきなり、茉莉緒の腕を摑《つか》んだ。

「ほんとのこと、教えてください！　タクちゃん殺したん、誰なんですか？　いったい誰があんなひどいこと、したんですか！」

千夏は茉莉緒のからだを激しく揺すっていた。茉莉緒はただただ、呆気《あっけ》にとられて何度も瞬《まばた》きするばかりだった。

「あの、ともかく、ちょっと落ち着いて」

茉莉緒は腕に食い込んでいる千夏の指を剝《は》がして、痛みから逃れた。そのまま千夏の腕を取ると、今度は千夏が茉莉緒の胸に飛び込むようにからだを預けて来た。

「タクちゃん……タクちゃんが死んだなんて、うち……うち、今でも信じられへん！　なんでやのん？　いったいなんで、タクちゃんがあんな目に遭わなあかんの！」

「あたし……あたしはほんとに何も、何も知らないんです」

「そやかて！」

千夏は茉莉緒の顔を睨《にら》みつけた。

「そやかて、あんた、雨森海と知り合いやったやんか！　それも、こんなに突然雨森海のマネージャーになって東京に出て来るなんて、おかしいやないの！」

「マネージャーを引き受けたのはほんとに……何ていうか、はずみで」

「あの時は、ただナンパされただけやて言うてたくせに！」

「嘘は言ってません！」

茉莉緒も思わず声を荒らげた。

「あの時あなたたちに言ったことは本当のことよ。あたしは雨森とはほんとに、ただ撮影の合間にちょっと話をして、おにぎりをあげただけの関係だった。マネージャーにならないかって誘われた時もあたし自身が心底驚いたくらいよ。でもあたし、たまたま失業中だったし、実家が東京にあるものだから……やってみようかって気になって」

「交換条件やないの？」

千夏は涙を目に溜《た》めたまま、意地悪く唇の端を曲げた。

「こ、交換条件……って？」

「何か、雨森海に都合の悪いことをあんたが見たか聞いたかして、それで……黙っててあげる条件で代わりにマネージャーの仕事を……」

「ば、馬鹿なこと言わないで！　なんで雨森がそんなことしないとならないの？」

「なんで、て」

千夏は、挑むような目を光らせた。

「タクちゃん殺したのが……雨森海やから」

「あ、あなた」

茉莉緒は息を吸い込んだ。

「正気？　自分が何を言っているのかわかってるの？」

「疑《うたご》うてるのはうちだけやない」

千夏の声は太く、脅すように響いた。

「警察かて雨森海のこと疑うてるんよ。警察の人が言うてたもん。タクちゃん、雨森海の代わりに何か食べたか飲んだかして、それで死んだんやないかって。そやけどうち、そんなん違うと思う。タクちゃんは人のもの黙って食べるようなことせんもん！」

「あの」

茉莉緒は千夏をそれ以上興奮させないように、千夏の手を握りながら言った。

「あなたと話し合いたいの。もう少しちゃんと、あの時のことで。でもあたしこれから約束があって……今夜、もう一度会って貰《もら》えない？」

「……ええけど」

千夏は頬を少し膨らませながら頷《うなず》いた。

「でも、うち、東京は知らん」

「お泊まりは？」

千夏は首を横に振った。

「なんにも考えてへんかった……今朝、ふっと思いたって……あなたに会うたら何かわかるかも知れないって……それで」

「わかりました。じゃ、ともかく適当なとこに宿をとりましょう。あなた、携帯電話はお持ち?」

千夏は頷いて番号を言った。茉莉緒はそれをメモした。

「一時間以内に連絡しますから、出来れば電波が届くところにいてください。ホテルを予約しておきます。今夜、仕事が終わったらそのホテルに行きます」

「あの、でも」

千夏は心細げに茉莉緒を見た。

「うち……その……」

「ホテル代のことだったら、心配しないで。雨森海はうちの事務所の大切なタレントです。その雨森が殺人事件に巻き込まれているのよ、そのことで話し合いに来てくれたあなたに宿を提供するのは当然のことだわ。大丈夫、ほんとに心配しないで」

そう言いながら茉莉緒は、内心、本当に経費として認めて貰えるかどうかはわからないな、と思っていた。ダメなら自分で持つしかない。それでも、今ここで千夏を追い返してしまったらとんでもないことになる、そう茉莉緒は感じていた。

重い足取りで去って行く千夏と入れ替わりに、停車したタクシーから洋子が飛び降りて来た。

「ごめんごめんごめん！」

腕時計を振り回して洋子が叫ぶ。

「七分遅刻だ！　さ、急ごう！」

洋子につられて茉莉緒も走った。

山下の名を告げると受付は問題なく通ることが出来た。テレビ局の中は、何度来ても方向がわからなくなる。まるで迷路だ。

それでも洋子は迷うことなく、山下が待つ番組編成局の一室へとたどり着いた。

洋子が立ち止まって茉莉緒を見た。

「予備知識」

「山下さん、巨人ファンね。相撲は先代の若乃花《わかのはな》。お酒は飲めない。女は適当に好き。大学は早稲田、お子さんは中学二年男と小学校四年女、奥さんは仕事してない」

茉莉緒はいちいち頷いた。だが、なぜそんな予備知識が必要なのかまるで呑《の》み込めていなかった。

よくあるパネルドアを洋子がノックすると、中から男の声が応《こた》えた。

「すみません、遅くなりました」

洋子の後ろからからだを縮めて部屋の中に入る。心臓が口から飛び出しそうだった。

大東テレビの山下プロデューサーといえば、ドラマ作りの天皇と言われている人間なのだ。

「洋子ちゃん、お久しぶり」

意外なほど柔らかな声だった。顔を上げると、半分ごま塩になった頭のごく普通の中年男性が、眼鏡を拭《ふ》きながら笑顔でいた。

「遅いからさぁ、またフラれたかと思ったじゃない」

洋子が最敬礼した。茉莉緒も一緒に頭を下げた。

「本当に申し訳ありません。新人にきちんと道を教えておかなかったあたしの責任です」

えっ？

茉莉緒は一瞬、何のことかわからなかった。だが新人、というのが自分しかいないと気づくと、洋子が遅刻の責任を自分になすりつけようとしていることを理解した。

「あ、あ、あたしの責任です。申し訳ありませんでした！」

茉莉緒は大声で言って、もうこれ以上は膝《ひざ》に額が付く、というくらいまで腰を折った。

「と、東京に出て間もないものですから、地下鉄の乗り換えがわからなくて」

山下が笑い出した。

「冴子さんが言ってた新人ってこの人か。へえ……東京の人じゃないの」

「じ、実家は東京なんですけど、しばらく離れていたもので……」

「まあ、二人ともいいから頭上げて」

洋子は威勢良く頭を上げた。

「おたくの事務所もやっと、新人入れたんだねえ。あの人数じゃ大変だろうなって思ってたんだよ。洋子ちゃん、残業ばっかでデートする時間もないでしょ」

「相手がいないんです」

「え、ほんと？　まだ空き家なんだ。じゃ今度また、カラオケ行こう」

「はい！　ぜひお願いします。あの山下さん、それで」

「あ、中山美樹のことね。うん、あの子はなかなかいいね。先週の、ほらなんだっけ、芸能人運動会みたいの、あれ、見たよ」

「ありがとうございます！　中山美樹、必ずブレイクさせますから、次の連ドラの件……」

山下は笑って手を振った。

「キャスティングはさ、若い人たちに任せてるからさ。ほら、僕の感覚じゃもう古いでしょ。今の連ドラは、内容よりも感性らしいじゃない」

「それでも山下さんに推していただければ」

「うん、まあ、考えとくけど。あの子、ＣＭはどうなの？　近々オンエアされそうなの、あるの？」

「九分通り決まってるのがあります。まだ決定じゃないんでお知らせ出来ないんですが」

「食べ物？　それとも、電化製品？」

「あの」

洋子は唇を舐めた。ＣＭに関する情報は絶対の秘密事項だ。

「……薬の方です」

「製薬会社か」

山下は腕組みした。

「なるほどね……製品イメージはどうなんだろうね。風邪薬とかならいいんだけどさ、痔《じ》とか水虫だとね……次の次のクール、悲劇なんだよ、企画。脚本はほら、泣かせの松本くんだから……場合によってはさ、まあ真ん中は無理でも、真ん中の子の親友、くらいの役柄でどうかなと思ったんだが」

「大丈夫です。ぜひ、ぜひお願いいたしますっ！」

洋子が頭が膝に付くほどお辞儀をしたので、茉莉緒も一緒に頭を下げた。しかし、中山美樹のことばかりで約束の時間が終わってしまいそうな気配だ。海のことを少しでも宣伝する暇など貰えるのだろうか。

「よし、まあ他ならない洋子ちゃんの頼みだからね」

山下は眼鏡をはずしてレンズを磨きながら言った。

「中山美樹、当たればおたくの社長もホッと一息だろうしな。だけど今度は、タレントの生活管理はしっかりやってよね。うちのドラマやってる最中に、やだよ、失踪《しっそう》だの自殺だのは」

「わたしの命に代えても、不祥事は起こさせません！」

「命に代えても、かい」

山下は豪快に笑った。

「いつ聞いてもいいねぇ、洋子ちゃんの啖呵《たんか》は。さすが、伊藤女史の一の子分だけのことはあるよ。フクハラプロにいた頃から、洋子ちゃんは根性があると思ってたけどね」

「わたしも必死ですから。フクハラにいた時には有休もボーナスもあって、結局はＯＬみたいなもんでしたけど、今はひとつ仕事が決まるかどうかでわたしの生活水準が違って来ちゃいますから」

洋子はニヤリとした。

「で、ついでなんですけどね、山下さん」

洋子がやっと、茉莉緒に目配せした。

「今日はもうひとつ、お願いがあって」

「おやおや、なんだ、こっちの新人さんはただの顔見せってわけじゃないのかい」

「うちの事務所の人手不足をご存じなら、新人をただ連れて歩くだけなんて余裕がないことぐらいお察しいただけると思いますけど」

洋子が笑顔のまま、茉莉緒の脇腹を肘《ひじ》でつついた。茉莉緒はつつかれたはずみで勢い込み、抱えていたファイルを山下の机の上に広げようとした。だが手がすべって、ファイルは山下の膝の上に落ちた。

「す、すす、すみませんっ」

茉莉緒は焦ってファイルを回収しようと山下の膝の上に手を伸ばした。

その瞬間、茉莉緒の背中に鋭い悪寒が走った。山下が、茉莉緒の手首を摑《つか》んでいた。

「おっと」

山下は平然と言った。

「いいよ、僕が取るから」

山下は片手でファイルを摑み、机の上に置いたが、茉莉緒の手を離さなかった。茉莉緒は困って洋子の顔を見た。そして驚いた。

洋子はそっぽを向いている。

「で、新人さん、君の一押しはどんな子なの？」

「あ、はい」

茉莉緒は諦《あきら》めて、右手を山下に預けたままで左手でファイルを開いた。

「雨森海、俳優です。年齢は二十六歳、経歴は……」

「雨森海か」

山下の声にどことなく冷淡な響きを感じて、茉莉緒はどきりとした。

「見たよ、先々週にオンエアされてた他局の二時間ドラマ。なんか今度、映画も撮ったんでしょ、夏草麻衣と絡みのある」

山下は茉莉緒の掌《てのひら》をゆっくりと揉《も》むように指を動かしながら冷めた口調で言った。

「いい顔はしてるけどね……どうなのかなぁ、インパクトが薄い気がしたけど」

「まだまだこれからなんです！」

茉莉緒はファイルの中で、自分がいちばん気に入っている海の写真を広げた。

「でも、でも才能はあります！」

「映画向きの子なんじゃない？　公共放送のドラマならいいかも知れないけどねぇ。連ドラはさ、遠景に撮ってはまるタイプの子はダメなんだよ。全身の雰囲気とか何とか、そういうのはあんまりいらないのね。ドラマは基本的にアップの世界なわけよ。綺麗《きれい》な写真になる男はかえって使いにくいんだなぁ、僕の経験だと。背とかこんなにいらないしね、頭が小さ過ぎるのも男優としてはねぇ……女優は頭が小さい方がいいんだけどさ」

「目が違います！」

茉莉緒は思わず叫んだ。

「この目、目を見てください！　これだけの存在感があれば、アップがどんなに多くてもインパクトが弱くなることは……」

山下の、茉莉緒の掌を弄《もてあそ》ぶ行為が一瞬止まった。山下は真剣な表情で、茉莉緒が開いた海のグラビア写真を見つめている。あるファッション雑誌に載った写真だった。

「あのさ」

写真から顔を上げた山下は、なぜか茉莉緒ではなく洋子を見た。

「雨森海、おたくの事務所ではどんな感じで売るつもりなの？」

「どんな感じ、ですか？」

「あるでしょう、戦略的なイメージ。やっぱりこのルックスだから、反町《そりまち》っぽく売れたらいいと考えてるのかね」

「それはまあ、出来れば」

「汚れ役はどうなの？　やらせてみるつもりはあるのかい？」

「汚れ……役……犯罪者ですか」

「そうね。もっとかな。レイプとかね」

洋子が瞬きした。茉莉緒は息を呑《の》み込んだ。

「だめかね、レイプは」

「あの、山下さん。具体的な役があるってことですか？」

「まだはっきりはしてないんだけどね……僕も最近、ほら、ご褒美から遠ざかってるって言うか……視聴率はさ、若い連中にもう任せておこうと思ってるんだ、本音はね。その代わり、昔みたいにさ……プライズを狙えるものを作りたいってね。来年の国際テレビ博、狙ってみたい脚本があるんだ。三郷《みさと》一郎が書き下ろしてくれるんだけど。ただ、難しいんだよね。テレビのコードだとぎりぎりの線のホンだから。それにキャストだ、いちばん難しいのは。主人公に敵対する若い男、こいつはものすごく汚れたキャラなんだが、それでいて透明感が欲しい。いろいろ考えてるんだが、なかなかこれといったのがいなくてね」

洋子が黙っているので、茉莉緒も黙ったまま洋子の言葉を待った。

たっぷり二分も経って、洋子は頷《うなず》いた。

「わかりました。伊藤や社長と相談させていただいていいですか？」

「もちろん」

「山下さん、お願いです。大至急こちらで検討してお返事いたしますから、他にこの話、流さないでくださいますね？」

山下はまた、茉莉緒の掌を指でいじり始めた。

「わかってるよ、洋子ちゃん。でも、一度オーケーしたら、ホン見てやっぱり止《や》めますってのはなしにしてくれよ」

「雨森は根性のある子ですから」

洋子がまた茉莉緒に目配せした。茉莉緒は必死に頷いた。

「本当です。彼なら出来ると思いますっ」

「ともかく、伊藤女史と充分相談してよね。後で恨まれるのはやだしさ」

山下は笑いながら、やっと茉莉緒の手を離した。

「ね、今度行こうよ、カラオケ。新人さん」

茉莉緒は名刺を山下に差し出した。山下は見ようともしなかった。

部屋から出て、茉莉緒はようやくホッとして自分の掌を見た。山下にずっと揉まれていたせいで、薄く桃色になっている。

「気にしないの、あの人の癖なんだから」

洋子は茉莉緒の肩を押すようにして歩かせた。

「それにしても、難しい注文ね。あんたはどう思うの？」

「雨森さんに、汚れ役を……」

「ただの汚れ役じゃないでしょ。レイプはねぇ……たまに例外もあるけど女をレイプする役を一度でもやった男優は、好感度が絶対に上がらないんだよ。好感度が上がらないってことはどういうことかわかる？　ＣＭが取れないってことなの。ある程度の歳になって脇役俳優として存在感が出ちゃえば別だけど、海ぐらいの男優だとまずダメ。スポンサーが嫌がるからね。海の売り方、根本的に変わるわけよ、今度の話を引き受けたら」

「ＣＭがないと、ダメですか、やっぱり」

「事務所としてはそりゃ、何たってＣＭがおいしいもの。ギャラが大きい上にさ、自腹でやったら何千万ってかかる宣伝をやって貰《もら》うようなもんだから。難しいね、ほんと。冴子さんは何て言うかなぁ。だけどあたしとしては、海に引き受けさせたいけどね」

「雨森さんなら、きっと出来るとわたしも思います」

「そういう意味じゃない」

洋子は、苦笑するような顔になった。

「山下さんに恩が売りたいの。海を人身御供《ひとみごくう》に出せば、中山美樹の連ドラ準主役は決まりだからね。海をブレイクさせるより美樹をブレイクさせる方が早いじゃない、どう考えたってさ」

茉莉緒は唖然《あぜん》とした。何か言い返そうとしたが、言葉にはならなかった。

「不満そうだね」

洋子は少し冷たい顔で言った。

「だけどほんとのことだよ。中山美樹はあと一押しで弾《はじ》ける。だけど海は、まだ時間がかかるよ。あんただってうちの事務所の状態、わかってるでしょ。今はともかく、ひとりでいいからドル箱が欲しいのよ」

茉莉緒は言い返せなかった。洋子の言っていることは正しいのだ。茉莉緒がいくら海のことを贔屓《ひいき》して考えても、先に人気に火が点《つ》きそうなのは中山美樹の方だと思えた。オフィスKは決して余裕のある経営状態ではない。ひとりでも金を稼げるタレントが一分一秒でも早く欲しい、それが会社の本音であり、同時に、従業員全員の願いでもある。

「そんな顔、しないでよ」

洋子の声が少しだけ優しくなった。

「ものは考えようさ。海にとっても、この話は転機かも知れない。あの子はさ、アイドル売り出来るタイプじゃないのよ、きっと。本人もそれを自覚してるから、事務所のとって来る仕事にいまいちのめり込んでないんじゃないかな。レイプってのは確かにきついけど、うまくこなして演技力とか存在感とかアピール出来れば、ただの憎まれ役じゃないユニークな俳優として認識されるじゃない。あたしはね、いい話だと思うんだ、海にとってだってさ」

「伊藤さんはどう考えるでしょうか」

「最初は怒るだろうね」

洋子はクククッと笑った。

「海をパリでスカウトして来たのは彼女だもん。もちろん、キムタクより当てるつもりでいたんだから。でもそろそろ彼女もわかってると思うのよね、海はさ、顔だけで売るには難しい子だって。夏草麻衣と何とか絡めて当てようとしたけど、それもいまいちでしょ? 海って子は嘘が吐けないから、夏草麻衣とツーショットの写真を撮らせてもどこか冷めてるのが写っちゃう。あの子は個性派の俳優としてやらせるのが正解なのよ、たぶん」

洋子は腕時計を見た。

「まだ時間あるな。六時から赤坂で美樹の雑誌取材なんだ。あ、そうだ、せっかく来たんだし、ちょっといろいろ紹介しとくわ。こっちおいで、茉莉緒」

茉莉緒は洋子について、迷路のようなテレビ局の廊下を歩いた。第4スタジオ、と書かれたドアを押すと、中から騒々しい大工道具の音が聞こえて来た。

「やっぱりいた。民《たみ》さーん！」

洋子が手を振ると、梯子《はしご》を組み合わせた櫓《やぐら》のようなものの上にいた男が手を振り返した。

「オーッス、洋子ちゃん」

「ちょっと下りられる？　新人連れて来たんで紹介したいのよ」

「待ってて。今行くから」

男は身軽に櫓を下りて、あっという間に洋子と茉莉緒のそばに来た。

「ここだってよくわかったね」

「明日から昼ドラの撮りが始まるって聞いてたから、今日はセットで大騒ぎだろうって見当つけたの」

洋子は茉莉緒の肩をつついた。茉莉緒は頭を下げた。

「この子、うちの新人。雨森海を担当させてるの。茉莉緒、この人が照明の滝田《たきだ》民雄《たみお》さん。大東テレビに滝田ありって言われるほどの、照明の神様よ」

「神様ってのは大袈裟《おおげさ》だ」

「ほんとよ、茉莉緒。滝田さんの光の当て方ひとつで、どんなブスな女優もとびきりいい女に映るんだから」

四十代半ばくらいの背の高い滝田は、照れたように頭を掻《か》いた。

「女優はみんないい女さ。ただカメラって奴は意外と嘘吐きだからね、機嫌損ねるとどんないい女も不細工に映っちまう。俺の仕事は、いい具合の光を当ててカメラのご機嫌を直してやることなんだ」

茉莉緒は自己紹介して名刺を出した。滝田は受け取った名刺を無造作に尻のポケットに突っ込んだ。

「雨森海の担当だって？　伊藤女史はどうしたの？」

「現場まで担当してる暇がないのよ。事務所も大変でさ、お察しの通り」

「そうだろな。スギさんはどう？　退院した？」

「らしいわね。でもまだ自宅療養中」

「担当してた子に自殺されたら、俺だって参っちゃうよな。気の毒に、スギさん。それにしても雨森海って、いい目してるよな。映画のスチール、見たよ」

茉莉緒は嬉《うれ》しくて大きく首を振って頷《うなず》いた。

「雨森は才能があるんです。彼は本物です！」

滝田は笑い出した。

「すごい入れ込みようじゃない」

「この子はね、雨森に誘われて業界に入ったのよ。雨森が気に入ってスカウトした子なの。あ、でも民さん、変な意味ないからね。雨森はさ、ナニだから、ほら、伊藤の」

洋子の言葉に、滝田はニヤッと笑って頷いた。

「わかってるって。それにしても伊藤女史、よく承知したね。こんな若い可愛い子」

「自信があるんでしょ。実際、海はぞっこんだからさ。それとも彼女、もう飽きてんのかも」

滝田と洋子が笑い合うのを、茉莉緒は戸惑いながら見ているしかなかった。二人が何のことを言っているのか正確には理解出来ない。だが、伊藤冴子と海との間に何かある、そうしたニュアンスは伝わった。

ショックだった。そんなことは想像してみたこともなかったのに。

「ともかく民さん、この子、よろしくね。それとさ、うちの真野《まや》いくの、昼ドラ出るの聞いてる？」

洋子は茉莉緒の動揺には気づいていない。茉莉緒は気持ちのたかぶりを堪《こら》えて、表情に出ないよう努力した。

「真野さんね。何の役？」

「けっこうおいしいのよ。主人公の行き付けのスナックのママだから、毎回出るわけ。セリフもね、ちょっとだけど毎回あるの。ね、だからいつもの通り」

「うん、わかってる。真野さんは左の斜め上からだったね」

「よろしくね、ほんとに。彼女ももう四十二でしょう、最近角度によってはかなり老けて映るから、本人も神経質になってるのよ。民さんだけが頼りなの。お願い」

洋子が両手を合わせて拝むようにすると、滝田はまた豪快に笑って親指を立てた。

洋子と共にスタジオを出ようとしていた時、入れ替わりに入って来た二人連れに茉莉緒は目を奪われた。最近、めきめきと人気の出て来た若手女優の井筒美佳《いづつみか》とそのマネージャーだった。彼女たちも真っ直ぐに滝田に近寄って行き、さかんに頭を下げている。

「すごいでしょ、照明さんの力って」

洋子が声を潜めた。

「人間の顔ってね、ライトひとつでほんとに変わるものなのよ。テレビは特にアップが極端に多いから、連ドラなんてやってると照明で演技そのものまで影響されちゃうの。能面を思い浮かべるとわかるでしょ、光や角度だけで同じお面なのに笑ってるようにも泣いてるようにも見える。俳優自体はそこそこの演技しかしてなくても、照明をうまく当ててやると悲しんでるとか悩んでるとか、微妙な表現をしてるように視聴者には見えちゃうの。それに、中山美樹みたいにどこから見ても若くてそれなりに可愛ければいいんだけど、真野いくのくらいの年齢になるとね、左側から光を当てるか右側から当てるかで、びっくりするくらい顔が違ったりする。間違って照明さんに嫌われたりしたら、わざとブスに見える角度から光を当てられるなんてことも、ないとは言えないのよ」

「監督さんやカメラさんは指示したりしないんですか」

「そりゃ、主役に関してはある程度指示するわよ。だけど脇役にまでそんなに気を遣ってくれると思う？　それでなくてもテレビドラマの撮《と》りは時間との戦い、台本通りにシーンを進めるだけでもギリギリよ。真野いくのの顔がブスに見えたって理由でそのシーンを撮り直してくれたりは絶対にしないの。脇役を供出してる立場としては、主役のことしか眼中にない監督よりも照明やカメラの現場スタッフの方が頼りになるのよ。真野いくのだってまだまだ、使い方によっては綺麗《きれい》なんだもの、ドラマでの映りによってはCMの話だって来るかも知れないじゃない」

茉莉緒はただただ感心して洋子の話を聞いていた。この世界にはまだまだ、茉莉緒の知らない「魔法」がありそうだ。

「それはそうと、茉莉緒さ」

洋子が茉莉緒の肩を叩《たた》いて歩かせながら、からかうような口調になった。

「あんた、知らなかったんだ、伊藤女史と海のこと」

茉莉緒は瞬《まばた》きして何か言おうとしたが言葉が見つからなかった。

「海が話してるとばかり思ってたわよ。でもさ、あんなにショックって顔したら、あんた、海のこと好きなのかなって思っちゃうわよ。ほんとのとこどうなの、海のこと、好きなわけ？」

「あ、あの、好きとかそういうのとは」

「いいけどさ、何でも。まあマネージャーってのは担当してるタレントに惚《ほ》れてないとダメって考え方はあるからね。でもね、いい？　あんたが海と寝ても海の仕事は増えないよ。海のことを本当に考えて、あいつをビッグにしてやりたいと思うなら、あんたは別の男と寝ることを考えた方がいい。もちろん、そういうやり方はあたしは嫌いだよ。嫌いだけどさ、なりふり構わずぐらいの気持ちじゃないと、海をブレイクさせることなんて出来ないとあたしは思ってる。売れる子ってのは海ぐらい露出があればとっくに売れてるはずなのよ。あいつがいまいち売れないのは、あいつ自身に重大な欠点があるからなんだよ。それが何なのかはあたしにもまだはっきりわからないけど、山下さんが海の名前を聞いた時の顔、思い出してみて。海に対してはああいう反応する人、けっこう多い。あれが証拠。茉莉緒、よっぽどの覚悟がないと、海は先細りになって、そのうち消える」

茉莉緒は、今度こそ衝撃で泣き出しそうになりながら洋子の言葉を聞いていた。洋子の言葉のひとつひとつが、ショックだった。海の才能に限界がある、海には大きな欠点があると指摘されたことも、そして、そんな海を売る為には手段を選ぶな、と言われたことも。

「あ、あの」

茉莉緒は涙を堪《こら》えて言った。

「ひとつ教えてください。雨森さんと伊藤さんは……ほんとに……」

「海をパリで拾ったのは伊藤女史よ。まだ伊藤女史がモデルクラブにいた時。パリでふたりの間に何があったのかは、あたしも知らない。だけど二人は付き合ってる、今でも。それ以上のことが知りたければ海に直接訊《き》いてごらん。海はたぶん、あんたには話すと思う。海はあんたに心を許したから、あんたをスカウトしたんだもんね」

「洋子さーん!」

洋子の背後から、女性が手を振って近づいて来た。

「あ、神田《かんだ》さん。お久しぶり。茉莉緒、こちらね、サトー企画の神田英子《えいこ》さん。神田さん、この子うちの新人で、雨森を担当することになった和泉です。なんにも知らないズブの素人なんで、よろしく頼みます」

「あ、神田です。よろしく」

神田英子はさっと手を出した。茉莉緒は反射的にその手を握ったが、握手の求め方があまりに堂に入っているので、この女性は海外生活が長いのかも知れない、と感じた。

「よろしくお願いします」

「雨森海の担当って、伊藤さんは?」

「手が回らなくなっちゃったの。事務も経理もみんなあの人がやってるでしょ」

「そっか」

神田英子は苦笑いして頷いた。

「彼女ももう少し他人を信用して任せるってことしたらいいのにね。ま、彼女には彼女なりのポリシーがあるんでしょうけど。それはそうと雨森海、今度の本編《ほんぺん》は評判いいみたいじゃない？」

「本人は一所懸命やったみたいだけどね。ただねぇ、夏草麻衣の映画だから、あれは。ねえ神田さん、おたくの企画で雨森に何かいい仕事、ないかな」

「うちは最近単発ものばっかりよ。ドラマも二時間もの専門になっちゃったし。二時間ものにあんまり出すのは、損なんじゃない、雨森海くらいだと」

「でもサトー企画のドラマは水準が高いから、雨森にはいい勉強になると思うのよ」

「そう？　ま、考えてみるけど。それより中山美樹が借りたいなあ。まじにブレイクしてからじゃうちの仕事なんか受けて貰《もら》えないだろうからさ、今のうちに」

「神田さんの仕事だったら中山にはちゃんとさせるわよ」

「またまたぁ」

神田英子は笑って洋子の肩を叩《たた》いた。

「余裕出て来たわよね、中山美樹のおかげでおたくもさ。良かったじゃない、これで松崎かすみの悪夢をようやく忘れられそうでさ。あ、ところでちょっと2スタの楽屋に来ない？　面白い子紹介するわ」

洋子が英子の後について歩き出したので、茉莉緒もそのあとを追った。だが頭の中では、そろそろ千夏と約束した一時間になることが気になっていた。千夏は痺《しび》れを切らしているだろう。

4

楽屋に入るのは初めてではない。海に付いて一度、洋子に連れられて何度か入ったことがあった。

そこは大部屋に近い控え室で、鏡と椅子がずらっと並んでいる。ちょうど番組撮りの合間なのか、何人かのタレントが座っている。もちろん、大物はそんなところにはいない。

それでも茉莉緒にとっては、テレビで顔を見たことのある人達が何人も一堂に集まっているのはとても不思議な感じがした。まだ自分はこの「芸能界」という世界の人間ではないんだな、と思う。こうした状況がごく当り前のこととして受け止められるようにならなければいけないわけだ。

「仁《じん》くーん」

神田英子が入口で呼ぶと、部屋の隅で衣装のようなものを整理していた若い男性が振り向いた。

「ちょっと来て」

仁、と呼ばれた青年が近寄って来た。ひょろっと細くて少し甘いマスクをした綺麗な男の子だ。

「この子、塚田《つかだ》仁くん。今は局のアルバイトしてるんだけどね、高校時代に少しモデルもしたことあるのよ。先月まで劇団にいたんだけど」

「追い出されたんです」

仁はにっこりした。白い歯が印象的だ。

「座長と殴り合いの喧嘩《けんか》しちゃって」

「ねえどう、この子。なかなかいいと思わない？」

洋子が真面目な顔で腕組みした。

「そうね……で、なに？　芸能界でやりたいわけ？」

「ほんとは俳優志望なのよね。でももう劇団は懲りちゃったんですって。どっかプロダクション探してってこの子の親にも頼まれたんだけど、ちゃんと本編の仕事取って来れる事務所って意外と少ないじゃない。おたくはもともと俳優系だから、どうかなあと思って」

「タレントはイヤなの？」

仁は悪びれずに真っ直ぐに洋子の目を見て言った。

「イヤとかそういうんじゃないです。ただ、芝居が好きなもので」

「芝居じゃ贅沢《ぜいたく》な暮らしは出来ないわよ。外車乗り回したり女の子と遊んだりはね」

「意外と真面目なのよ、この人。ここの仕事も一所懸命やってるし、今時の若いもん、あれって感じに爛《ただ》れてないわよ。ただ劇団のほら、上下関係だとか体育会系のセンス、あれについて行けなかったってだけで」

「この業界に上下は付き物よ。頭下げるのが嫌いな性分じゃ芸能人には向かない」

「そのあたりはさ」

英子が洋子の肩を抱いて揺すった。

「洋子さんなら叩き込めるでしょ？　鍛えてやってよ」

洋子はまだ腕組みしていたが、品定めでもするかのように仁の足先から頭までを眺めていた。

「わかった。塚田くん？」

「はい！」

「明日の午後三時頃、時間あるかしら」

「あります！　いえ、作ります」

「親御さんと一緒に、事務所の方に来てくれます？　事務所はここね」

洋子は名刺を渡した。

「親も一緒、ですか」

「あなたまだ未成年でしょ。うちの事務所は二十歳未満の場合、保護者の承諾を得てからの契約ってことになってるの」

「わかりました。あの、何を持って行ったらいいんでしょうか」

「そうね、取りあえず、印鑑だけでいいわ。あとは本契約の時に揃えて貰えば。契約するかどうかは最終的には社長の判断だから、明日の面接如何《いかん》によってはどうなるかわからないけど。それでもいい？」

「はい。お願いします」

仁が頭を下げた。

「助かった」

英子がまた洋子の肩を揺する。

「この子のお父さんには仕事でちょっと世話になったのよね。おたくなら伊藤女史がいるから安心だし。あ」

英子は仁の後ろを通り過ぎようとしていた若い女の子に言った。

「それ、余り？」

「はい」

「いいかな、いただいちゃって」

「あ、どうぞ」

若い女の子が腕に抱えていたのは仕出し弁当だった。それほど豪華なものではない、よくある町の弁当屋の幕の内弁当の類《たぐい》だ。

「今朝から何も食べてないでしょ、もうお腹空《す》いちゃって。洋子さんたちもどう？」

「あたしも貰おう。食べてないのよ、昼。茉莉緒は？」

そう言えば、自分も食べていなかったことに茉莉緒は気づいた。

「あ、まだです」

英子は弁当を三つ、女の子の手から取るとそれぞれに渡した。英子は部屋の隅の椅子に座り、弁当の蓋《ふた》を開け始める。いかにもキャリアウーマンといった感じに隙のないメイクをし、細身のジーンズに黒いシャツが憎らしいほど似合っている英子のような女性が、局の仕出し弁当の残りを楽屋の隅で食べているというのは、何とも不思議な光景だった。

「ウーロン茶買って来ましょうか」

「あ、サンキュー。じゃこれ」

英子が仁に小銭を渡す。洋子も財布を出そうとしたが、英子がそれを手でとどめた。

「あ、またおかず落ちてる」

英子が箸《はし》をくわえたまま言う。

「大東テレビもリストラ激しいわね。お弁当のおかずまで減らさないとならないか」

茉莉緒は、確かにこの弁当は少し貧弱だ、と思った。魚の照り焼きとウィンナソーセージのフライの他には漬物しか見当たらない。

それでも、昼食抜きだったのでけっこう食べられた。英子の食欲はすごい。あっという間に平らげる。

仁がウーロン茶を買って来てくれた。

「あの」茉莉緒は自分の分を食べ終えて財布を出した。「このお金」

「いいのよ、これは。余りだから」

「番組で用意したお弁当が余っちゃったのよ。スタジオに観客入れる時はよくこういうこと、あるの。でも洋子さん、この人いいじゃない、ちゃんとお財布出すとこなんか」

「こんな調子だから危なっかしいのよ。今さっきもね」

洋子は声を潜めた。

「山下さんに手を握られて、放して貰うタイミングが摑《つか》めないでずーっと握られたまんま」

英子がケラケラと笑った。

「イヤだぁ、それじゃ山下さん、きっと誤解したわね。あの人大好きだから、この人みたいなちょっとほんわかしたタイプ」

ちょっとほんわか、とはいったい、どういう意味なんだろう。茉莉緒はかなり傷ついて、それを隠す為に三人分の空の弁当箱を片付けるのに夢中の振りをした。

塚田仁は、茉莉緒から弁当の箱を受け取ると、他のゴミと一緒に袋に入れて部屋を出て行った。

「ともかく助かったわ」

英子が肩をすくめた。

「あの子の父親には義理があってね。でも塚田くん、悪くないと思うのよ。劇団で続かなかったくらいだから現代っ子で根性はないのかも知れないけど、あのマスクだし、頭は悪くないわ。お手数かけて申し訳ないけど、おたくの社長に良く頼んでね」

「でも、うちなんかでほんとにいいの？　もっと大手に任せた方がよくない？」

「それも考えたんだけどね、今時さ、大手じゃあたしがクチきいたくらいで特別扱いはしてくれないでしょ？　せっかくだったら、きめ細かくやってくれるとこの方がいいんじゃないかって思ったの。本人もアイドル売りされるのを望んでるわけじゃないから、本編中心で役者として伸びたいだろうし」

「本編はねぇ」

洋子は頭を振った。

「当たるのは稀《まれ》だし、予算は低いし。雨森みたいにギャラ抑えれば何とか仕事が来るけど、拘束は長いし、どうかしらねぇ。役者志望って言っても、結局は、スターになりたいわけでしょう？」

ガタン、とドアが激しい音を立てて開いた。眼鏡をかけた痩《や》せた女性が頭を出す。

「あら……酒井《さかい》さんじゃないの」

痩せた女はきょろきょろと室内を見回した。

「どうしたの、酒井さん」

洋子が声を掛けると、酒井と呼ばれた女性が安堵《あんど》したような顔になった。

「洋子さん、いたの！　良かった」

「どうしたのよ」

「うちの江崎《えざき》、今朝出ちゃったでしょ、『ウィンズデー』。ほら、あの青年実業家とのさ」

「あ、ワイドショー？　囲まれてるの？」

「ううん、他局は大東さんが話つけてくれたから今はいない。でも、親衛隊が来てるみたいなの。過激な連中なのよ。洋子さん、今日、誰連れて来てるの？　貸してくれないかなぁ、女の子ひとりいたら」

「ごめん、今日は役者は連れてないのよ。山下プロデューサーに挨拶《あいさつ》だけだったから」

酒井は大袈裟《おおげさ》に落胆した。

「イヤだぁ、もう、どうしよう！」

「ダミーって、脱出させればいいの？」

「うん。親衛隊は表にいるから、裏から江崎を出せればいいんだけどね、車がバレてるのよ。先に江崎の車で女の子出して、そっちを連中が追いかけてる間にって思ったんだけど」

「女の子ねぇ」

洋子の視線が茉莉緒の顔で止まった。

「あ、そうだ……酒井さん、この子どう？　うちの新人で雨森海のマネージャーさせてるんだけど。江崎マナと丁度年頃も一緒よ」

酒井がいきなり茉莉緒の肩を摑み、顔を自分の方に向けさせた。

「いい、いいわ、この人！　借りられる？」

「構わないわよ。茉莉緒、あんたちょっと酒井さんの手伝いしてあげてよ。この人ね、サンライズ・プロダクションの酒井さん。あの江崎マナのマネージャーよ」

「あ、あの手伝いって、何をすれば」

「一緒に来て！」

酒井が茉莉緒の腕を摑んで立ち上がらせた。

「こっちよ、早く！」

茉莉緒はわけがわからないまま、洋子と英子に首だけ上下して挨拶すると酒井に連れられて廊下を走った。

また迷路のような廊下を連れ回され、たどり着いたのは暗い廊下とその先の非常口だった。

「これ羽織って。江崎のお気に入りだから汚さないでね」

酒井は茉莉緒の肩に、黒い革のジャンパーをひっかけた。ごく上等な革ジャンで、スパンコールや刺繡《ししゆう》で豪勢に飾りたててある。

「そのドアから出て！　車が待ってるから」

茉莉緒はわけがわからないままドアを抜け、外に停まっていた青いポルシェまで走った。運転席には若い男が座っている。

「早く乗ってくださいよ」

男にせかされて、茉莉緒はポルシェに滑り込んだ。ポルシェに乗ったのは初めての経験だ。だが、ともかく、狭い。

「出しますからね、シートベルトして！」

茉莉緒が慌ててベルトをかけると同時に車はスタートした。

狭い裏駐車場から突き当たりを曲がると、見慣れた大東テレビの正面玄関の真横に出た。玄関の前の駐車場には、改造車らしい派手な車やオートバイがぎっしり並び、茉莉緒が今羽織っているのとよく似た革ジャンの若者たちがごっそりたむろしている。

ものすごい勢いで加速して、ポルシェが若者たちのそばを走り抜けた。茉莉緒はベルトにしがみついているだけで精いっぱいだった。

「追って来る！」

青いポルシェの逃走に気づいて、改造車やオートバイが動き出すのが振り返った茉莉緒の視界に僅《わず》かに見えた。

「大丈夫です。あんな車じゃこれには追いつけないから」

運転手は涼しい顔で入り組んだテレビ局前の通りを飛ばし、そのまま首都高速の入口に向かう。高速道路に入るのかと茉莉緒はさらに緊張した。だが入口の表示の間近になって、ポルシェはいきなりビルの地下駐車場に潜り込んだ。

振り返ってみたが、追いついた車はいない。みな、ポルシェは高速に上がったと勘違いしてそちらへ追って行ったのだろう。

運転手は楽しそうに鼻歌を歌いながら駐車場をぐるっと一周し、入って来たのとは違う出口からまた地上に出た。

「い、いつもこんなことしてるんですか、江崎さん」

茉莉緒はようやくホッとして訊《き》いた。

「元々ヤンキーあがりだからね、江崎マナってのはさ」

運転手は吐き捨てるように言う。

「類は友をってやつだね、ファンも似たようなのばっかりさ。それでもまあ、奴等の女神様って感じでちょっとアナーキー風にロックするのはそれなりにスタイルだと思うけどさ、今度みたいなスキャンダル出るとそりゃ、ファンも怒るだろうよ。なにしろ相手は大金持ちの三高男で親がどっかの大企業の偉いさん、自分はマルチまがいの商売で当てて羽振りよくやってるだろ、そんなのと寝てたってんじゃ、奴等には裏切りだよ」

「怒ってたんですか、あの人たち」

「さあね」運転手は笑った。「ファン心理ほど不可解なものはないからさ、俺にはわかんないよ。えっと、どこまで送ったらいいかな」

「あ、そうだ、いけない！」

茉莉緒は千夏のことを思い出した。

「すみません、ちょっと待っていただけます？　連絡したいとこがあって」

「じゃ、このへん流しますね」

茉莉緒は携帯電話を取り出し、まずいちばん近いシティホテルに部屋の予約を入れた。それから千夏の携帯を呼び出した。

「千夏さん？　ごめんなさい、遅くなっちゃって。今どこですか？」

「……赤坂見附《あかさかみつけ》の、東急ホテルの喫茶室」

「上に上がったとこね？　わかりました、今からすぐ行きます。あの、ホテルの予約もとれましたから。じゃ」

茉莉緒はホッとした。連絡が遅いのに痺《しび》れを切らして、千夏がひとりで海を探したり事務所に押し掛けたりしているのではないかと心配したのだ。

「赤坂見附までお願い出来ますか」

「わかりました」

運転手はニヤッとした。

「なんか、せっぱ詰まった感じだったけど……恋人？」

「そんなんじゃないんです。ちょっと……知り合いが田舎から出て来たもので」

「田舎？　言葉は綺麗《きれい》だけど、東京じゃないんですか」

「実家は東京なんです。でも、しばらく京都に住んでいたもので、その時の友達が」

「京都……あ、そういえばおたく、オフィスKの人なんでしょ。あの映画の撮影の最中に人が死んだって話ね、あれ、どうなったんですか」

「あ、あの」

茉莉緒は口ごもった。この運転手は酒井と同じ、サンライズ・プロダクションの社員なのだろうが……

「よく知らないんです。あたし、まだオフィスKに勤めて日が浅くて」

「薬物中毒とか新聞には書いてあったけど、毒物をなんで飲んじゃったのか不明らしいですね。やっぱり殺人なんですかね」

「さあ……ほんとにあたし、何も知らなくて」

運転手はまだ何か言いたそうだったが、茉莉緒に詳しく答える気がないとみてか、それ以上はその話をしなかった。

5

赤坂見附までは十五分ほどで着いた。

千夏は、窓際の席に座って空のコーヒーカップを睨《にら》み付けている。その顔は蒼白《そうはく》で、頬はこけ、あの時、同じエキストラとして河原にいた彼女とは別人のようだった。

「ごめんなさい、遅くなっちゃって」

茉莉緒が謝ると、千夏は首を小さく振った。だが、茉莉緒が着席するなり喋《しゃべ》り出した。

「タクちゃんとあたしは、大学の同好会で一緒やったんです」

「あの、芸能界のことを調べる？」

「うちのこと、知ってはったんですか」

「あ、いえ……あの時ほら、あたし、あなたたちのそばに座っていたから、お話が耳に入っちゃって……ごめんなさい」

「ほんまは、芸能界のことだけ調べるわけやないんです。芸能界をモデルにして現代のマスコミと人間の関わり方を研究しようという会でした……別に、そんな堅いとこやないですけど……タクちゃんは副会長で……」

千夏はまた死んだ男のことを思い出したのか、涙ぐんだ。

「警察の人に言われたんです。タクちゃんは死ぬ直前に、雨森海さん宛ての何かを口にしてしまった可能性があるて。ファンの人から来たお菓子とか飲み物とか、そんなものを。でもいくらなんでも、タクちゃんがそんな常識のないことするなんて信じられない。雨森さんはなんだってそんな嘘を吐《つ》いたんでしょう？　教えてください、雨森さんはどうしてそんな嘘を吐いたのか！」

「嘘だとは思いません」

茉莉緒は、千夏の目を見据えて言った。

「雨森が最初にその話をした相手は警察じゃないんです。あの時……まだ一ノ瀬さんが亡くなったのかどうかはっきりしなかった時に、雨森はわたしと当時雨森のマネージャーだったうちの伊藤にその話をしていました。一ノ瀬さんが倒れる直前、一ノ瀬さん自身が雨森にそう言ったんだそうです」

「そう言ったて、いったい、何て言ったんですか？　正確には何て！」

茉莉緒は思い出そうとした、必死に。

「正確かどうかは……一ノ瀬さんが雨森に、すみません、ひとつ貰《もら》っちゃいました、と言ったと話していたように覚えているんですけど……」

「ひとつ……貰っちゃいました？」

「ええ。だから雨森はそれが、キャンディのようなものだと思ったようです。あ、それから一ノ瀬さんは、後で渡します、とも言ったそうです」

「ひとつ貰った……後で渡す……」

千夏は口の中でぶつぶつと繰り返していた。

「いったい……何のことやろ……」

「警察もその点は徹底して調べたみたいですけど、あの日撮影現場に雨森宛ての荷物が届いたという事実は一切なかったみたいなんです。後考えられるのは、わたしたちのようなエキストラで集められていた者か、或《ある》いは現場のスタッフ、役者さんの内の誰かが、雨森に何か渡して欲しいと一ノ瀬さんに頼んだ、ということなんですけど……該当する人は見つかっていないと思います。もちろん、毒物が入ったり付着したりしたお菓子などの残りもどこからも出て来なかったそうです」

「だから……だから雨森海の言ってることがでたらめで、タクちゃんに毒を飲ませたのは雨森海自身やと……」

「そんなことはあり得ません！」

茉莉緒はつい苛立《いらだ》って大声を出した。

「あの時、一ノ瀬さんはまだ死亡したかどうか不確かな状況だったんです。なのにわたしや伊藤に嘘を吐けば、一ノ瀬さんが回復してしまった時に困るのは雨森自身でしょう？」

「飲ませた毒の正体を知ってたら、絶対助からんこともわかってたはずやわ！」

「雨森には動機がないでしょう？　一ノ瀬さんとは面識もなかったのに……」

「面識がなかったかどうか、今となっては確かめる術《すべ》がない！」

千夏は泣きながら頭を激しく振った。ウエイターが困惑した顔でこちらを見ている。

茉莉緒は千夏が落ち着くまで待つことにして、ウエイターを呼んだ。

「すみません、アイスティー下さい。レモンで」

ウエイターは泣いている千夏から視線を逸《そ》らすようにして頷《うなず》いた。きっと、三角関係のもつれか何かだと思っているのだろう。

アイスティーがすぐ運ばれて来たので、ゆっくりと啜《すす》ってから茉莉緒は口を開いた。

「あなたは一ノ瀬さんと親しかったわけですよね。それで一ノ瀬さんの口から一度でも、雨森と面識があるという話は出ていたんですか」

「それは……なかったけど」

「普通に考えて、もし雨森と面識があったらあなたに話さなかったはずはないと思いませんか？　わざわざ雨森の出る映画のエキストラに応募までしておいて、それを黙っていたというのは不自然ですよね」

「……何か事情があったのかも……」

「雨森は人殺しなど企《たくら》めるような人間ではありません。そんなに粘着質な性格ではないんです」

「そんなこと」

千夏が顔を上げ、心なしかあざ笑うように唇を曲げた。

「マネージャーだからてわかるもんなんやろか。人の心の奥なんて、そんなに簡単に覗《のぞ》けるもんやないでしょう」

茉莉緒は言葉に詰まった。千夏の言葉はある意味で正しい。

だが茉莉緒には確信があった。人殺しだなんて……それも計画殺人なんて、海は絶対にしない！

「ともかく」

茉莉緒は冷静になろうとした。

「わたしもひとつ確認したいことがあったんです」

茉莉緒は訊《き》いた。

「あの日、一ノ瀬さんがわたし以外の誰かと話をしていたことはない、と警察に断言されているようですけど、間違いはないんでしょうか」

「うちはタクちゃんとずっと一緒でした」

「一度も離れませんでした？　わたしもうっかり忘れていたんですけど、確かあの時、一ノ瀬さん、十分ほどどこかに行かれてましたよね？　雑用を頼まれたとかで……」

千夏の顔色が変わった。千夏もそのことをすっかり忘れていたのだ。

「そうや！　そうやった、タクちゃん、なんやスタッフの人に何か頼まれたゆうて……そう、すぐ戻って来たけど……」

「そのことを警察に言いました？」

千夏は、頼りない仕草で否定した。

「忘れていて……すっかり」

「だったら、それを至急、警察に話した方がいいわ。一ノ瀬さんが誰かに雨森宛ての荷物を言付《ことづ》かったとしたら、その時間だと思うの」

「はい」

「それで辻褄《つじつま》が合います。もし一ノ瀬さんが荷物を言付かったのがもっと前だとしたら、あなたにそのことを話したはずでしょう？　一ノ瀬さんがあなたに話さなかったのは、話す時間がなかったからですよ。集合がかかってからは、わたしたち、助監督さんの指示であちらこちらと動かされて、互いに話をすることなど出来ませんでした。もしかしたら一ノ瀬さんに毒物を渡した犯人は……それも計算に入れていたのかも知れませんね」

「で、でも……なんでタクちゃんを……タクちゃんとうちがあのエキストラに応募したことは誰にも言ってなかったんです。同好会の会報に書くまでは秘密にしとこうゆうとになってて……なのにどうして犯人はそのことを知ってたんでしょうか……」

「だから」

茉莉緒は、アイスティーをまた啜って唇と喉《のど》を湿らせ、気持ちを落ち着けた。

「だから……狙われたのはやはり、雨森なんだと思います」

千夏は納得出来ない、というようにゆっくりと頭を横に振った。

「そやけど……ほんまにタクちゃんはそんな、常識のない人やなかったんです。雨森さんに渡してくれと誰に頼まれたにしろ、盗み食いなんてそんな……そんな恥ずかしいことするような人やなかった。うちら、芸能人のおっかけみたいなことして、警察からもアホな大学生やて思われたみたいですけど、うちとこの同好会が出してる会報読んで貰《もろ》うたらわかります。ちゃんと、芸能メディアとその周辺の産業について、多角的に考察する、という趣旨を持って……」

「あの、それはわかります」

茉莉緒は饒舌《じょうぜつ》に語り出しそうな千夏を思わず遮った。

「確かに、普通の人は他人宛てに言付かった食べ物を盗み食いしたりはしませんよね。だから、あたし今、ちょっと考えたんですけど」

千夏が顔を上げ、痛いほど真剣な目で茉莉緒を見た。

「あたしたちみんな、一ノ瀬さんの言葉の意味を取り違えているんじゃないかと」

「言葉の意味を……取り違える？」

「ええ。雨森にしても、雨森から一ノ瀬さんの最後の言葉を又聞きした誰にしても、まず考えたのは、一ノ瀬さんが雨森宛ての何かを先に横取りして食べてしまった、ということでした。でも一ノ瀬さんは、食べた、という表現は使っていません。ただ、ひとつ貰《もら》っちゃいました、と言っただけでした。でも、その前に雨森に対して、すみません、と謝っていることからして、やはり雨森の物を何か無断で、という意味には違いないと」

「だから！　だからそんなこと、タクちゃんがするはずはないと」

「ええ、ええ、ちょっと聞いてください。つまり、その何かは何であれ、雨森の物には違いないだろうけれど、雨森に無断で取ったからといってそんなに常識はずれということはない、そんなものだ、と思うんです」

「なんや……うち、ようわからんわ……いったいそれ、何ですか？」

「それは」

茉莉緒は首を横に振った。

「あたしにもまだ具体的にはわかりません。ただ、そういう考え方もあるな、と思ったんです。たとえば……たとえばですけど、雨森のポスターとか」

「ポスター？　そんなものがあるんですか」

「いえ、だからたとえば、です。ポスターとか宣伝用のパンフレットとか、そんなものを雨森に渡して欲しい、と頼まれたとすれば、あなた方の同好会の活動の役に立つと思って一ノ瀬さんが一枚失敬したとしてもそんなに不自然じゃないですよね？」

「そやけど……そんな物やったらひとつ、とは言わんやろし……」

「ええ、ですからたぶん、具体的にはポスターではないでしょう。でもそんな類《たぐい》のもの、つまり、いずれは大勢の人に配ることになるだろうと一ノ瀬さんに思えた物だったら、手渡しするついでにひとつ、と思ったとしても常識はずれとまでは言えませんよね。まあ、それでもあまりお行儀がいいとは言えないけれど、どうなんでしょう、正直なところ、そのくらいのことだったら一ノ瀬さんもしただろうとは思えませんか？」

「それは……まあ」

千夏はゆっくりと頷いた。

「タクちゃんは同好会の活動にはとっても熱心やったから……けど……」

「食べ物ではあまりに不自然でも、そうしたものであれば一ノ瀬さんがついでのお駄賃としてひとつ貰ってしまった、ということがあってもおかしくはない、そう考えていただけますね？」

「で、でも、そんなもんあったんですか？　あの撮影現場に」

「わかりません。少なくともポスターだのパンフみたいなものだったら、きっと警察が突き止めているはずですし、それにそうした物をエキストラの一ノ瀬さんに言付けるというのも不自然で、頼まれた時点で一ノ瀬さんが不審に思わなかったのか、という疑問も残ります。ただ、食べ物だった、と結論する以外にも考え方はあるってことを言いたかったんです。つまり、雨森が嘘を吐いたと決めつけないで欲しいと。その点はどうですか、わかっていただけました？」

「可能性だけは」

千夏は視線をキッと茉莉緒に向けた。

「嘘を吐かなかったと信じたわけやないですけど、嘘やなかったいう可能性があることは認めます。そやけど……雨森海を全面的に信じろと言われても、うちには無理です」

「それはわかります。雨森を全面的に信じていただくのは、肝心の物が何だったかわかってからで結構です。ただ、雨森が嘘を吐いている、或《ある》いは雨森が一ノ瀬さんを殺害した犯人である、というようなことを不用意に口にしないでいただければ」

茉莉緒はバッグに手を入れて手帳を探した。だがひったくりに手帳を盗まれたことを思い出し、仕方なく、名刺入れから名刺を出してその裏にホテルの電話番号を書き付けた。

「このホテルに予約を入れておきました。料金はうちの事務所に請求して貰うようにしてあります。ともかく今夜はここに泊まっていただけませんか。その上で、雨森の予定が空き次第、雨森と直接話し合ってみられたらどうでしょう？」

「会うてくれるんですか、雨森海が」

「わたしから雨森に、お会いするよう勧めてみます」

「断られたらどうするんです？」

「それは……強制は出来ません。マネージャーといえども、雨森に個人的なことで何か頼む場合には、断られることもあり得ますし。でも、雨森はきっとあなたと話し合いたいと思うはずです。なぜなら、雨森には、やましいことなど何もないからです」

「随分……自信、あるんですね」

「あります」

茉莉緒は千夏を睨《にら》んだ。

「雨森に人殺しなどは出来ません。絶対に」

6

そう、最初から馬鹿げている。

海に人殺しなんて出来るはずがないじゃないの！

茉莉緒はひとりでぷりぷり怒りながら事務所に戻った。

茉莉緒が部屋に入って行くと、自分の机で何か書き物をしていた伊藤冴子が顔を上げた。

た。

「茉莉緒ちゃん」

冴子は茉莉緒をちゃん付けで呼ぶことが多い。

「江崎マナの事務所から電話貰ったわよ。あなたに感謝してるって。それでね、まあ向こうは御礼《おれい》のつもりなんだろうけど、来週の木曜の深夜枠で、江崎マナがレギュラーやってるインディーズ系のバンドを紹介する音楽番組のゲストに、海をどうかって」

「来週ですか？」

茉莉緒は慌てて机の引き出しからスケジュールメモの写しを取り出した。

「深夜枠の生ですか」

「ううん、撮りは前日水曜の午後三時からでどうかって話だったわ」

「ずいぶん押してるんですね」

「深夜枠なんてそんな感じよ、みんな。いつ打ち切りになるかわからないから、そんなに先まで予定埋めておけないのよ。オンエアされる時間は五分程度のもんらしいけど、撮りにはリハ含めて二時間みといて欲しいって。どう、入れられそう？」

「大丈夫ですけど……江崎マナだのインディーズだので、雨森は何を喋《しゃべ》ればいいんでしょうか」

「詳しいことはね、えっと」

冴子はメモを見た。

「日々《にちにち》テレビの江川ってディレクターに訊《き》いてくれって。そんなに固く考えないでもいいわよ、ま、好きなバンドはって訊かれてインディーズ出身でメジャーになったのをひとつかふたつ答えられるようにしとけばいいんじゃない？」

「わかりました。電話して打ち合わせておきます」

「よろしく。深夜枠でも江崎マナ絡みなら若い子がけっこう見てるでしょうから、海の顔を売るには悪くないかもよ……ちょっと茉莉緒ちゃん」

冴子が怪訝《けげん》な声を出した。

「あなた、いつもの手帳、どしたの？　まさかなくしたりしてない？」

「あ、あの」

茉莉緒は冴子に手帳をなくしたことを看破されてどぎまぎした。

「な、なくしたというか、その」

「落としたの？　どこで！」

「落としたんじゃないんです。原宿でバイクにバッグをひったくられて」

「でもあなた、バッグは持ってるじゃない」

「はい、ひったくられたんですけど、そのバイクがバッグを投げ捨てて」

「投げ捨てた？……で、手帳だけなくなっていた、そういうこと？」

茉莉緒は頷《うなず》いた。冴子は険しい顔をしている。

「ちょっと……ちょっと何かイヤな感じね。茉莉緒あなた、警察に被害届は出した？」

「雨森さんのインタビューの時間が迫ってたんで」

「出して来なさい。今すぐ！　茉莉緒、あなたわからない？　そのバイクのひったくりは、最初からあなたの手帳だけ狙っていた可能性があるのよ！」

茉莉緒は驚いた。

「手帳をですか？　でも……」

「もちろん、あなたの安物の手帳なんか欲しかったわけじゃない。欲しかったのはたぶん、手帳に書かれていた中身よ。つまりね、海のスケジュール」

茉莉緒は思わず息を呑《の》んだ。

そうだ！

なんですぐに気づかなかったんだろう……あいつは、あのひったくりは、海のスケジュールを知ろうとしていたのだ。

だが、なぜ？

なぜってそれは……それは……

茉莉緒は恐ろしさに身震いした。そして今さらながら、自分の勘の鈍さに呆《あき》れた。

たった今さっき、千夏に対して何と言ったのか。狙われたのは一ノ瀬ではなく海だ、そう言ったのではなかったか！

「警察に行って来ます！」

茉莉緒は部屋を飛び出した。心臓がどくどくと激しく波打ち、こめかみがズキズキした。どうしたら、どうしたらいいんだろう……海を狙っている奴等に海のスケジュールを把握されてしまうなんてことになったら……

「ちょっと待ちなさい！」

後ろから強く腕を摑《つか》まれて、茉莉緒は我に返った。

「茉莉緒、あなた、他には何かなかった？」

茉莉緒は冴子を見た。小細工をして隠しても、冴子の鋭い観察力をごまかせるものではない。千夏のことで自分がいくらか動揺しているのが冴子にはわかったのだ。

「手帳を盗まれた以外に、海のことで何かあったんじゃない？」

「あ……すみません」

茉莉緒が頷くと、冴子は茉莉緒のからだを事務所のドアの中へと引き戻した。

「きちんと話してちょうだい。隠し事はしないで」

茉莉緒は、千夏が上京していること、その千夏が海を一ノ瀬拓也を殺した犯人ではないかと疑っていることを打ち明けた。

「それで」

冴子は腕組みしたまま言った。

「その千夏って子は今、どこに？」

「赤坂のビジネス東京に部屋をとって、そこに泊まるよう言ってあります……あの、予約は事務所の名前で……」

「バカ！」

冴子がきつい目で茉莉緒を睨んだ。

「どうして事務所の名前なんか出すのよ。その子の名前で予約すれば済む話だったでしょう。茉莉緒、いい、よく自覚してちょうだいよ。海が殺人犯かも知れない、なんてことがマスコミに漏れたら、海は終わりなのよ。事実かどうかなんて関係ない、一度でも人殺しの疑いを持たれた人間なんか、ＣＭの口は永久にかからないし、メジャーな番組にも出しては貰《もら》えない。映画のギャラだけでこれまで海に遣った売り出し費用の元が取れると思う？　その映画だって、キワモノか脇役でもなければ殺人容疑者を使ってくれやしないわ。千夏って子は結局、完全に納得したわけじゃないんでしょう？　いつ気が変わってべらべらとマスコミに海の悪口喋っちゃうかわかったもんじゃないじゃないの。そんな子の宿泊費用を事務所が持っていたなんてことになったら、事務所がその子の口を封じようとしていたと思われても仕方ないのよ！」

「あ、あの……」

茉莉緒は冴子の言葉にすっかり動転した。確かに言われてみればその通りだ。

「いいから、ともかくその子の携帯に電話して捕まえてちょうだい。わたしが直接話をします。それから茉莉緒、海のスケジュールね、念のため、待ち合わせ場所なんかは変えておくといいわ、出来るものだけでいいけど。警察に手帳のことを話すのは、その千夏って子と話し合ってからにしましょう」

「あの、雨森さんには……」

「海を呼んでどうするの？　千夏って子と直接話し合わせたって、あなたが話した以上のことは出て来ないでしょ？」

「でも……雨森さんと会わせると約束してしまったんです……」

「まったく！」

冴子が呆れた、というように首を振った。

「何でそう、大事なことを自分だけで決めてしまうのよ！　思い上がるのもたいがいになさい！　あなたの間違った判断のせいで海が窮地に立たされるってことだってあるのよ！」

「すみませんでした！」

茉莉緒は頭を下げた。涙がこぼれた。

「今後こういうことがあったら、何はともあれまず、あたしに電話しなさい。いいわね？」

「はい」

「いいわ、すぐにその千夏って子に電話して」

茉莉緒は携帯を取り出し、千夏の携帯を呼び出した。だが、千夏の携帯は電源を切っているか電波が届かないところにいる、と返答する。

「……地下にでもいるんでしょうか。地下鉄に乗ったとか」

「その子、東京に知り合いとかいるの？」

「わかりません。でもいないようなことを言ってました」

「しょうがない」

冴子が自分の机に戻り、脇に置いてあったバッグを手にした。

「ビジネス東京に行ってみましょう。もうチェックインの出来る時間だから、どこかに寄り道したにしてもじきにホテルに着くはずね。ちょっと待ってて、社長に留守を頼んで来るわ」

冴子は事務所の奥の社長室のドアをノックし、中に入って行った。そしてものの一分ほどで出て来た。

「さ、急ぎましょう。千夏って子が我々の他の誰とも接触しない内に」

茉莉緒は冴子の後についてオフィスKの事務所が入っているビルの地下へと急いだ。地下駐車場に、冴子の愛車の小さなベンツが置いてある。

冴子は運転席に座ると、茉莉緒に自分の携帯を渡した。

「今夜、七時から渡辺事務所の江藤さんと食事の予定なのよ。そこに短縮入ってるから、事務所に電話してね、あたしが急病だって言って断って」

「……いいんですか」

「いいの。もともとあまり乗り気じゃなかったから。風邪で熱でも出たって言っておけばいいわ。短縮の08ね」

茉莉緒は言われた通りに渡辺事務所に電話して冴子の約束をキャンセルした。だが内心では少し驚いていた。冴子が仕事の約束をこんなに簡単にキャンセルするとは意外だった。

夕方の東京はどこも渋滞する。ビジネス東京ホテルまでは普通、車なら十五分ほどの距離なのだが、びっしりと詰まった車のせいでのろのろとしか進めない。

「地下鉄の方が早かったわね、やっぱり。でも何となく、自分の車で出ると安心なのよね。何かあっても、これがあればどこへでも行ける、そんな気がして」

「京都にもこの車でいらしてましたね」

「うん。京都まで運転するとちょっと長いけど、ま、交代がいたから」

茉莉緒は、なぜ胸がちくりとしたのだろう、と思った。交代の運転手が海だということは訊《き》かないでももうわかっている。だが、それがいったい自分に何の関係がある？

「あなた、後悔してない？」

「……はい？」

「こっちに来て海のマネージャーになったことをよ」

「後悔なんて、そんな。刺激的な仕事で、やりがいがあります」

「それならいいけど。海のことでいろいろ真実を知って、かなり幻滅したんじゃないかなって思ったもんだから。あなた、海のファンだったんでしょ？」

茉莉緒は戸惑った。よく考えてみれば、茉莉緒は雨森海という俳優を知る前に、見知らぬ男の子に自分の昼食だったおにぎりをあげてしまったのだ。そしてその見知らぬ男の子に興味を抱いた。だが、雨森海のファンだったというわけではなかった。

「時間は守れない、仕事に対してハングリーさもない、その上、十歳も年上の女と半同棲《どうせい》してる。呆れてるでしょう、あなた」

「あの」

茉莉緒は冴子の横顔を見た。なぜ今冴子が自分にそんなことを言い出すのか、わからなかった。

「あたし……知りませんでした……今日まで。洋子さんに教えて貰うまでは、冴子さんと雨森さんのことは……」

「あらそう？」

冴子はくっと笑った。

「海ったら、話さなかったのね。それは珍しいこともあるもんだわ」

「珍しい？」

「そうよ、あの子ったら、誰かれ構わずあたしとのことを喋《しゃべ》りたがるんで困ってたのよ。幸いね、マスコミには、あたしは社長の愛人ってことで認知されてるからバレてないけど、業界関係者はけっこう知ってるわ。海がぺらぺら喋るせいで。もっとも最近はあの子も露出が多くなって来たんで、絶対喋るなってきつく言ってあるんだけどね」

「……どうして雨森さんは自分から」

「知らない。あたしへの仕返しのつもりなんじゃないの？」

仕返し。

茉莉緒はそれはどういう意味なのか訊きたかったが、我慢した。何かそこには、茉莉緒が知りたくないと思うような生臭い事柄があるという予感がする。

知りたくない。訊きたいけれど、知りたくはない。

茉莉緒はほとんど無意識に小さな溜《た》め息を漏らした。

「ねえ、茉莉緒ちゃん」

冴子の声はひどく静かだった。

「あたしねぇ……あなたに謝らないとならないことがあるのよね。正直言うとね、あなたが本気で仕事しようと思ってるとは考えてなかったの」

茉莉緒はまた冴子の横顔を見た。何だかとても疲れて見える。

「ここんとこのあなた見てて、あ、この子は本気なんだ、この仕事覚えようとしてるんだってわかったから、あえて言うんだけど。初めはね、海があなたをナンパして、ちょっと遊んで気に入ったのかも、って考えてたのよ。あの日、海がね、事務所で女の子ひとり雇う余裕ないかな、って突然言い出したの。失業中の女の子と知り合ったんだけど、真面目そうだし浮ついたとこもなさそうだから、どうかなって。海は事務員としてって意味で言ったんだと思う。それであたし、ははん、こいつったら前に京都に来た時に女の子と遊んだな、って思ってね。その子のことが気に入ったの？　って訊いたら、うん、て言うじゃない。丁度ね、あたしも事務所の仕事と海のマネージメントとで手が回らない状態が続いていて、アシスタントみたいな子がいると助かるなと思っていたとこだったのよ。マネージメントなんて出来なくてもいいけど、海を電話で叩《たた》き起こして時間通りに現場に来させるとか、忘れ物ないかどうかチェックするとか、そういう雑用係。昔風に言えば、付き人ってやつね」

冴子はけらけらと笑った。

「海程度の俳優に付き人なんて笑っちゃうんだけど、あの子ってそういう細かいとこ手が掛かるでしょ。それに……本音を言うとそれで海があなたに入れあげてくれて、その……自然に、ね……こっちとのことは自然消滅というか……それを期待してたってのもある」

茉莉緒は何も言わなかった。何を言ったらいいのかわからない。

「海が嫌いってわけじゃないの。憎いわけでもない。でも……鬱陶《うっとう》しくなってる自分の気持ちはごまかせないのよね。あの子とパリで出逢《であ》ってもう、六年でしょう。どんなに心地よい春でも長過ぎると、次の季節が待ち遠しくなる……そういうの、わかってくれるわよね？」

茉莉緒は頷《うなず》いていた。だが本当は、冴子に対して何か反論したかった。茉莉緒自身は、そんなに長い春など経験したことはないし、つい少し前に、逆に男から鬱陶しくなったと言われて置き去りにされたばかりだった。

海が可哀想だ。

鬱陶しいだなんて、それじゃ、あんまり……

「海には才能があると思った」

冴子は、フロントガラスの向こうののろのろと進む渋滞の列を見つめたまま言った。

「イケる、と思ったのよ。だからこの世界に誘った。ううん、それも正確じゃないかな。最初はね、あの子はモデルとしてずっとやって行くのがいいんじゃないかと思っていたの。出逢った時はまだ、あの子、パリコレのシーズンになるとパリの街中に溢《あふ》れる、モデル志願の貧乏な子に過ぎなかった……あ、ごめんなさい、茉莉緒、こんな話興味ない？」

「いえ……教えてください。冴子さんさえ良ければ……知りたいです」

「うん。この先本気であの子のマネージメントして行くつもりなら知っておいた方がいいように思うから、話すわ。今から六年前、あたしは大手の芸能プロダクションを辞めたばかりで、友人のやってるモデルクラブの仕事をしていたの。そしてそのクラブに所属していたモデルを何人か連れて、コレクションのシーズンになるとパリ、ミラノ、ニューヨークと回っていた。プロモートビデオをボストンバッグ一杯に抱えて、来る日も来る日もオーディションの生活。シーズンが始まる直前から、パリやミラノはモデル志願のちょっと見栄えのいい若い子で埋まっちゃうの。日本からも大勢の若い子が来てるのよ。凄《すご》いわよ。半分くらいの子はあたしみたいなマネージャーに管理されてモデルクラブから来てるんだけど、残りの半分は自費なのよ。海もそんな子達のひとりで、ソルボンヌに自費留学してる日本人の学生の借りてるアパルトマンに転がり込んで、他に二人のモデル志望の男の子と四人で家賃をシェアして生活してた。ほんとに貧乏で、プロモートビデオも有名なスタジオなんかで作れないから、モグリみたいな業者に頼んでアパルトマンの一室やその辺の路上で撮影しちゃってね」

冴子は少し目を細め、懐かしそうに喋っていた。その口調の中には、茉莉緒がそれまで知らなかった冴子の一面が現れているような気がした。

「若かったのよね、海も。若くて無鉄砲で、それで望みとプライドだけは高い。ある若手のデザイナーのショーのオーディションであの子と出逢ったのよ。一目見た時思った。あたしが日本から連れて来た子たちより、この男の方がずっと才能があるって」

「それで、雨森さんのマネージャーを？」

「うん、まあマネージャーってほどのもんじゃなかったけど、プロモートビデオを割と人気のあるスタジオで作り直してやって、日本から連れて行った子と一緒にオーディションで売り込んであげたの。結局、イタリアの新進デザイナーのショーに出られることになって、それからはあの子はトントン拍子だった。普通ね、一度ステージに出られてもよほどのエリートモデルじゃなければ次のシーズンはまたオーディションからやり直しなのよ。でも海は、一度出たステージからは必ず、次のシーズンも出てくれって声が掛かってた。それだけ存在感があったのね。海と一緒に、丸二年くらいかな、ニューヨーク、ミラノ、東京、それからまたパリって渡り歩いて。でも海は日本には戻りたくなかったみたいで、シーズンの合間もパリで暮らしてた。実はその頃あたしね、すでに今の社長がオフィスKを設立する手伝いなんかもしてて、モデル事務所の仕事は段々熱が入らなくなっていた時だったのよ。あの子と出逢って三年目の春に、あたし、モデル関係の仕事からは手をひいて日本でオフィスKに全力投球するって話をあの子にしたの。つまり……もうパリには来ないって」

冴子は、ふっと微笑んだ。

「言うまでもないわね……その時には海とは、男と女になってた。だから……あたしにしてみたら、別れの言葉のつもりだったの」

「……雨森さんのこと、もうその時から……鬱陶しかったんですか」

冴子は笑い出した。

「茉莉緒ったら。怒ってるのね」

「いいえ、そんな……」

「いいわよ」

冴子はハンドルから手を離し、茉莉緒の肩を抱いた。

「怒られてもしょうがないものね。十歳も年下の若い男の子と関係ができちゃって、飽きたら鬱陶しいから別れたいなんて、年増《としま》女の我儘《わがまま》よね。ただね、あの子のことは好きなのよ……今でも。でも、何て説明したらいいのかなぁ……弟、みたいな感じなのね、どうしても、その感じから抜けられない。パリで海と別れる決心したのも、あたしみたいな年増女がそばにべったりくっついてたんじゃ、この子は世間を知らずに終わってしまう、そう考えたからだった。あたしは確信していた。この子は世界的なモデルになるって。だからなおさら、あたしがそばにいて世界を閉じさせてるんじゃないかって不安だったの。もうその時には海は、黙っていても一流どころからステージのオファーが掛かるようになってたし、あたしがいなくてもやって行けるだろうって」

車の列が動いた。冴子はアクセルを少し踏み、前を向いたまま言った。

「なのにあの子ったら……東京に来ちゃったの。突然」

それが真相だったんだ。

茉莉緒は納得した。なぜ海が、世界に通用するトップモデルになる寸前まで上っていたのに急にモデルをやめ、パリを去って日本に戻ってしまったのか、その理由を。

海は冴子を追って来た。

夢よりも、冴子を選んだのだ。

海のジレンマが、焦りが、やっと少し理解出来たような気がした。冴子のために夢を諦《あきら》めたのに、海は結局、冴子を完全に手に入れることが出来なかったのだ。海が俳優という仕事にもうひとつのめり込んで行けないのは、自分が一人立ちして行くことが、冴子が自分を離れて行くことの理由になってしまうと思っているからなのだろう。モデルとして一流への階段に足を掛けた途端に冴子が離れてしまったように、今度もまた、俳優として、冴子の力が必要なくなった瞬間に冴子を失う、そのことが恐いのだ。

何だか、わけもなく腹立たしかった。なぜ海は、そんなにも冴子を求めるのだろう。それが恋なのだと言ってしまえばそれまでなのだろうが、海にだって、冴子が本気ではないことぐらいとっくにわかっているはずなのに。どんなに追い求めても、冴子はいつかは海を離れてしまうだろう。冴子は今、その為に少しずつ準備をしているつもりでいるのだから。あたしを海のマネージャーにしたのも、その一段階なのだ。

「あたしがね、きっぱりとあの子をはねつけたら良かったのかも知れない。そうすればあの子はパリに戻って、モデルとして生きて行ったのかも。でも、あの子を日本で見た時にね、パリの光景の中で見ていたのとは違う感じを受けたのよ」

「パリで見ていたのとは、違う……？」

「そうなの。パリの風景、町並み、空気の中であの子を見ていた時には、あの子は被写体として素晴らしい素質を持っていると思った。あの子の醸し出す雰囲気や目線の強さ、あの子の周囲に漂う匂いみたいなものが、それを感じさせたの。あの子がモデルとして短期間に頭角を現せたのも、そうしたあの子の持つ空気に、ファッション界のプロたちのセンスが感応したからでしょうね。でも日本の風土、風、建物や湿度の中にいるあの子を見た時、あたしには、あの子は被写体としてより以上に、演じる者として、素晴らしい能力を持っているんじゃないかという気がしたの。理屈じゃなくて、これまでこの芸能界でずっと生きて来たあたしの、いわば直感」

「それで、雨森さんを俳優に」

「そう。あの子のルックスなら他の売り方も出来たかも知れないけど、あたしはあの子を俳優にしたいと思った。そしてあの子自身も、それを望んだの」

信号が変わり、また車は停まった。冴子は大きな溜《た》め息をついた。

「勘が鈍っていたんだとは思いたくない。あの子には才能がある、そう信じたい。だけど、いったいどうやったらあの子を変えることが出来るのか……正直言うと、壁に当たってる感じなのよ。あたしもこの世界、長いでしょう、はっきり言うとね、こういう目に見えない壁にぶつかった子っていうのは、ほとんどの場合、そこまでなの」

茉莉緒は、ごくっと唾《つば》を呑《の》み込んだ。ひどく苦く感じた。

「この業界は、時間が経つのが外の世界よりずっと早いの。普通の人間の一時間が、芸能界では数分なのよ。普通の生活なら、半年くらい顔を出さなくたってみんな覚えていてくれるでしょう？　でもこの世界ではダメ。半年消えたら、そう簡単には浮かんで来られないわ。だから充電させてやることが出来ない。本当なら、また海外にでもやっていろんな経験をさせて、役者として成長させないといけないんだけど、その余裕もないの。あとひと息、あとひとステップ上に上がることが出来れば何とかなるんだけど」

「どうしたらいいんでしょうか」

茉莉緒は、前を向いたまま言った。

「あたしは何をすればいいんでしょう？」

「茉莉緒」冴子は、低い声で言った。「あなたならそれを見つけ出すことが出来る、あたしにはそんな気がする。海を変える為に何をしたらいいのか、その答えを見つけ出せる」

眩暈《めまい》がした。茉莉緒は、唇を嚙《か》んだまま頭を横に振った。海の仕事のサポートすら満足に出来ないのに、それどころか、海のスケジュールの書かれた手帳を盗まれるなんて最低のドジをやらかしたばかりなのに、自分に海を変えることが出来る、役者として脱皮させることが出来るだなんて、とてもとても思えない！

涙が滲《にじ》んだ茉莉緒の目の中に、ビジネス東京の看板が入り込んで来た。車の中の時計がすでに七時半を指している。赤坂東急ホテルの喫茶室で別れてからもう五十分、千夏はとっくにチェックインを済ませているだろう。

「部屋にいるかどうか、もう一度千夏って子の携帯に連絡してみて」

冴子に言われて携帯電話を取り出した。

「電波が届かないみたいです」

「ほんと？……変ね」

「周囲にビルが多いから、部屋によっては電波が入らないのかも知れないですね。フロントに確認してみます」

「いいわ、もう着いちゃったから。駐車場は地下かしら？」

狭い地下駐車場にやっと車を入れて、冴子と茉莉緒はホテルのフロントに急いだ。事務所の名前を告げると、チェックインは済んでいると言われる。だが、面会を求めて千夏の部屋にコールして貰《もら》っても千夏は出なかった。

「キーはカードですので、お客様が持ったまま外出されるものですから、外出されているかどうかはこちらではわかりかねるのですが」

フロントマンが首を振る。

「館内放送をかけて貰えないかしら。急用なんです」

冴子のせっぱ詰まった言い方に、フロントマンは気圧《けお》されたように頷《うなず》いた。

ビジネスホテルなのでロビーはとても狭く、ソファが一組しか置かれていない。そのソファに腰掛けたままイライラと待った。だが、館内放送が響いてから十分待っても、千夏は現れなかった。

「やっぱり、外出しちゃったんですね」

「でも携帯はずっと出ないんでしょう？」

茉莉緒はもう一度千夏の携帯を呼び出したが結果は同じだった。電源が切られている
か電波の届かないところにいる……

「時間が時間だし、食事にでも行ったんじゃないでしょうか」

「その子は東京に知り合いはいないみたいだったのよね？」

「ええ。でも、この辺りなら、ひとりで食事の出来そうな店はけっこうありますから」

冴子は腕時計を睨《にら》んで考えていたが、やがて立ち上がり、フロントへまた向かった。

「柳沢さんの部屋を開けて中に入りたいんです。もちろんどなたか立ち会っていただい
て」

「それはちょっといたしかねますが、お客様」

「緊急なのよ！　彼女、自殺するかも知れないんですよ！」

茉莉緒は驚いた。冴子はそれも演技なのか、蒼白《そうはく》な顔でまくしたてる。

「彼女からそれらしいこと示唆する電話を貰ったんです！　だから慌てて飛んで来たの
よ！　手遅れになっちゃったらどうするんですか！」

フロントマンは慌てて奥の部屋に引っ込んだ。上司と相談でもしているのだろうか。

やがて現れると、コンピュータに向かって何か打ち込み、カードを一枚手にして頷いた。

「わかりました。私がご一緒するということで、柳沢様のお部屋にご案内いたします。

ですが柳沢様が本当にご不在のようでしたら、中へはお通し出来ませんが」

「けっこうよ。急いでちょうだい」

フロントマンは駆け出すようにしてカウンターから飛び出した。冴子がそれに従う。茉莉緒も慌ててあとを追った。


千夏がチェックインした部屋は四階だった。ドアベルを鳴らし、何度かノックしてフロントマンが呼びかけたが返事はない。まだ躊躇《ためら》っているフロントマンに冴子は催促するような視線を向けた。フロントマンは咳払《せきばら》いしてマスターカードを差し込んだ。緑色の光がカードの差し込み口の上に点滅する。素早くノブを回して押すと、ドアは内側に開いた。

「ここでお待ちください」

冴子と茉莉緒を制してから、フロントマンが大声で呼んだ。

「柳沢様！　失礼いたします、フロント係でございます。柳沢様、お客様が緊急の御用事ということで見えておられるのですが、柳沢様！」

部屋は静まり返っていた。だが、室内の明かりはともっている。

「やはりお出かけのようですが」

「中を調べてちょうだい。バスルームも！」

「いや、ですが……」

「いいから！　何かあったら賠償でもなんでもあたしがします！」

冴子の強い口調に追い立てられるように、フロントマンは部屋の中へと入って行った。入口ドアのすぐ近くにバスルームのドアがある。狭いユニットバスなのだろう、フロントマンはドアをちょっと開け、すぐに首を振って閉めた。一目で何もかも見渡せる程度の広さなのだ。

さらに奥へとフロントマンが進むのを、茉莉緒は息を殺すようにして見守った。冴子もじりじりしているのか、片足を上げたり下ろしたりしている。

「ヒイーッ」

突然、奇妙な悲鳴があがった。フロントマンが部屋の中央に立ち尽くして、パントマイムでもしているかのように手を振っている。意味のある仕草ではない、無意識に驚きからそうした仕草をしているのだ。

「どうしたの！」

冴子が叫んで駆け寄った。だが、部屋の中央でそのまま立ち止まり、凍り付いたように動かなくなった。

茉莉緒は、自分の足がガタガタと震え出し、周囲の景色がぐるぐると回り出したのを感じた。歩こうとしたが、そのまま膝《ひざ》が抜けたようになって座り込んでしまった。

「電話！」

冴子の鋭い声が響いた。

「警察に！　すぐよ！」

フロントマンが走り出そうとして、足がもつれたのかそのまま倒れ込んだ。

「部屋の電話は使わないで！」

冴子に怒鳴られ、フロントマンはロボットか何かのようなぎこちない動きで起き上がると部屋から飛び出して行った。

「茉莉緒」

冴子が呼んだ。茉莉緒はもう、意識が薄れて行くような錯覚にとらわれていた。

「携帯で社長に電話して」

「あ、あ」茉莉緒は震えながら起き上がった。「な、なにが、いったい……」

「見ない方がいい」

冴子の声は機械のように抑揚がなかった。

「ともかく、社長に電話するのよ。トラブルが起こったんであたしからの連絡を待ってマンションにいるように言って。それから、海にも連絡してちょうだい。どこで遊んでるにしても、すぐに部屋へ戻って連絡が行くまで一歩も出ないでいろって。誰が訪ねて行っても部屋の中に入れないように言うのよ！」

茉莉緒は座り込んだままポケットを探って携帯電話を摑《つか》み出した。だが、慌てていたので手から取り落としてしまった。電話は転がって冴子の近くに止まった。茉莉緒は這《は》い蹲《つくば》り、必死に手を伸ばして携帯を摑んだ。そして社長の携帯番号を呼び出そうとした。が、ボタンを押している間に、視線がさまよい、つい、冴子の視線の先へ……ベッドの方へと流れてしまった。

ベッドの上に仰向けになって、千夏が寝ていた。

寝ている?

そうだ、寝ている。だけど……なぜあんなに大きく両脚を開いているのだろう。脚だけではない、両手もすっかり広げて大の字になっている。そして……そして、千夏の顔は天井を向き……その目は大きく見開かれ……その首には……浴衣《ゆかた》の紐《ひも》が……

茉莉緒は、失神しそうになるのを唇を強く嚙《か》んで堪《こら》えた。自分では意識していないのに、涙がこぼれて手の甲の上にぽたぽたと落ちている。

「茉莉緒!」冴子の声が耳に響いた。「無理だったら部屋から出て! 出るのよ!」

「だ、大丈夫です」

茉莉緒は口を大きく開けて呼吸しながら、必死に携帯電話を摑んだ。社長の携帯の番号は短縮ボタンに記憶させてある。だが、たった二つのボタンを押すのに指先が震えて、ひどく長い時間がかかった。

「出ません」茉莉緒は泣きながら言った。「しゃ、社長の携帯、電源が……」

「だったら海に先にかけて!」

茉莉緒は慌てて通話を切り、今度は海の携帯を呼び出した。四回のコールで海の声が聞こえて来た。

「もしもし?」

「い、和泉です。あの、千夏さんが……」

「余計なことは言わないでっ!」

冴子の怒鳴り声がした。だが茉莉緒の我慢はそこで限界だった。海が自分を呼ぶ声を耳の奥に感じながら、茉莉緒は気絶した。

3　微熱と決心とハワイの夜

1

「何だか要領を得ない話だね」

佐藤と名乗った中年の刑事は、腕組みしたままぼそっと言った。

「で結局、柳沢千夏さんは何をしに東京に出て来たんだろうね」

「そ、そんなこと」

茉莉緒はグシャグシャになったハンカチで鼻の下を押さえ、涙と一緒に流れ出ている鼻水を止めた。

「わかりません。ただ、あの人は、雨森が……一ノ瀬さんを殺したんじゃないかと疑って……」

「それはさっき聞いたけどね、だったらどうして彼女はすぐに警察に言わないで、単身で東京に乗り込んで来たりしたのかな」

「だ、だからですね！」

茉莉緒は、それが戦法なのかのらりくらりとしたものの言い方をする刑事にじれて、思わず怒鳴った。

「警察にはいくら言っても取り合って貰《もら》えなかったって、彼女は言ってましたよ！　そんなこと、京都府警に問い合わせればほんとかどうか、すぐにわかるじゃないですか！」

「なるほど、それはそうだ」

とぼけているのか、佐藤はひとりでもっともらしく頷《うなず》いた。

「問い合わせてみましょう。しかし、よしんば京都府警さんが彼女の言ってることに耳を貸さなかったとしてもだな、彼女がたったひとりで東京に出向いて、いったい何をするつもりだったのかなぁ、と」

「雨森に会うつもりはあったと、思います」

「ほう。いきなり押し掛けて？」

「いえ、だから、最初にわたしのところに来たわけです。一ノ瀬さんが亡くなったあの日、雨森とわたしが親しく話しているのを彼女は見ていますし、その後わたしが雨森のマネージャーになったことも知ってました。だからわたしにねじ込めば、雨森と会えると思っていたのは間違いないと思います」

「会って、一ノ瀬拓也さんを殺したのはあんただろう、と直接文句を言うつもりだったのかな」

「そこまでは知りません」

「でも、あなたは会わせると約束したわけでしょう? もしかしたら彼女が逆上して、雨森海さんをナイフで刺すかもとか、そういうことはまったく考えなかったわけですか」

茉莉緒はハッとして刑事の顔を見た。佐藤は顔にほとんど表情というものを現さない、特殊な仮面のような顔をしている。ただその眼光だけが、鋭くなったりふっと力を失ったりと、彼の興味の強弱を示していた。

「……考えませんでした」

茉莉緒は小さな声で言った。

「その点は……迂闊《うかつ》でした」

「まあね、結果として殺されたのは彼女自身だったわけだから」

佐藤は淡々と言った。

「その意味では雨森さんに大事がなくて良かった。しかしねぇ、マネージャーとしてはちょっと、軽率だったように思いますよ。聞いてると思うけど、柳沢千夏さんね、ホテルの部屋にあった彼女のボストンバッグの中には、バスタオルでくるんだ包丁が入ってたんですよ。それもね、今日の午前中に、東京に着くなり買ったものらしい。何をするつもりだったのか想像すると、ちょっと怖いよね」

　茉莉緒は言葉もなくうなだれた。

　冴子に叱られるまで、茉莉緒は、千夏を海に会わせることで誤解は解ける、千夏に納得して貰えると信じ込んでいたのだ。千夏にそこまでの決心があることなど見抜けずに。

「柳沢さんは、一ノ瀬拓也さんと婚約していたって話です。まあ婚約と言っても、双方の実家で顔見せした程度のことだったそうだが、若い恋愛は一途《いちず》だからねぇ。恋人が突然死んじゃって、柳沢さんとしては、誰でもいいから犯人だと思い込んで復讐《ふくしゅう》を企てることで、喪失感に押し潰《つぶ》されてしまうのを必死に堪えていたのかも知れない。そういう例はけっこう、あるんですよ。愛する人間を理不尽なことで失ってしまうとね、憎悪の対象を持たないことには精神がもたないってケースが。ま、今のところは、雨森さんが一ノ瀬さんを殺した犯人だという確証を彼女が摑《つか》んでいたという証拠はないわけで、京都府警の方がどう判断するか待ちってとこですが」

　刑事の言葉はひどくまわりくどかったが、その口調の底に流れているひんやりとしたものが茉莉緒の胃にずしんと沈んだ。

　海への疑惑は晴れたわけではないのだ。ただ、京都府警が動かない以上は、警視庁勤務の佐藤の仕事ではない、そういうことなのだ。

　そして柳沢千夏の死。これは佐藤の仕事だった。その意味では、佐藤は別の「疑惑」を海に対して抱いていると考えていいだろう。今、佐藤が知りたいと思っていることは、あたし自身がその「疑惑」の共犯者である可能性があるのかどうか、そのことなのだ。

怖かった。どうしてこんな恐ろしいことばかりが起きるのか。いったい、海の周囲で何が始まったのか。

2

佐藤の事情聴取から解放された時にはもう、真夜中に近かった。先に聴取を終えて茉莉緒を待っていた冴子と海が、刑事課の前の廊下のソファに並んで座っていた。

「ご苦労様」

冴子が言葉少なに言って、茉莉緒の背中をそっと押した。三人は無言のまま赤坂署を出て、冴子の小さなベンツに乗り込んだ。茉莉緒は冴子と海の後ろの座席に身を縮めて蹲《うずくま》った。今の自分には、そんな格好が似合いのように思えた。

「ね、お腹空《す》かない？」

冴子が陽気な声を出す。

「何か食べに行きましょうよ」

「こんな時間じゃ、酒を出す店以外だとファミレスしか開いてないよ。運転あるから、酒は駄目でしょ」

「少しくらい大丈夫よ」

「少しでも駄目だよ。それに冴子さん、飲み始めたら少しなんかで済むわけないんだから」

「あの、あたし、免許持ってます。それであの……お酒はいりません」

茉莉緒は言った。だが冴子は頭を振った。

「今夜はあなた、飲んだ方がいいわ。飲まないと眠れないわよ。わかった、いいわよ、じゃ、海のとこ行って車置いてから、あの近くの店に行きましょ。ほら、エスニック出すバーがあったじゃない。あそこなら二時頃までやってるでしょ」

冴子はひとりで決めて、車をスタートさせた。

「社長、また胃に穴が開くわね」

冴子はハンドルを握ったまま、ククッと笑った。

「かすみちゃんの時の胃潰瘍《いかいよう》がようやく治ったとこだったのに。さっきの顔、見た？　顔色なんか土みたいになっちゃって。警察の中であんな顔してたら逮捕された殺人犯と間違われるわよって笑ってやったわ」

「迷惑かけちゃうよね」

海は、呟《つぶや》くように言った。

「もう駄目だな、俺」

「馬鹿言わないで。ね、嘘言わないでよ。正直に答えるのよ。あんた、あの一ノ瀬って子、殺したの?」

茉莉緒はあまり驚いたので息が止まりそうだった。だが冴子は前を向いてハンドルを握ったままだ。

「そんなわけないいじゃない」

答える海の声は、ひどく投げやりだった。

「なんでそんなこと、あるわけさ」

「だったらもう駄目なんて、言わないでちょうだい。あんたを売り出すのに、うちの事務所が今までいくら遣ったと思ってるのよ。そんなに簡単に駄目になられたんじゃたまらないわよ。大体、自分がやったんでもない人殺しの汚名を勝手な思いこみで着せられたってだけで、どうしてあんたが終わりにならないといけないわけ? そんなこと、あたしは絶対、許さないわよ」

冴子は苛立《いらだ》たしげにハンドルを叩いた。

「まったくもう、腹が立つったら。いったい何がどうなってるのよ。どうして大学生のカップルが殺された事件なんかに巻き込まれないとならないのよ……」

「出るかな、ワイドショー」

「出るでしょうね。写真週刊誌も女性誌もスポーツ新聞も」

冴子は大きな溜《た》め息をついた。

「都心のビジネスホテルで若い女が殺されたってだけでも、ネタにはなるわ。それが京都の事件の関係者ってことになれば、見逃して貰えるはずないもの。前の時は、海の名前はちらっとしか出なかったけど、今度は騒がれることは覚悟しないと」

「CM、駄目になっちゃったね」

海の声はとても淋《さび》しそうだった。だが海は、自分自身の問題としてCMの仕事を逃したことが残念なのではなくて、冴子の期待に応《こた》えられなかったことでがっかりしているのだ。

「気にしないでいいわ」

冴子は、そんな海の気持ちを察したのか、少し明るく言った。

「またチャンスは来るわよ。あんたが今度の事件に無関係だったってはっきりすればね。それより、さ来週から例のポスター撮りでハワイでしょ、そっちの方が心配だわ。来週までに今度の事件が解決してくれないと、あんたたち、うるさい連中につきまとわれることになるかも知れない。茉莉緒」

「はい」

「あなたひとりだと正直、ちょっと心配だから、杉浦を付けるわね」

「杉浦さん、復帰したの？」

「今朝事務所に顔を出したわ。もう大丈夫だから仕事させてくれって。ま、頼りない奴だけど業界は長いから、あんたと茉莉緒のサポートになら使えるでしょ」

杉浦というマネージャーが松崎かすみの自殺事件にショックを受けて休職し、病院に通っていたという話は聞いていた。ハワイでのポスター撮影。海のマネージャーとして一緒に旅をするのは今度が初めてだ。英語力が大してあるわけでもないのに、滞在中の様々な雑用をスムーズにこなせるのか正直に言ってとても不安だったので、ベテランの杉浦が同行してくれるとわかって、茉莉緒はホッとしていた。

海の暮らす小さなマンションは、表参道から徒歩で十分ほど、ブティックや雑貨店などが普通のアパートや住宅に混じってランダムに並んでいる細い迷路のような町並みの中にあった。

マンションとは言っても名前だけのことで、実態は三階建ての鉄筋モルタルの古いハイツだ。築十五年以上、外壁は剝《は》がれ落ち、間取りも今時珍しい、団地のような和室主体の2DKで、風呂《ふろ》の排水はかなり前から悪くなったまま修理もされていないと海から聞いている。

冴子の車は小さかったが、それでもハイツの前の路地では狭すぎて駐車出来ない。だが冴子は躊躇《ちゆうちよ》せずに車を路地の奥、とある一戸建ての民家のガレージに入れてしまった。ガレージは二台分のスペースがあり、右半分には赤いBMWが停まっている。

「あの、大丈夫なんですか？」

茉莉緒が訊《き》くと、冴子が低く笑った。

「茉莉緒、知らなかったんだ。この家ね、社長の家よ」

茉莉緒は驚いてその家の門柱を見た。確かに、川谷、と表札が出ている。

「だけどほとんどここには帰らないのよ。今夜もたぶん、月島でしょ」

「……月島？」

「女のマンション。この家には奥さんと娘さんが住んでるけど、娘さんは去年からイギリスに留学中だし、奥さんは奥さんで実家にいりびたりでここにはたまにしか戻って来ないみたいよ。ま、俗に言う家庭崩壊ってやつ。この赤い車は娘さんのだけど、社長のベンツは女のとこに置きっぱなしだから、ガレージはいつも一台分空いてるのよ。だから奥さんに頼んで、ここに来た時には置かせて貰《もら》ってるの。ついでに言うとね、海の住んでるこのぼろっちいマンションも、丸ごと奥さんの持ち物よ。海のギャラからうちの事務所が天引きして、奥さんに家賃払ってるのよ」

「資産家でいらっしゃるんですね」

「この辺りにいくつか借家だのアパートだの持ってるわ。建物自体はどれもこれも、親の代から引き継いだぼろばっかりだけど、何しろ場所がいいものねぇ、ま、いくら不動産は値下がりしたって言ったって、社長よりは金持ちよ、奥さん」

「何で離婚しないんだろ」

車から降りる時、海が人気のない一戸建ての窓を見ながら言った。

「借金抱えた社長なんかと結婚してたって何も得なことないのに」

「女にはね、意地ってもんもあるわけ」

冴子はフフッと笑った。

「今別れたって、借金抱えた社長から慰謝料が取れるわけじゃないし、自分より遥《はる》かに若い女が後ガマに座るのかと思うと悔しくて別れられないんでしょ。かすみちゃんの時だって、奥さんヒステリー起こして大変だったらしいから」

かすみちゃんの時？

茉莉緒はまた、自分の知らない裏の事情の存在にぶつかって、戸惑いを感じた。

スキャンダル。

この業界で働くようになるまでは、茉莉緒には、芸能界のスキャンダルなどバラエティ番組のコントのようなものにしか感じられなかった。現実感が乏しかったし、どこか嘘臭い、作り物だという先入観があった。だが実際に業界に入ってみると、スキャンダル、というのは、業界で働く人々の私生活そのものだということを実感する。誰と誰が恋愛しようと別れようと、そんなことは本来、他人にとやかく言われる筋合いではないプライバシーなのだ。どんな人間だって、たとえば茉莉緒自身だって、そうした他人に知られたくない私生活は持っていた。現実に家庭のある男と不倫関係にあり、それが壊れて退職したのだから。だが海も含めて、この業界で働く人々のそうした私生活は、スキャンダルという名のまったく別のものとして扱われるのだ。冴子と海の恋愛も、もし世間に漏れれば立派なスキャンダルになる。川谷社長と自殺した松崎かすみの間にあったことも、たぶん、そうしたスキャンダルなのだろう。ただし、それは世間に漏れなかった。そういうことなのだ。


海の部屋は、三階の東南の角にあった。

海がポケットから鍵《かぎ》を取り出した。

「どうする？　中に入って何か飲む？」

「もう遅いからねぇ、何か食べるなら早く行った方が良くない？」

「じゃ、上着とって来る。冷えそうだから」

海はひとりで部屋の中へと消えた。そしてすぐに戻って来た。

「これ、置いといて」

冴子が愛用の小さなボストンバッグを海に手渡した。冴子はいつも、その煉瓦《れんが》色《いろ》の革のバッグを持っている。

海がバッグを受け取って部屋の中に無造作に放り込み、鍵をかけた。

冴子は食事の後、この部屋に戻るつもりなのだ。茉莉緒は、そんなことは当たり前じゃないの、と思いながらも、心の中に何か重たいものが沈んでいるような感覚にとらわれた。

表参道まで戻る途中の住宅街の中に、冴子と海の行き付けらしいバーがあった。民家の一階を改造した小さな店だった。

ドアを開けて中に入った時、茉莉緒はドキリとした。流れていた音楽は、二年ほど前に大ヒットした松崎かすみの曲だった。そっと冴子の表情を盗み見る。だが冴子は、眉《まゆ》ひとつ動かさない。平然と、大きな木のテーブルの奥へと座り込み、メニューを開いた。いちおうは茉莉緒の好みも訊いてはくれたが、茉莉緒には初めての店だったので料理の名前を言われてもピンと来なかった。しかも、まったく食欲がない。考えてみれば、つい数時間前に本物の死体を、それも絞殺された死体を間近に見てしまったのだから、何かものが食べたいと思う方が不思議だ。だが冴子は本当に空腹だったようで、いくつかの料理をまとめて注文した。海の好みを訊かなかったのは、すでに海が好む料理を知り尽くしているので訊く必要がなかったからだろう。

店内に流れていた松崎かすみのヒット曲が終わり、この頃たまに耳にするようになった、夏草麻衣の歌が流れ出した。

「ほんと、歌は下手ね、この子」

冴子がビールのグラスを片手に眉をひそめた。

「なんで歌なんか歌わせるのかしら。イメージダウンなのに」

「商売としてはいいんでしょ。ＣＤはてっとり早いじゃない、儲《もう》け」

「そうでもないはずよ。オリコンの竹下くんに聞いたけど、夏草麻衣のCDは思ったほど売れてないのよ。ま、そりゃ、人気アイドルだからそれなりの数字は出るけどね、事務所が期待してるほどじゃないと思う。それって、我々の感覚からすると黄色信号」

「どういう意味？」

「アイドル系のタレントが長く生き残るかどうかのバロメータなのよ、CDの売り上げって。曲が良くて本当にヒットした場合は除いてね、CDが売れるってことは、そのタレントを支えてるファンがしっかりしてるってことなの。言い方を変えると、そのタレントの為なら多少のお金は遣ってくれるってこと。CDが思ったほど売れないってのは、そのアイドルの人気がバブルである可能性があるってことなのよ。一時的なブームというか、実はそれほど熱心なファンでもないけど、今はちょっといいかも、程度に思ってるファンが大多数ってことね。そういうバブリーな人気ってのは、何かひとつ躓《つまず》いたらあっという間に消えてなくなっちゃう」

「夏草さんは大丈夫なんじゃない」

海はウィスキーソーダを水のようにごくごくと飲んでいる。

「あの人、演技が出来るから。女優としてなら監督は使いたがるよ、華があるし」

「どうかな」

冴子は苦笑いのような微笑を顔に浮かべた。

「ま、今度の映画の入りである程度の判断は出来るでしょうね」

「あの」

茉莉緒は、そんなことを言い出していいタイミングなのかどうか迷ったが、ふた口飲んだウォッカオレンジの勢いにまかせて口を開いた。

「夏草麻衣さんは、あの、冴子さんの……妹さん、なんですよね……」

冴子が海と顔を見合わせた。海はちろっと舌を出した。

「もう、お喋《しゃべ》り」

「いいじゃん、別に。業界では知ってる人もいるんだからさ」

「あたしはいいけど、向こうが困るって言ってるのよ、喋られるのは」

「そのうちどっかの雑誌に書かれるよ」

「あちらさんの事務所では、かなり苦労して書かれないようにしてるみたいよ。ま、あたしは関係ないけど。茉莉緒、その話、駄目よ、他でしちゃ」

「はい。絶対言いません」

「そうしてちょうだい。この業界にもね、同業の仁義ってのはあるのよ。美奈《みな》の事務所では、美奈が施設育ちだってこと、もうしばらくは伏せておきたいらしいから」

美奈。それが夏草麻衣の本名……？

それに、施設育ちというのは……

「なんだ」

冴子が茉莉緒の戸惑った顔を見て笑った。

「そこまでは知らなかったのか」

「そんなにべらべら喋らないよ、俺」

「どうだか。茉莉緒には何でも喋っちゃうくせに。ほんと不思議よね、海。あんたって、茉莉緒の前だと素直になれるのね」

「それは違う」

海はくいっと酒を飲み干した。

「俺、冴子さんの前でだけひねくれるんだ」

「勝手にしてなさい」

冴子もビールを飲み干して、追加を頼む。二人のピッチが早いのに驚きながら、茉莉緒もちびちびとオレンジ味のウォッカを舐《な》めた。

「あたしと美奈はね、九州の福祉施設で育ったの」

冴子は片手だけで頬づえをついた。

「孤児ってわけじゃないのよ。親はいちおう、いたみたい。父親は知らない。私生児ってやつ？　母親はおきまりの水商売だったけど、外泊が多くてね、あたしが小学校の三年になったくらいからかな、あたしのこと放ったらかして一週間とか十日とか、お金だけ置いて戻って来ないことが続いたりしてた。中学三年の時に美奈が生まれたんだけど、もちろん美奈の父親が誰なのかはあたし、知らないわ。生まれたばかりの赤ん坊の世話って大変でしょ、母親はキレちゃったんでしょうね……貧乏だったし。ある日ぷっつりいなくなって、それきり戻らなかったの。半月くらいは残っていたお金で何とか生活していたんだけど、赤ん坊おいては学校に行けないじゃない。中学を無断で休んでたら、先生が様子を見に来てね。それで母親の蒸発がわかって、あたしとまだ生後四カ月だった美奈とは施設に入ったわけ」

冴子はひと事《ごと》のように淡々と話し続けた。

「あたしはもうその歳だと里子に貰《もら》ってくれるとこもなかったから、定時制の高校出るまでその施設にいた。でも美奈はね、四歳の時に貰い手が決まって、神奈川に養女に行っちゃったのよ。その施設の規則で、美奈が十六歳になるまでは、美奈が貰われて行った先のことは教えて貰えなかった。でも、それを知った時にはもうあたし、この業界にいたでしょ、毎日毎日自分のことでめいっぱいで、美奈のこと気にしてる余裕もなかった。ま、たまにね、どんなふうに成長したのか会ってみたいなぁ、なんて思うことはあったけど。でもそれがさ」

冴子は思い出し笑いした。

「驚いたわよ、あの子までこの業界に入ることになるなんてね。それもよ、二歳も年齢をサバ読んで、施設育ちの経歴は一切隠してね。もちろん最初はわからなかったのよ。でも、あの子の方から施設に問い合わせてあたしの消息を聞いたらしくて、ある日、マネージャーと一緒に挨拶《あいさつ》に来たわけ。もう、本当に驚いた」

「夏草さん、年齢詐称してたんだ」

「うん。でもまあ、それには事情があってね。あの子も可哀想だったの。四歳の時に里子に出たんだけど、姉のあたしと離れて新しい両親と暮らすようになったストレスから か、言葉の発達が一時的に停まっちゃったんですって。ま、あの子にとってはあたしが母親みたいなもんだったわけだから、無理もないんだけど。しかも言葉だけじゃなくて、拒食症みたいな傾向もあって、からだの成長もとても遅かったんですって。それで里親さんの配慮で、小学校に入るのを二年遅らせたらしいのね。だからまあ、詐称って言ってもね、悪気があってのことじゃないわけ」

茉莉緒は思い出していた。京都の地下街のパン屋で万引きをした女性のことを。あれは、冴子だったのだろうかそれとも、夏草麻衣だったのだろうか。今となってはどうでもいいことには違いない。だが、あの時の何かに憑《つ》かれたような女の動作が、茉莉緒の脳裡《のうり》に焼き付いて離れなかった。

料理が運ばれて来て、冴子はそれきり夏草麻衣の話をやめてしまった。そして、猛然と食べた。冴子のその細いからだのどこに、これだけ大量の食べ物を入れられる胃袋が収まっているのか不思議だった。

茉莉緒も箸《はし》を動かした。味は悪くなかった。エスニック調の料理ばかりなので、風変わりな香辛料が食欲を刺激するのも確かだ。だが、肉を口の中に入れた途端に軽い吐き気がして、目の前にベッドに仰向けになった千夏の姿が浮かんでしまった。

二人の酒を飲むピッチはとても早かった。共にかなりの酒量は平気なようだったが、それでも、食事をしながら取り留めのない話をし、杯を重ねている内にいつの間にか、海の首筋も赤く染まり、冴子もいくらか瞳《ひとみ》が潤んだようになっていた。

だが、誰ももう一度事件のことについて話を始めようとせず、茉莉緒はその日一日の疲れからかいくらか眠気を催して来て、小さなあくびを頻繁にしていた。そんな茉莉緒に気づいて冴子が優しく言った。

「良かった。茉莉緒ちゃん、眠くなってる。その分なら今夜、ちゃんと寝られそうね」

茉莉緒は、冴子が自分の為にこんなに遅くまで付き合ってくれていたのだと、やっと気づいた。空腹だったというのは本当なのだろうが、千夏の死体を見てしまってショックで眠れなくなったかも知れないあたしの為に、こうして遅くまで一緒にいてくれたんだ……

「ともかく、さ」

冴子は、何杯目かの酒を空にしてひとりで頷《うなず》いた。

「あの千夏って子には気の毒だけど、これで狙われたのが海じゃないってことははっきりしたと思わない？　誰だかわからないけど殺人犯は、最初からあのカップルを狙っていたってことなのよ」

そうなのだろうか？　茉莉緒には腑《ふ》に落ちないことがたくさんあった。だが冴子は、そんな茉莉緒の不安を拭《ぬぐ》おうとしてか、明るい顔で言った。

「あの手帳のことだってさ、これで辻褄《つじつま》が合ったわけじゃない？　今朝、あの千夏って子が京都から東京に出て来たって知った犯人は、慌てて東京に出て来たけど千夏の居所がわからない。それで茉莉緒ちゃんのこと、見張ってて、もしかしたら千夏と茉莉緒ちゃんが会う約束をしているかも、と考えて、茉莉緒ちゃんの手帳を狙った」

「手帳って」海が目を見開いた。「あの赤いやつ？　あれ、どうしたの？」

「ひったくられたんですって、バイクに乗った男に」

「ひったくられたって……」

「あんたのスケジュールが狙いだったんじゃないかって、ちょっと心配だったわけよ」

「俺の……スケジュール……」

「大丈夫だってば、狙われてるのがあんたなんだとしたら、千夏って子が先に殺されたのはどう考えても変じゃないの。あんただって、雑誌のインタビュー終わってからはずっとウロウロしてたわけでしょ、あんたが狙いならとっくに……」

「よしてよ、俺、そんなに簡単に殺されたりしないぜ……だけど、手帳をなぁ……」

「考えないの」

冴子は海の頭を軽く叩《たた》いた。

「こういうことは、くよくよ考えると悪い方へ悪い方へと考えちゃうもんよ。もう止《や》めよう、余計なこと考えるの。事件はさ、我々とはもう無関係よ、きっと」

「あの、でも冴子さん」

茉莉緒は思い切って言った。

「それでもまだ、不安なんです。だから……スケジュールの変更の件なんですけど、出来る限りさせて貰ってもいいでしょうか」

「動かせないものもあるわよ」

「それはわかっています。そういう仕事に関しては、総《すべ》て、あたしが雨森さんをお部屋まで迎えに行って、それから現場に出ることにします」

「いいよ、そんなことしなくても」

海は少し慌てたように言った。

「迎えに来て貰うなんて、なんか、そんな大物でもないのに恥ずかしいじゃん」

「茉莉緒ちゃんがそうしたいって言うんだから、従いなさい、海」

冴子は、海に軽く目配せした。茉莉緒はその目配せの意味が何となくわかった。わかったけれど、申し出を撤回する気にはなれなかった。たとえ、冴子が海の部屋で朝を共にしているところへでも、自分は海を迎えに行かなくてはならないのだ。茉莉緒はそう思っていた。

責任は自分にあるのだから。手帳を盗まれてしまった責任は。

「ま、何でもいいけど」

海は渋々、といった感じで頷いた。

「じゃ、今夜はこれでお開きにしましょう。茉莉緒ちゃん、明日はゆっくりでいいわ。海の仕事、何か入ってるの？」

「ハワイでの撮影の打ち合わせが二時からあるだけですけど」

「だったら、先に事務所に出なくていいから、直接時間になったら海を迎えに行ってあげて」

「ありがとうございます。そうさせていただきます」

茉莉緒は冴子の配慮に感謝して頭を下げた。眠気は断続的に襲って来てはいたが、いざ毛布に潜り込んだらまた千夏の姿が脳裡に甦《よみがえ》って、結局明るくなるまで寝られないだろう、という気がした。


午前三時を過ぎて、原宿の町はさすがにしんとしていた。

「表参道までおくるよ」

海がそばについて歩こうとする。茉莉緒は海のからだをそっと押し止めた。

「大丈夫です。すぐですから」

「駄目よ」冴子が言った。「タクシー捕まるまで一緒にいてあげなさい、海」

海は頷き、冴子は茉莉緒に向かって軽く手を振ると、海のマンションに向かって歩き出す。

「冴子さん、ひとりじゃ……」

「ここから俺んとこまでは二分だけど、表参道までは五分。危険率は君の方が高いよ」

海は笑った。

「それに、彼女は大丈夫。あの人、空手の有段者だって知ってた？　ほんとは俺なんかに見送って貰《もら》うより、彼女について貰った方が安全なんだ」

道はゆるく下っていた。海はエスコートでもするように茉莉緒の手を取った。

「あのさ、ひとつお願いがあるんだけど」

「何でしょう？」

「そのさ、君の言葉遣いなんだけど……前みたいにならないかなぁ」

「前、みたい？」

「君が俺のマネージャーなんてする前、ってこと。ほら、あの鴨川の土手でさ、あの時みたいに……あれ、楽しかったじゃない」

茉莉緒は、戸惑っていた。

この仕事を引き受けて事務所に初めて出勤した時に、茉莉緒は自分に誓っていたのだ。海のことはもう、友達と思ってはいけない。マネージメントしなくてはならない事務所の財産、そう思わなくては、と。

「何だかさ、君に敬語遣われたりすると、君まで俺のこと、ただの商品だって思ってるのかなぁ、なんて気持ちがして、ちょっと淋《さび》しいんだよね。それに呼び方も……冴子さんや他の人たちと同じに、海《かい》、って呼び捨ててくれた方が、しっくり来るんだ」

「あたし」

茉莉緒は、自分の気持ちがうまく説明出来ないもどかしさを感じていた。

「あたし、ただの商品だなんて、そんなふうには」

「わかってるけど。君が、君なりに一所懸命だってこと、わかってるんだ。ただ……俺が君に求めていたものって、少し違うことなんだよね」

「……あなたがあたしに……求めていた？」

「君みたいな人がそばにいてくれたら、きっと楽しいだろうな、って。冴子さんが俺のマネージメントからはずれるつもりだっていうのはわかってたんだ。だけど、事務所の他の人にやって貰うのは何となく、嫌でさ……我儘《わがまま》だっていうのは、自分でも認める。でも、俺、割とその……他人に対して垣根作るタイプの人間なんだよ。……わかる？」

何となく、海の言いたいことはわかる気がした。他人に対して垣根を作る。そう、まさに海はそうなのだ。それは壁ではない。海は他人を完全に拒絶してしまうわけではないし、人あたりはやわらかく、海の心の中がまるで見えないというわけではなかった。だがやはり、見えないのだ。ちらちらと垣根の葉っぱの間から断片だけ庭の様子が窺《うかが》えるのに似て、見えそうで見えない。わかりそうでわからない。そんな感じだ。

「他の人とじゃ、いずれうまく行かなくなる、そう思っていた。最初は良くてもその内気まずくなって、お互いに相手をうざったいと思うようになる。きっと……わかるんだ。これまでの俺の人生で出逢《であ》った人間とは、みんな最後にはそうなった」

「そんな！」茉莉緒は思わず言った。「そんな考え方って……違うと思うわ」

「違わないんだ」

海はいつになく頑固だった。

「違わない。いつだって誰とだってそうだった。彼女だって……結局、俺がうざったくなったんだよ。わかるだろう？　ずっとそうだったんだ……小さい頃からずっと」

茉莉緒は黙ったままでいた。何か、今、海は自身の心の中にあって未《いま》だに塞《ふさ》がってはいない傷口を、茉莉緒にそっと見せてくれている、そんな気がした。

「不思議なんだ」

海は、口調を変えた。

「とっても不思議だった。あの日……鴨川で君とおにぎり食べたよね、あの時さ、俺、何かすごく久しぶりに、のんびりした気分になれたんだ。初めて会った女の子とあんなに打ち解けて話が出来たのには、自分で驚いた。どうしてだかわからないけど、君とはまた逢えそうな気がした。ほんとは……別れ際に住所とか、訊《き》こうと思ったんだけど……でもそんなことしたら、かえって君との繋《つな》がりが切れてしまうみたいな……あ、ごめん。俺、何言ってんだろう」

海はひとりで笑った。

「関係なかったね、今、こんな話。ともかくさ、事務所の他の人たちも俺のこと、海って呼ぶし、君も出来ればそう呼んでくれた方が気楽でいいなって、まあ、そういうこと」

いつの間にか、表参道まで歩いていた。この時間にタクシーが拾えるかどうか不安だったが、最近の東京では深夜にタクシーを使う人が減ったせいか、空車が意外なほどたくさん走っている。

「じゃ、気をつけてね」

「ありがとうございました。お休みなさい」

茉莉緒がまだあらたまった口調だったのを茶化すように、海は唇を尖《とが》らせて見せた。その顔に思わず笑い出しながら、茉莉緒は頭を下げた。

結局自分の小さなワンルームにたどり着いてシャワーを浴びると、もう明け方だった。それでも茉莉緒は、目覚まし時計をセットしてベッドに潜り込み、眠ろうと努力した。恐れていた通り、瞼《まぶた》を閉じるとすぐに千夏の姿が脳裡《のうり》に甦って来る。だが、疲労が大きかったせいか、やがて茉莉緒は眠りに落ちた。

3

目覚ましの音でやっと目が覚めた。

起き上がろうとするとひどくからだがだるい。茉莉緒は枕元の小さな整理箪笥《だんす》から体温計を取り出して耳の穴に差し込んだ。一秒で体温が計れるのが便利な新型の体温計だったが、その代わり、脇の下で計るよりも少し高めに数字が出る。

三十七度五分。

高めに出るという誤差を考えると、三十七度と少し、というところか。微熱だ。風邪だろうか。

今日はハワイでのポスター撮影の打ち合わせだ。肉体的にきついという仕事でもないが、この打ち合わせで自分が何をしたらいいのかしっかり頭に叩《たた》き込んでおかなくてはならないのだから、微熱のせいでぼうっとした頭で行くわけにはいかない。慣れない外国で手際の悪いことが続けば海のやる気を削《そ》いでしまうだろう。

薬を買いに行こう。

茉莉緒は重いからだを引きずるようにしてベッドから出ると、簡単に着替えて外に出た。

いい天気だった。体調が悪いせいか、太陽がまぶし過ぎるほどだ。いつの間にか八月も終わりだというのに、今日もたぶん、暑くなるだろう。

ふと、思い出した。

海と初めてあったあの日、茉莉緒は会社を辞めて失業した直後だった。鴨川の河原に座ってコンビニのおにぎりを食べていたあの日。考えていたことと言えば、エアコンが壊れている、ということだけだった。壊れたエアコンを修理するのに必要なお金がない。だから新しい勤め口を、夏が来る前に見つけなくちゃ……

その夏が始まってすぐ、映画のエキストラのバイトをした。そして海と再会。思いもかけずこの仕事に誘われた。

今、夏は終わろうとしていた。

エアコンの付いた小さな部屋に住んで、ちゃんと仕事もある。そして、まだ始めて二週間にもならないけれど、この仕事をとことんやってみようか、と思い始めている。

運命。こういうものを、運命と呼ぶのだろうか。

海は、あたしを選んでくれたのだ。

茉莉緒は、ゆうべの海の言葉を少し興奮した気持ちで思い出していた。

海は、あたしに何かを求めてくれていた。他の人には出来ない「何か」を。それが何なのか、海は最後まで語ってはくれなかった。いや、海自身、はっきりとわかってはいないのだろう、たぶん。

それが何なのか。

他の人には出来ない、あたしにしか出来ない、何か。

それを探すことが「仕事」なんだ。

鈍く痛んでいた頭の芯《しん》に、光のようなものが射し込んだ気がした。

海の為に何が出来るか。海の為に出来ることを探す。それが仕事だ。その仕事をやり抜くこと。それが、あたしの、決心。


引っ越して間もなかったので、その町の地理はあまり良くわかっていなかった。地下鉄の駅に出る道と、いちばん近いコンビニまでの道順までしかまだ知らない。そして今向かっている薬局は、そのコンビニの並びにあった。

だが、いくらかはっきりして来た頭で小さな決心をしたことで気分を良くしていた茉莉緒は、ふと冒険してみる気になっていつもとは反対の方角に角を曲がった。そちらに曲がってももう一度どこかで曲がれば、薬局までは行き着けるはずだ、と見当をつけて。

予想に反して、道はゆっくりとカーブを描きながら上りになっていた。

どうしようか。

少し迷ったが、茉莉緒はその坂を上り始めた。出掛けるまでに時間の余裕はある。迷子になりそうだったらすぐ引き返せばいい。そう思って顔を上に上げた途端、坂の真ん中辺りに立っていた人と目が合った。

……夏草麻衣？

若い女だった。茉莉緒が目を見開いた瞬間に、その女は身を翻して坂を逆戻りに駆けて行った。

茉莉緒は反射的に追いかけた。坂を上り切ったところで見失った。坂の上は道が二股《ふたまた》に分かれていて、どちらの道もすぐに曲がり角になっている。住宅地の中の迷路のように細い路地だ。

茉莉緒は、諦《あきら》めて坂を引き返した。考えれば考えるほど、今さっき見た若い女性は、夏草麻衣ではなかったか、という疑問にとらわれた。根拠などはない。ただ、あの京都での撮影の時に遠くから見た夏草麻衣と、その立ち姿、シルエットがそっくりだったのだ。もちろん、顔の雰囲気も。

馬鹿げている。

茉莉緒は自分の考えを打ち消して薬局への道を急いだ。

夏草麻衣があたしの家の近所にいる理由が、全然ないじゃないの。

何となくすっきりしない気分のまま薬局で風邪薬を買い、部屋に戻った。さっき坂の上に立っていた女性のシルエットがどうにも頭にこびりついて離れない。夏草麻衣のはずはないと思っても、宇治川の河原で夏草麻衣が歩いている姿をじっと見ていた時に記憶に焼き付いてしまった人間のからだの線、動きの癖が、どうしてもさっきの女性と重なってしまうのだ。

微熱のせいだ。

茉莉緒は薬を服《の》み、もう一度丁寧に顔を洗って髪も丹念にすいた。頭が軽くなるといくらか気持ちがすっきりする。食欲はなかった。冷蔵庫を開けて卵をひとつ取り出したが調理する気力もなくまた戻し、代わりにチーズを一切れ手にして、トマトジュースと共に喉《のど》に流し込んだ。

冴子の言葉に甘えて、事務所に寄らずに直接、海のマンションに出掛けた。部屋の呼び鈴を押す時、少しどきどきしたが、冴子はもう部屋にはいなかった。海は寝不足のようであまり機嫌が良くない。茉莉緒は余計なことは話しかけずに、タクシーでカメラマンのスタジオに向かった。

スタジオには同じ事務所の杉浦英一がすでに来ていて、スタジオの中に置かれた折り畳みの椅子に座って雑誌をめくっていた。病気で療養していたと聞いたが、顔色は良さそうだ。

「茉莉緒さん？　一緒にマウイ、行かせて貰《もら》うことになったんでよろしく」

「こちらこそ、よろしくお願いします。海外での仕事は初めてなんで、いろいろ教えてください」

「大丈夫だよ、僕たちが何もしなくても」

杉浦は笑った。

「海くんは海外生活長いし、モデル仕事ならほっといてもひとりで段取りつけてやれるから」

海は笑いながら頷《うなず》いた。

「杉浦さんも茉莉緒も、マウイにリゾートのつもりで付いて来ていいよ」

茉莉緒は、海が自分を呼び捨てにしたのに少しどぎまぎした。

「そうなんですか」

「そう。でも朝だけは起こしてね……あ、晴海《はるみ》さん」

スタジオの奥から出て来た痩身《そうしん》の女性が海に手を振る。

「雨森くん、お久しぶりー。うちのセンセ、ゆうべ飲んじゃって遅れてるのよ。ちょっと打ち合わせの前に、衣装見てくれない?」

海は頷いて、女性と共に奥に消えた。

「かっこいいよな、彼女。スタイリストの石崎《いしざき》晴海。今相当売れてる人だよ。でもこのスタジオの仕事は最優先なんだな、さすがに」

「どうしてですか?」

杉浦は妙な笑い方をした。

「失楽園だよ、失楽園。ここの先生、伊澤瞬《いざわしゅん》ってさ、奥さんが元アイドル歌手の牧田《まきた》ひかりだよ。あんな可愛い女を女房にしていていったい何が不満なんだろうなぁ」

杉浦は声を潜めた。

「ここだけの話だけどね、伊澤瞬ってけっこう難しい人なんだ。海くんのことは被写体として気に入ってて、いい写真撮ってくれるからこの人に頼んだんだと思うけどね、冴子さん。なかなか大変だよ、一緒に仕事すると。ま、石崎晴海がいてくれるから何とかなると思うけどね」

茉莉緒は杉浦の言葉に緊張した。気難しいカメラマン、というのがどういうものなのか、茉莉緒の経験では見当もつかない。

「それはそうと、ゆうべ、大変だったみたいだね。あの宇治川で死んだ学生の恋人が殺されたんだって？」

杉浦がさらに声を低くした。

「で、どうなの？　やっぱり海くん、事件と何か関係が？」

「関係なんて、ないと思います」

茉莉緒は杉浦の無神経さに少し腹を立てて答えた。

「あるはず、ないです」

「いや、そういう意味じゃないよ、もちろん」

杉浦は頭に手をあてて掻《か》くような仕草をした。

「まさか海くんが犯人だなんて思ってないさ、当然じゃない。ただね、前の事件の時は海くんが狙われた可能性があったって話じゃない。だから今度はどうだったのかなって、ちょっと気になったんだ。それだけだよ、それだけ」

「……すみません。あたし、なんか……」

「謝らなくていいよ。怒ったのもわかるからさ。でも、マネージャーとしてはちょっと覚悟しといた方がいいかも知れないな」

「覚悟?」

「そう」杉浦はしかめ面になった。「書かれるよ、週刊誌。テレビもね。もちろん海くんが犯人だなんてこと言う奴はいないだろうが、前の時にも狙われていた可能性があるって話は、事務所が手を回して抑えてるんでしょ? 今度は相当騒がれるね、きっと」

「どうしたらいいんでしょうか」

茉莉緒は心底不安になって訊《き》いた。杉浦はちょっと肩をすくめて首を横に振った。

「スキャンダルってのは台風と一緒でね、結局のところ守りを固めてじっと過ぎ去るのを待つしかないんだ」

杉浦は茉莉緒を安心させるように付け加えた。

「でも大丈夫、冴子さんの指示に従ってれば間違いない。あの人は修羅場をいくつもくぐって来てるから」

台風と一緒。ただ過ぎ去るのを待つしかない。

茉莉緒は、テレビのワイドショーで殺人犯のように疑われる海の姿を頭に思い浮かべ、全身に走った悪寒をこらえた。もしそんなことになったら、いったいどうしたらいいんだろう？　あたしに、海を守り切れるだろうか……

「ごめん、不安にさせたみたいだね」

杉浦は、励ますように茉莉緒の肩を叩いた。

「マネージャー業やってれば一度や二度は台風の真ん中に裸で立ってるみたいな気分になることがある」

「台風の真ん中に……裸で……」

「そう。あれはしんどいよ、ほんと。僕は気が弱くてさ、さすがにかすみちゃんの時は参っちゃった。そんなだから冴子さんにも社長にもあまり信頼して貰ってないんだ。だけど想像してみてくれるかな……中学の制服が似合っていたニキビだらけの女の子が、どんどんスターになっていき、やがてスキャンダルにまみれ、社会から袋叩《ふくろだた》きにされる。その一部始終をそばで見ていなければならない辛《つら》さ……そして最後はとうとう……」

杉浦は大きな溜め息をひとつ、ついた。

「僕はオフィスKに来る前、岩谷プロにいたんだ」

「大手ですね」

「うん。社員の数も多くてまるきり普通の会社みたいだったし、所属タレントは総計で百人を超える大所帯だった。マネージメントのやり方もどちらかと言うとシステマチックでね、スケジュールの管理なんか、コンピュータの端末に入ってたりするような、そんな会社だったけど。でも会社がそんなでも、やっぱり芸能界は芸能界なんだよな……マネージメントの仕事ってのは、人間を管理する仕事だから、本当の意味ではマニュアルなんて存在しない。だって人間はひとりひとり、全然違うものだからね。僕は、先輩にこう教わったんだ。マネージャーってのは、傘じゃダメなんだ。レインコートにならないと」

「レインコート……?」

「そう。タレントのからだにぴったり貼り付いて、雨や風をよけてやる。傘ってのは頭の上を守るだけで、横からや下から吹き付ける雨を避けることが出来ないよね。傘みたいな大雑把な守り方ならしない方がいい、その先輩はそういつも言っていた。大雑把な守り方をしたんでは、タレント自身がどうしたらいいのかわからなくなるんだって」

大雑把な守り方……

茉莉緒は食い入るように杉浦の言葉を聞いた。

「守る時は完璧《かんぺき》に守ってやる覚悟でいろ、守り切れないと思ったら、潔く畳まれて引っ込んでいろ……今になって、その言葉が身に染みるんだ……僕はかすみちゃんのレインコートにはなれなかった。それが何より、心残りだ」

杉浦の言葉が、ひとつひとつ茉莉緒の心に染み込んだ。

あたしは、海のレインコートになれるんだろうか？

4

打ち合わせは意外と簡単に終わった。杉浦から脅かされていたので伊澤瞬がどんな気難しい人間かと内心びくびくしていたが、睡眠不足なのか欠伸《あくび》ばかり連発していることを除けば特に厳しいことを言うでもなく、オフィスKの要望にも取りあえず頷いてくれる。ただ一度もわかった、とはっきり承知しないのが茉莉緒には気になった。現地でこちらの要望が無視されることはある程度覚悟しておいた方がいいかも知れない。

「今日はこれで終わりだよね。ここで解散ってことでいいかな」

海が言ったが、茉莉緒は首を横に振った。

「事務所の方に顔を出していただけませんか、雨森さん。昨日のこともあるし、冴子さんと相談しておきたいことが」

「嫌だね」

海は言って、軽く茉莉緒を睨《にら》んだ。

「俺の頼み、聞いてくれないなら、茉莉緒の頼みも聞いてやらない」

「……頼み？……あ！」

茉莉緒は躊躇《ためら》った。簡単に呼べそうなのに、なぜか本人に向かってはそう呼べない。

いつも心の中ではそう呼んでいるのに。

「何の話？」

杉浦が興味深そうに二人を見ていた。

「スギさん、この人さ、俺のこと、雨森さんって呼ぶんだよ。どう思う？」

海が笑いながら杉浦に言った。

「どう思うって……海くんは嫌なの、その呼び方」

「嫌だ。ゆうべそう言ったのに、直してくれないんだ」

「すみません、あの」

「いいじゃない、呼び方なんてなんでも」

「だめ」

海はニヤニヤしている。

「毎日のことだから、嫌なんだ。雨森さん、って茉莉緒に呼ばれるたびに、憂鬱《ゆううつ》になる」

「じゃ、直してあげないとね」

杉浦が笑いながら茉莉緒の背中を軽く押した。

「わかったでしょ、茉莉緒さん。タレントってのはね、我儘《わがまま》なもんだから」

茉莉緒は仕方なく、小さく深呼吸した。そして海の目を見ないようにしながら言った。

「あの、それじゃ……海さん」

「さん無し」

「海」

自分で自分の声にどぎまぎする。

「あの、事務所に寄ってください。冴子さんと打ち合わせしたいことがあるんで」

「はーい」

海は笑いながらリュックを背負った。

「んじゃ、どっかで飯食ってから行きまーす」

「ご飯、まだ食べてないんですか？」

「起きてすぐは腹減らないタチなんだ、俺。茉莉緒も付き合ってよ」

微熱はまだあった。朝食はほとんど食べていないようなものだったが、空腹は感じない。だが茉莉緒は承知して、杉浦に先に事務所に戻ってくれるよう頼んだ。

伊澤瞬のスタジオは三階建てで一階が駐車場になっていた。外階段で下りようとしていた時、駐車場からざわめきが聞こえて来た。

「ちょっと待って」

杉浦が海の肩を摑《つか》んだ。

「海くん、こっちから下りない方がいい。他に出口、なかったっけ」

「ないと思いますけど」

茉莉緒は不安になってざわめきの聞こえる方を階段の上から覗《のぞ》き込んだ。

「ダメだっ」

杉浦が茉莉緒のからだを引き戻した。

「海くんはともかく、上に戻って、少しの間中で待たせて貰《もら》うんだ。茉莉緒さん、君は冴子さんに電話して、マスコミが来てるけどどう対応したらいいか指示を仰ぐ」

マスコミ！

ワイドショーとか？

「す、杉浦さんは」

「時間稼ぐよ。下に降《お》りてね。そうしないと連中、スタジオに押し掛ける。伊澤瞬の機嫌を損ねたら困るからね」

杉浦は咳払《せきばら》いをひとつして、弾みをつけて階段を駆け下りて行った。途端に小さな歓声に似た叫びがあがり、いくつもの人声がわんわんと駐車場に響きわたった。

海が階段を逆に駆け上がり、茉莉緒はその後に続いた。

スタジオに戻ると、石崎晴海が、帽子をたくさん抱えて何か作業をしていた。

「あら、どうしたの？」

石崎晴海が戻って来た二人に驚いた顔をした。

「忘れ物？」

「ワイドショー」

海が不機嫌に言って、スタジオの壁にそって置かれていた折り畳みの椅子を広げて座り込んだ。

「俺、殺人犯ってことになっちゃったのかな、結局」

「ば、馬鹿なこと言わないでください！」

茉莉緒は反射的に大きな声を出した。

「間違ってもそんなこと、言ったらダメです！」

茉莉緒は携帯電話を取り出して、事務所を呼び出した。

「冴子さん！　どうしたらいいんでしょう！」

電話口に出た声が冴子のものだとわかった瞬間に茉莉緒は叫んでいた。

「マ、マスコミが押し掛けてるんです！　今、杉浦さんが時間稼ぎしてくれていて
……」

「ちょっと、あなた茉莉緒ちゃん？」

「はい！」

「マスコミって、どのくらい来てるの」

「人数はわかりませんけど、かなりいるみたいです」

「そう」

冴子が舌打ちしたような音がした。

「こっちもさっきから電話、鳴りっぱなしなんで、この番号以外は受話器はずしてある

のよ。まあ仕方ないわね、きっと、どっかの新聞社が摑んだネタが流れたんでしょ。夕刊までは大丈夫かと思ったんだけどな、朝刊では海に関係があるってことはどこにも載ってなかったから」

「どうしたらいいんでしょうか」

「スギちゃんが応対してるのね？」

「はい」

「なら、事務所としてのコメントを後で各社に流すから、それまで待ってくれって言わせて。記者会見は予定なし。他のことは言わなくていいわ。それと、死体の第一発見者は事務所の女子職員。それだけでいいわ。海のマネージャーだとかあたしだってことは言わなくていい。それを杉浦に伝えて。あ、あなた、今杉浦の近くにいるの？」

「いいえ、スタジオの中に待機してます」

「それならあなた、連中に顔見られないようにしなさい。杉浦には携帯で伝えるのよ。いい？　それから、万一あなたがどこかで連中に捕まっても、何も言えないで押し通して。いい？」

「わかりました。何も知らないで通します」

「違う！」

冴子が耳元で怒鳴った。

「知らないじゃない、言えない、よ、言えない。あなたとあたしが死体の第一発見者だってことぐらい、すぐに知れ渡る。知らないじゃ言い訳が通らないでしょ？」

冴子は冷静な声で言った。

「言えない、とすれば、警察から口止めされてるんだと向こうが勝手に解釈してくれるわ。わたしは何も言えません。事件についてはマスコミには出来るだけ話さないようにと言われましたから、それでいいの。後は逃げまくる。わかった？」

「は、はい」

「じゃ、スギちゃんの携帯の番号、言うから」

茉莉緒は冴子に教えられた番号を慌ててメモしてから電話を切った。

自信がない。

冴子の指示通り、ちゃんと出来るのだろうか、あたしに……

自分がワイドショーのレポーターに取り囲まれていることを想像すると寒気がした。

だがやらなければならないのだ、海を守る為に。レインコートのようにぴったりと守り抜く為に！

杉浦の携帯を呼び出したが、なかなか出てくれなかった。回りを取り囲む声がうるさ過ぎて呼び出し音が聞こえないのかも知れない。マナーモードにしていてくれるといいのだが……

「もしもし？」

杉浦がやっと出てくれた。

「茉莉緒です。冴子さんから……」

茉莉緒は早口で冴子の指示を伝えた。受話器の奥から、女性の声が聞こえて来る。がやがやと、五、六人はいるようだ。

杉浦が了解し、茉莉緒はともかくホッとして携帯を切った。杉浦がうまくレポーターたちを追い返してくれれば、ここから逃げられる。

逃げられる？

茉莉緒は、自分で自分が思いついた言葉に憤った。なぜ逃げ回らなくてはならないのだ。あたしも海も、事件に巻き込まれただけなのに。何も悪いことなんかしていないのに！

ふと気づくと、すぐ目の前で石崎晴海と海とがじゃれ合うように紺色の帽子を取り合っているのが目に入った。

むかっ腹が立った。

あたしがこんなに苦労して、心配して、心臓をドキドキさせているのに、海はあまりにも気楽過ぎる！

「ダメだったら、夜からの仕事で使うんだから」

石崎晴海が笑いながら帽子を取り返した。

「いいじゃない、それ、すごく気に入ったんだよ。ねえ、売ってよ、ねえ」

「借り物なのよ。お店に返さないとならないの。海にはまたいいの見つけて来てあげるから、ね」

石崎晴海が子供をあやすように海の頭に手をあて、撫《な》でる仕草をした。

彼女との付き合いも、海は長いのだろうか。モデルとして長く活躍していた海だから、スタイリストの彼女と古くからの知り合いだったとしてもおかしくはない。でも……

茉莉緒の目には、海の周囲の人々が海に対して、みな打ち解けた様子をするのが奇妙に映った。なんだか、海の周囲では自分だけが、海と打ち解けていない、そんな気さえして来る。

僻《ひが》みなんだろう。

茉莉緒は、自分で自分自身に少し愛想《あいそ》をつかした。

あたしはまだ、海のことを知らな過ぎるんだ。知ろうと努力していない。海の周囲の人々はみな、海との間にそれぞれの「歴史」を持っている。それを持たないのはあたしだけなんだ。だからこんな……疎外されてるような気がしてしまうんだ。

呼び方だってそう。海が嫌だと言うんだから素直に呼び捨てにしてあげればそれでいいのに、呼び捨てにするのが恥ずかしい気がするのは、あたし自身が海のことを知らない、海と「親しくない」と思い込んでいるからだ。こんなんじゃとても、海のレインコートになんてなれやしない。わたしはあなたのからだに合わないかも知れませんから、なんて遠慮してるコートなんて、海はいらないって思うものね。少々だぶついてたって窮屈だって、ともかく、海を包もうと思わないと駄目なんだ……

「海」

茉莉緒は思い切って呼びかけた。

海は茉莉緒を見て、少しだけ驚いたように目を見開いたがすぐに笑顔になった。

これまで見たことないほど、優しい笑顔だ、と茉莉緒は思った。

「なに？」

「あ、あの」

呼びかけたはいいが、後が続かなかった。茉莉緒は困って何度も瞬《まばた》きしていた。だがタイミング良くドアが開いて杉浦の顔が見えた。

「連中、引き揚げたよ」

「すぐここ、出ましょう！」

海は頷《うなず》くとリュックを背負い、石崎晴海にちょっと手を振って機敏な動きでドアの外に消えた。茉莉緒はまた慌ててあとを追った。

動作が鈍い！

茉莉緒は自分で自分を叱咤《しった》した。

コートが中身に置いてけぼりになっちゃったら駄目じゃないの！

階段を駆け下りると、杉浦が自分の車に突進した。駐車場にはもう誰もいない。だが出来るだけ早く退散するに越したことはない。

三人とも乗り込むと、杉浦はカーチェイスでもやっているような勢いで車をスタートさせた。

事務所のあるビルの前で杉浦は車を停め、辺りの様子を窺《うかが》った。

「大丈夫みたいだね。いいよ、降りて」

杉浦の声で茉莉緒と海は車を降り、早足でエレベーターに乗り込んだ。

ドアを開けて事務所の中に駆け込んでやっと、茉莉緒の胸の動悸《どうき》がいくらか収まった。

「ご苦労さま」

雑誌を読みながら洋子が笑った。

「どう、ワイドショーに追いかけられた気持ちは、茉莉緒」

「怖かったです」

茉莉緒は正直に言って自分の席に座り、大きく安堵《あんど》の溜《た》め息をついた。

「それでどうするの、冴子さん。記者会見やるわけ？」

洋子の問いかけに冴子は頰づえをついたまま頭を横に振る。

「遺体の第一発見者は海じゃなくてあたしと茉莉緒ちゃんだもの、海が会見する必要はないでしょ」

「でも無関係です、じゃ通らないでしょう。なんで冴子さんと茉莉緒があの千夏って子に会いに行ったのかって点はどう説明するのよ」

冴子は頭をぐるぐると回した。

「説明なんてする必要ないわ。説明しろって言われたって、あたし自身、何がなんだかわかんないんだから」

洋子は笑い出した。

「まあそりゃ、そうなんだろうけど。冴子さん、最後には開き直るからなぁ、いつも」

「開き直りこそがね、芸能界で生き抜く為には最も有効な手段なのよ。冗談じゃないわよ、それでなくても事件と関係がありそうだって噂されただけで、充分ダメージ受けてるのに、この上我々にどうしろって言うのよ。ともかくね、いい？　みんな」

冴子が声を大きくした。

「誰に何聞かれても、何も答えないでよ。徹底してだんまりを通してちょうだい。我々がじっとしてれば、その内に警察が事件を解決してくれるわ。いい？」

一同が頷いたのを見届けて冴子が言った。

「茉莉緒ちゃん、海のスケジュール表持って来て」

茉莉緒は慌ててスケジュールを書き込んだ表を冴子の机まで持って行った。

「例の変更ね、まだしてないわね」

「はい、今日中に出来るところはしようかと」

冴子は頷いた。

「これによれば、と……ハワイ行きの前に入ってる大きな仕事って、来週の二時間ドラマと、連ドラのゲスト出演だけね。これは動かせないとして、他の細かいのを出来るだけ前倒しして、来週末までに全部終わるようにしましょう」

「全部ですか？」

茉莉緒は驚いてスケジュール表を見た。確かに細かい仕事ばかりだったが、それでも来週末までに総《すべ》て終わらせるのは無理に思える。

「そう、全部。連ドラの撮りが終わったら、すぐハワイへ発《た》つのよ。あなたもスギちゃんもね。わからない？」

冴子は、面食らっている茉莉緒に何でもないことのように言った。

「緊急避難よ。逃げちゃうの、ワイドショーから。大丈夫、海程度のネタ追いかけて海外取材費つかうほど彼等も裕福じゃないわ。それにあたしが何とか、仕掛けしとくから」

仕掛け？　仕掛けって、何だろう？

「来週末から行けば、予定の撮影終わるまで十日は日本を離れていられるでしょ。日本の警察は優秀よ、十日あれば殺人犯を逮捕してくれるわよ、きっと。そうでなくても、この業界、人の噂は二週間、の世界だからね。スギちゃん！」

冴子の一声で、杉浦が飛んで来る。

「来週末の飛行機押さえて、宿も手配のし直ししてちょうだい」

「了解」

「洋子！」

「はぁーい」

洋子は座ったまま、ニヤニヤ笑っている。

「あんた茉莉緒ちゃん手伝って、動かない仕事があったら知恵貸してやってよ」

「わっかりましたぁ、ボス！　あ、それはそうと、さっきの子、どうでした？　後で電話するって約束してあったから」

さっきの子……ああ、そうか。茉莉緒は思い出した。確か今日の三時に、昨日テレビ局で神田英子に紹介された、塚田仁とかいう男の子を冴子に会わせると……

「素材としてはいいと思うわよ、顔付きも目も、いい感じだわ。だけどほんとにうちでいいって言ってるわけ？　神田さんなら他に大手を紹介出来るんじゃないの？」

「本人がさ、どうも、久松《ひさまつ》さんのファンらしいのよ」

久松重之《しげゆき》は舞台を中心に活動する演技派俳優で、オフィスKに所属する俳優の中ではもっとも堅実な活動をしている中年の男優だった。

「久松さんと同じ事務所でデビューしたいってことみたいよ」

「正直言うとねぇ、新人売り出すにはちょっと、台所苦しいんだけど」

「わかってる。でもそこを一踏ん張りしとかないと、美樹と海だけで後がないんじゃ三年後が苦しいわよ」

洋子の頭の中には、三年後にふたりともが当たって事務所が潤っているという想像はないのだろうか。茉莉緒は何だか不満だった。

「まあいいわ。洋子がイケると思うなら、うちで預かってみましょう。悪いけど社長に提出する、あの子の売り出し計画書作ってちょうだい。で、あなた担当やってくれるのね？」

「茉莉緒に持たせたらどうかなと思うんだけどな、冴子さん」

茉莉緒は驚いた。

「あ、あたしですか！」

「そんな驚いた顔しないでよ」

洋子が笑って言った。

「この事務所でさ、担当をひとりしか抱えてないのはあんただけよ。そんな贅沢《ぜいたく》な状況、うちの台所事情で許されると思う？」

「でも、あたし」

「海の専属マネージャーにするつもりで冴子さんが雇ったって言うならしょうがないけどね」

「茉莉緒はあんたと同じ、ただの社員よ」

冴子は、洋子に向かってちょっと睨《にら》むような顔をして見せた。

「つまんないこと言わないで。その内に茉莉緒にも他のタレント持たせるわ。でも今はまだ無理でしょ、海ひとりでも持て余してるのに。まあいいわよ、あんたが手いっぱいなら、スギちゃんに任せるわ。スギちゃんもリハビリ終わったら完全復帰して貰《もら》わないと困るしね」

「茉莉緒、あんたあの話、冴子さんにした？」

洋子に袖を引っ張られて、茉莉緒は何のことかわからず瞬きした。

「やだあんた、忘れたの？　山下さんの件よ！」

「あ、はい、すみません。まだ」

「うんもう、しっかりしてよ！　海にとってあの話が今、いちばん大事なんじゃないの」

「洋子、何よ山下さんの話って」

冴子が立ち上がった。

「昨日、大東テレビで何かあったの？」

「いいわ、あたしが話す。ちょっとあっち、いい？」

洋子は、事務所の隅のソファにひっくり返って自分宛てのファンレターに目を通している海をちらっと見てから、別室になっている応接室のドアを顎《あご》で示した。

冴子が頷《うなず》く。茉莉緒も冴子と洋子のあとを追って応接室に入った。

「海に話す前に事務所としてどうするか決めちゃった方がいいと思うのよ。海がやりたいって言っても、やらせない方がいいって冴子さんが判断するなら、この話は断るわ」

「ドラマ？」

「そう。山下さん、ちょっと賭《か》けてみたい脚本があるらしいの。三郷一郎《みさといちろう》よ」

「三郷一郎か」

冴子の表情が引き締まった。

「大物ね。だけど、あの人の脚本は難し過ぎて民放向きじゃないわよ」

「狙いは来年の国際テレビ博らしいの。山下さん、そろそろ大きなプライズが欲しいみたい。もう過去の人なんて陰口叩く連中もいるからね、現役最後にもうひと花ってとこね」

「国際テレビ博」

冴子は口の中で繰り返した。

「グランプリ取れば、全世界のテレビ局で放映されるチャンスもある……アメリカで当たれば、ハリウッドへの道も夢じゃない……か。でもねぇ」

冴子は苦笑いした。

「山下さんのことだから、海にはとんでもない役を回そうとしてるんじゃない？」

「その通り」

洋子は肩を竦《すく》めた。

「思いっきり汚れた役らしいわ。まだ脚本見たわけじゃないから想像だけど、ダーティなイメージがついちゃうのは覚悟しないとならないかも……レイプがあるんだって」

「だめ」

冴子は頭を横に振った。

「断りましょう。だめよ。レイプの役やったらCMの仕事は、少なくとも数年間は絶対来ない。CMが来なかったら本編《ほんぺん》でも主役は回って来ないわよ、まず」

「そんなことはないんじゃない？　ダーティ・ヒーローの欲しい映画だってあるじゃない」

「海の顔はね、ダーティ・ヒーローとして存在感が出るタイプの顔じゃない。中途半端にレイプなんか演じたら、虻蜂《あぶはち》取らずになるのがオチ」

洋子は、ふう、と息を吐いた。

「まあ、そうでしょうね。やっぱり断るしかないか」

「あの」

「なに、茉莉緒」

「脚本を読ませて貰うわけには行かないんでしょうか。レイプって言ってもどういう状況でのことなのかとか……」

「ホン見ちゃってから断るなんてこと、出来ると思う？　三郷一郎の脚本にケチ付けたなんてことが広まったら、テレビドラマでは二度とまともに使って貰えなくなるわよ」

「三郷先生にわからないように、こっそりとは……」

洋子は笑った。

「そりゃ、それが出来るならね。でもどうやるわけ？　ホンは山下さんが持ってるんでしょ、しかもたぶん、まだ全部書けてるわけじゃない。大方、構想だとかラフみたいなもんを三郷先生から預かってるだけよ、あの人も」

「ま、脚本を見ることが出来れば考える余地はあるかも知れないけど、今のとこはあたしは反対」

冴子は立ち上がった。

「少なくともね、今は時期が悪すぎるわよ。今度の騒動に海が完全に無関係だって証明されない限り、海に汚れ役はさせられないわ」

「山下さんに断っちゃっていいのね？」

「あたしから連絡しとく。最近挨拶《あいさつ》してないから丁度良かったわ。今度のことも報告しとかないとならないし」

「ねえ、冴子さん」

洋子は不満げな顔で座ったまま言った。

「海は今のままじゃ、どうにもならないわよ」

茉莉緒は洋子を見た。洋子は茉莉緒の視線を意識して頷いた。

「あの子には限界が来てるのよ。はっきり言って、我々の失策よ。あの子をアイドル売りするのか実力派に育てたいのか、迷いがあったから中途半端になっちゃったのよ。だからあの子自身もいまひとつやる気を出してない。そろそろ方針転換の時期じゃないのかなあ。そりゃあたしだって、冴子さんの夢はわかってるわ。海をどんなタレントに育てたかったか、冴子さんが目指したものは理解してるつもり。正統派の二枚目俳優としてどんな映画でも主役の出来る男優を育てるのは、男の役者を抱えたマネージャーの夢みたいなもんだものね。今さら、個性派だの性格俳優だのって路線に海を乗せたくないのはわかるのよ。だけど、無理なのよ。海の個性は、やっぱり違ってたのよ、冴子さんの理想とは」

冴子は立ったまま腕組みしていた。だが頑《かたく》なに首を振った。

「海には土台がない」

冴子は目を閉じていた。

「演技派と呼ばれるようになれるだけの土台が、まだない。今難しい役をさせて、やり切れなかった時、あの子は終わりになってしまう」

「冴子さんらしくないわ」

洋子の口調は辛辣《しんらつ》だった。

「いつもの冴子さんなら、タレントに賭けをさせることとためらったりしないじゃないの。芸能界はそういうとこだって、冴子さんがいつも言ってたことでしょ？　常に自分の限界を賭けて、その賭けに勝った人間だけが生き残る、そういう世界なんだって。この際だからはっきり言うけど、海が思うように当たらなかった最大の原因って、冴子さんのその弱気にあったんじゃないの？　海のことが可愛くて、あの子に賭けをさせられなかった、冒険をさせてやれなかった冴子さんの弱気が、結果としてあの子を壁に追いやっちゃったのよ。あたし、断言してもいい。今のままなら、海は遠からず潰《つぶ》れる」

きつい言葉だった。だが本当のことなのだ。

茉莉緒は今さらのように、海が今置かれている状況の厳しさを実感した。

芸能界とはそういうところなのだ。中途半端なままいつまでも、何となく生きていけるほど甘くはない。

だが、この胸の痛みは何なんだろう。海のことを遠からず潰れる、と言われて、まるで自分の全存在が否定されたかのような気分になっている、この感覚は。

「茉莉緒、メソメソしないの」

洋子に言われて、茉莉緒は自分がまた涙をこぼしていることにやっと気づいた。何だか最近、随分と泣き虫になった気がする。以前は何があったって泣いたことなんかなかったのに。

「この業界、毎年毎年何百人もの新人がデビューしてるのよ。みんなが適当にやってても生き残れるんだったら、日本中芸能人だらけになっちゃうわ。第一、海はあの程度の仕事量でもあんたの給料の五倍は収入があるのよ。それだけの金を貰《もら》ってて、今みたいな姿勢でしか仕事出来ないんじゃ通用するわけがないでしょ？　あんたも本気で海のこと考えてるんだったら、メソメソしてる暇なんかないはずよ、わかる？」

「……はい」

茉莉緒ははなをすすった。

「それであんたはどう考えてるの？　山下さんの話ね、断った方がいいと思ってる？」

「ちょっと洋子、茉莉緒に絡んだってしょうがないでしょ」

「絡んでるんじゃないわよ。この子は海のマネージャーなのよ。この子の意見をあたしも冴子さんもいちばん尊重しなくちゃならないんじゃない？」

冴子が腕組みして頷いた。

「それもそうだわね。茉莉緒ちゃん、正直なとこ聞かせてちょうだい。あなたはどう思う？」

「あ、あたしは……」

茉莉緒は戸惑いながら、冴子の顔を見た。

「あたしは……あの」

「はっきり言いなさい、構わないから」

「挑戦してみてもいいと……思います」

洋子が頷《うなず》くのが見えた。冴子はじっと茉莉緒を見ていた。

「理由は？」

「理由は……理由は……」

茉莉緒は下を向いた。

「理由は……海さんなら出来ると思うから」

「もっと大きな声で！」

洋子が叱咤《しった》する。茉莉緒は顔を上げて大声で言った。

「海さんなら出来ると思います！」

茉莉緒は夢中だった。

「彼なら出来ます、きっと、どんなに難しい汚れ役だって！」

「海はまともに演技の勉強もしたことないし、劇団にいた経験もない。今まではあの子の感性だけで何とか乗り切って来られたけど、汚れ役となるとそうはいかないのよ。汚い役ほど演技力を要求されるのがドラマであり、映画なんだから」

「でも、でも、海さんのあの目の力は本物です。あたしこの十日で気づいたんです。どんな撮影の時でも、カメラマンが海さんをファインダーで覗《のぞ》いた途端に顔つきが変わるんです。海さんに夢中になっちゃうんです」

「それは、あの子が被写体として魅力的だからよ。あの子の才能は被写体になった時にいちばん発揮される。あたしもそれは認める。つまりあの子にはモデルとしての希有《けう》な才能があるんでしょうね。だけど、役者は被写体じゃない。カメラの目を通して、カメラマンの頭を通して表現される素材であってはダメなのよ。役者は、ダイレクトに観客の頭に訴えかけるものがないと。あの子にはまだそれだけの力がない」

「どうしてわかるんでしょうか」

茉莉緒は、自分が冴子に対して口答えしたのに気づいた。だがもう止められなかった。

「なぜ海さんに力がないってわかるんですか？　これまでその力が試されるような役をやったことがないのに、どうしてわかるんですか！」

「正論」

洋子が拍手した。

「茉莉緒の言う通りよ、冴子さん。冴子さんはこれまで海の仕事を自分で選んで来た。あたしいつも思ってたの。どうしてこんな無難な仕事ばっかりさせるんだろう、優等生の役ばっかじゃ、観客も視聴者も海のことなんてすぐに忘れちゃうのにってね。冴子さんは海を正統派の主役スターに育てたかった。だから汚したくなかった。その気持ちはわかる。わかるけど、その気持ちが強すぎたあまりに途中から、冴子さんは海を無意識に、無難で安易な方向へと引っ張って行くようになった。そうは思わない？　つまりさ」

洋子は、トーンを少し落として言った。

「冴子さんはいつの間にか、海のママになっちゃってたのよ。だけどもう海はママの必要な歳じゃない。あの子、役者としてデビューして今年で何年になる？　もう新人じゃないのよ、一般的に言えばね」

洋子は茉莉緒の肩を摑《つか》んで揺すった。

「冴子さんはこの子を何の為に、わざわざ京都から連れて来たの？　この子にベビーシッターさせるつもりだったわけじゃないでしょう？　自分でも気づいてたんでしょう、海に対して自分がしてることが、過保護だってことに」

冴子は答えなかった。唇をきつく結んで黙っている。

不意に、茉莉緒の心臓がきゅんと痛くなった。今初めて茉莉緒は、冴子も冴子なりに海を愛しているのだ、と知った。

愛しているのだ。決して、ただ鬱陶《うっとう》しいと思っているわけじゃない。冴子も海のことが大事なのだ。仕事として割り切ってしまうことが出来ないほど、海が大切なのだ。

「冴子さんの判断は正しかったと思うのよ」

洋子はもう一度、茉莉緒のからだを揺すった。

「この子を連れて来て海に付けたこと。この子はずぶのシロウトでこの世界のことを何も知らない。常識も慣習も何もね。だからこそ、この子は純粋な目で海の将来を見つめることが出来る。ううん、ただ見つめるんじゃない、信じることが出来るのよ。海は必ず素晴らしい俳優になる、輝くスターになる、そう信じてがむしゃらに突き進むことが。あたしや冴子さんにはもう、それは出来ないものね。だけどせっかくこの子を連れて来たのに、冴子さん、あなたが勇気を出してくれなくちゃ意味がないのよ。海には転機が来てる。もう、今までのやり方ではこの先は通用しないわ。海はアイドルにはなれなかったし、たぶん、まともな二枚目俳優としてやって行くことも出来ない。あの子には、そういう種類の『華』がない。だけどあの子には、不思議な魅力があることは事実よ。

その魅力に賭《か》けてみるつもりなら、山下さんの話は願ってもないことなんじゃない？」

「ドラマは怖いものよ」

冴子は静かに言った。

「映画よりも怖い。見ている人間の数が違う……真希七恵《まきななえ》のこと、覚えてるでしょう？」

「ああ、あの年上の男をたぶらかす女の役で当てた子ね」

「あのドラマは確かに当たった。だけど真希七恵はドラマの役と本人のイメージとをだぶらされちゃって、好感度がガタガタになった。特に女性から総スカンで、ＣＭは契約を更新してくれた企業がひとつもなく、彼女が次に出た連ドラは視聴率も悪く、途中で打ち切り」

「真希七恵の事務所も慌ててたみたいね」

「必死だったわよ、イメージの回復に。でも一度固定されたイメージはそんなに簡単に払拭《ふっしょく》出来るもんじゃない。結局真希七恵はいつの間にか消えちゃったわ」

「だけどそれは、真希七恵自身に才能がなかったからかも知れないじゃない。もし役で付いたイメージが自分本来の資質と違うものだったら、それを払拭するような仕事をすれば名誉回復は出来たはずよ。なのに確か、真希七恵は神経症になったとかで仕事がろくに出来なかったみたいじゃない」

「真希七恵は、彼女なりに体当たりであのドラマに出たのよ。役になりきろうと一所懸命やったんでしょう、たぶん。それが裏目に出てしまったら、彼女自身途方に暮れたのは理解出来るわ。それに、この世界は非情よ。ドラマを作る側からしたら、真希七恵のタレントとしての将来なんて元々関係がない。ドラマが評判になって視聴率が上がればそれでいい。女に嫌われる典型みたいな女の役で一度当てた子なら、次に使う時も似たような役で出したいと思うでしょ。その方が評判になるし、怖いもの見たさの視聴者がチャンネルを合わせてくれるだろうと計算出来るもの。しかもイメージ回復の為に出た無難な役《やく》どころでは視聴者は納得せずに、視聴率が悪くて打ち切り」

「つまり、真希七恵をまともな役で使おうという話は来なくなっちゃったってことか」

「そう。結局ね、真希七恵の事務所としては、来る仕事のほとんどを断らざるを得なくなっちゃったのよ、イメージを回復させる為に。だけど真希七恵程度のタレントが仕事を選んでたんじゃおしまい。イメージ回復のチャンスは失われ、それどころか仕事の依頼が来なくなって消えてしまった」

「真希七恵の芸能人としての価値は、女に嫌われる女、ってところに出来上がってしまったわけね。それ以外のものは誰も彼女に期待しなくなっていた……だけどそれならいっそ、悪いイメージを逆手に取って生き延びる方法はあったんじゃない？　要は事務所の思い切りが足りなかったのよ。嫌われるのも徹底出来れば立派な芸よ。他の若い女の子には絶対真似出来ない、真希七恵の武器になったはずよ」

「あなたはどう思う、茉莉緒ちゃん」

冴子が急に茉莉緒に話を振った。

「もしあなたが真希七恵だったとしたら、女に嫌われる女ってイメージを自分の上に固定されること、受け入れられると思う？」

「あ、あたしは……」

「ワイドショーだとか女性週刊誌で徹底したバッシングをされ、カミソリや死んだゴキブリの入ったファンレターが届く生活に耐えられる？」

「……わかりません」

茉莉緒は正直に言った。

「今の自分なら絶対に耐えられないと思うけど……でも、自分が芸能人だと自覚していたら……」

「耐えた人は大勢いるのよ」

洋子がきっぱりと言った。

「そういう時代を経て、やがてその嫌われ役が自分の芸として確立した俳優はたくさんいるわ。その人たちは誇りを持って嫌われ役をやってるし、芸の域に達すれば世間はそれを認めるようになる」

「あたしは海に、悪役専門の俳優になって欲しいとは思わない」

冴子はあくまで言い張った。

「芸域を広げることは大切よ。難しい悪役に挑戦するのもいいでしょう。だけどそのイメージが固定されてしまうのは駄目よ。それは違う……違うわ。ねえ茉莉緒、違うと思わない？」

「はい」

今度は迷わなかった。冴子の言いたいことがとてもよくわかった。

「違うと思います」

「茉莉緒」

洋子が不満げに茉莉緒を見る。茉莉緒は冴子に向かって頷《うなず》いた。

「海さんは……悪役だとか、そういう色を付けてやって行く人じゃないと思っています。どんな役でもこなすことが出来る、自分の世界に役を引き込むことが出来る、そういう俳優になれるはずです、きっと」

「海には基礎がないのよ。俳優になったのは偶然の産物みたいなものなのよ？　なのにどうしてそんなことが言えるのよ」

「あたし、信じてるんです、洋子さん」

茉莉緒は洋子の方を向き直った。

「信じてます。海さんの目の力を……信じていいですよね？　根拠なんてなくてもそれが信じられるから、あたしを海さんのマネージャーにしたことは正しかったと、洋子さん、おっしゃってくれましたよね！」

洋子はしばらく茉莉緒の顔を見ていたが、やがて苦笑いのように相好《そうごう》を崩した。

「まあね、そういうことだけどさ。でも今度の山下さんの話に乗ることには賛成なんでしょ、茉莉緒は」

「はい」

「冴子さんが心配してるみたいに、イメージが固定されるおそれはあるわよ？」

「大丈夫です」

茉莉緒は言い切った。

「海さんなら、真希七恵のようなことにはなりません」

「おやおや」

洋子はニヤニヤした。

「自信あるんだ、茉莉緒」

「あります。真希七恵は結局、その悪役を自分のものにしていなかったんだと思うんです。中途半端だったんです。だからその役が魅力的には見えなかった。ただ嫌らしい女に見えてしまった。どんなに悪い役でも、嫌われる役でも、魅力的に演じることは出来るはずです。その魅力があれば、見ている人は納得します。役に対する不快感を超えて、演じた俳優に尊敬の念が抱けるものだと思います」

茉莉緒は自分が大それたことを言っていると気づいていた。だが言いたかった。海にはそれだけの才能があるはずだと、信じたかった。

「わかった」

冴子が言って、胸の前でパンと一回、手を打った。

「それに勝てば海の将来にとって少しでもプラスになりそうな賭けなら、やってみましょう。負けたらまた、モデルとして売り出すこと考えればいいんだしね」

冴子は諦《あきら》めたように笑った。

「ただしね、茉莉緒ちゃん。この話はあくまで、脚本によるわよ。海がただの悪役ってだけで終わるような作品ならあたしは出さない。誰が何と言おうとも」

「はい。あたしも、そう思います」

「で、どうやって正式な依頼の前にホンを読ませて貰《もら》うかが問題ってことね」

「何かいいアイデアがある？　洋子」

「ま、アイデアって呼べるほどのもんじゃないけど、要は三郷一郎に、こっちがホンを読んだことがバレなけりゃいいわけよね。そのへんのとこ、いっそ山下さんにこっちのお腹の中を見せちゃって、頼んだらいいんじゃない、このさい」

「賛成」

冴子は腕組みして頷いた。

「あたしから山下さんにぶつかってみるわ。ただ、ホンが完成してればいいんだけど……」

「山下さんの口振りだと、もう出来上がってるみたいな感じだったわよ。もちろんキャステイング次第で決定稿までにはいろいろ変わるでしょうけど、それにしても、内容的にはかなり煮詰まって形が出来てることは間違いないと思う。山下さん、本気で一発賭《か》けたいみたいな感じだったもの。山下さんが本気になれば、局をあげて作ることになるでしょうから、ドラマの質は間違いないものになるはずよ」

「局制作になるのは間違いないの？」

「制作会社に任せるつもりなら、あんな言い方はしないわよ。冴子さん、海にとってはほんとに大きなチャンスになると思うわよ、この話。今や局制作のドラマなんて年に二本かそこらしかない。局のメンツを賭けて、他の出演者も豪華な顔ぶれになるはず。国際テレビ博で何かの賞でも取れば、日本では最高の時間帯に、最高の宣伝をした上で放映される。海の顔は一気に全国区よ」

「それは、何もかもがいちばんいい形になった時の話よ」

冴子は肩をすくめたが、さっきまでよりはかなり柔らかな顔つきになっていた。

「この業界に長くいるとさ、賭けに勝った者の顔よりも負けた者の顔の方を多く見ることになるじゃない、どうしたって。賭けに負けて消えて行く人間の方が圧倒的に多い世界なんだもの。そして、世間の人の頭には勝った者の顔しか記憶されない。だから勝たせてやるのが我々の仕事よ」

洋子は大きく両腕を上げて伸びをした。

「負けた時の心配なんてしてたら、先へは進めないわ。そんなことより、賭けに参加する前に潰《つぶ》されたりしないように、今度の事件のフォローは万全でやらないとね。冴子さん、やっぱり事務所として会見開いた方がよくない？　何も言わないでいたら好き放題に書かれるだけよ」

「会見ったって、今はこっちの材料がなさ過ぎるわよ」

冴子は大きな溜《た》め息をついた。

「ともかく、警察と相談してみるわ。どこまで喋《しゃべ》っていいのかも訊《き》いとかないとね。茉莉緒ちゃん、今日の海のスケジュール、後はどうなってるの？」

「あ、今日はもう入ってません。冴子さんと打ち合わせしたいと言って、ここまで来て貰ったんです」

「じゃ、これからあたし、社長と警察に行って来るから、あなた、今夜は海を遊びに出さないように見張ってて。あ、そうだ、ちょうどいいわ、夢野《ゆめの》先生のとこに電話してね、今からレッスンを入れて貰えないか聞いてみて」

「はい！」

茉莉緒は応接室を飛び出し、電話に飛びついた。

5

急にボイストレーニングのレッスンに連れて行かれて海は不満そうだった。

「今日から原宿のジーンズショップでバーゲンだったんだぜ」

茉莉緒が運転する車の中で、海は唇を尖《とが》らせた。

「ハワイに発《た》つ前に出来るだけトレーニング受けて貰うよう冴子さんに言われたものですから」

「嘘つけ」

海は助手席から、茉莉緒のからだを肩でこづいた。

「どうせ、今夜俺を遊びに行かせるなって言われたんだろ」

「……聞こえてたんですか？」

海が笑い出した。

「茉莉緒ってさあ、嘘の言えないタイプだよな、ほんと。カマかけただけじゃん。だけどなんでボイストレーニングかなあ、ＣＤ出すわけでもないのに。俺、あれあんまり好きじゃないんだ、腹が減るんだもん」

「冴子さんが言ってたでしょう、舞台の仕事を受けられるようにする準備じゃないですか。それに、ＣＤだって冴子さんは視野に入れてるみたいですよ」

「まじかよ。俺、歌は駄目だよ」

「興味ないんですか？　今時の若い男優さんって、バンドやったりするの、好きじゃないですか」

「歌って恥ずかしいじゃん……ギター弾いてるのは楽しいけど」

「ギター、弾かれるんですね」

「茉莉緒。言葉遣い、もうちょっと何とかしてってば」

「雨森さんって呼んでないですけど」

「ないですけど、に、弾かれるんですね、じゃないでしょ。もうちょっと軽く喋ってよ、あ、海ってギター弾くんだ、みたいに」

「癖になっちゃったんですよね」

茉莉緒はハンドルを握り前を見たまま言った。

「この半月近く、こういう喋り方してたから」

「たった十日かそこらでしょ。これからの付き合いの方がずっと長いんだよ、俺と茉莉緒は」

「そうですね、じゃなくて」

茉莉緒は唇を舐《な》めて言い直した。

「そうよね……そうね」

「そうそう」

茉莉緒は、思わず笑い出した。

「なんか、意識するとぎこちなくなっちゃう」

「意識しなきゃいいさ。気楽にやろうよ、もっと」

「はい……あ、うん」

ふたりは同時に笑った。何となく、この仕事を始めてから茉莉緒が無意識に築いてしまった壁のようなものに、小さな穴が開いて涼しい風が吹き抜けた、そんな感じだった。

レッスンが終わるまで、茉莉緒は駐車場の車の中で待っていた。夢野エッコのボイストレーニング・スクールは芸能人御用達《ごようたし》の有名な教室だったが、完全予約制で一般人のレッスンは引き受けないため、マンションの一部屋を防音室に改造した小さな教室でレッスンを行っている。そのマンションのゲスト用の駐車場はたった三台分のスペースしかなく、いつ来ても満杯だ。かと言って麻布のど真ん中で路上駐車などすれば駐車違反の紙を貼られるのは当然だったから、仕方なく茉莉緒はいつも、運転席に座ったまま駐車場の隅で待つことにしている。

場所が場所だけに、住民用の駐車場にあるのは高級外車ばかりだった。ほんの半月前まではまるきり無縁だった、そうした外車の持ち主たちが、今では茉莉緒の周囲にたくさんいるのだ。そして、いつか、いつか海もそうしたセレブレティの仲間入りをする。きっと。

茉莉緒は、海が素晴らしいスポーツカーに乗っている姿を想像して、気恥ずかしい嬉《うれ》しさを感じた。

その時、茉莉緒はふと、住民用の駐車スペースに停まっている一台の車に目を止めた。

青いポルシェ。

江崎マナの車……？

茉莉緒は自動車のことにはあまり詳しくない。小さくて丸みを帯びた平べったいフォルムからポルシェだということぐらいはわかったが、その車が、昨日江崎マナの脱出劇の時にマナの身代わりで自分が乗った車と同じものなのかどうかは、よくわからなかった。だが色はそっくりだ。目に飛び込んで来るような、鮮やかなブルー。

まあ、そんなに不思議なこともないだろう、仮にあれが江崎マナの車だとしても。麻布の一等地に建つ高級マンションの駐車場なのだから、ここは。

レッスンは二時間足らずで終わる。茉莉緒はゆうべほとんど寝ていなかったことと、昨日から連続して起こった様々な事柄に心身とも疲労していたこととで、ハンドルに顔を伏せたまま自分でも気づかない内に眠ってしまった。

コトン、と微《かす》かな音がしたような気がして、茉莉緒は目を開けた。何かが視界の隅を通り過ぎたような気がしたが、眠っていたせいで目の焦点がきちんと合うのに少し時間がかかった。目の前がはっきりした時にはもう、駐車場には停められた車の他は何もなかった。

丁度、海がエレベーターから出て来るのが目に入った。

「お待たせ」

海は助手席に滑り込むと、握っていた拳《こぶし》を突き出した。

「これ、お土産」

茉莉緒が掌《てのひら》を上に向けて出すと、その上にぱらぱらと三、四個のキャンディが落ちた。

「夢野先生がくれたんだ。井上つかさのヨーロッパ土産だって」

「井上つかささんって、来年の大河ドラマでいい役につけたみたいですね。彼も元、モデルさんだったんでしょう？」

「一緒に住んでたことあるよ、パリの安宿で」

海は口にキャンディを放り込んでぼりぼりと噛《か》んだ。

「俺がこっちの世界に入ってからも一年くらいパリにいたんじゃなかったかな。それで戻って来て、いつの間にか俳優になってた……完全に追い越されちゃったけどさ」

海は笑った。だがそれは、少しの悔しさもない淡々とした笑い声だった。茉莉緒は不満だった。なぜ、悔しいと思わないんだろう？　モデルとしては自分よりずっと才能の面で劣っていた人間が、俳優としてはあっという間に自分を追い越して売れてしまったという事実を、どうしてこんなに簡単に受け入れてしまうのだろう？

この淡泊さが、総《すべ》ての原因なのだ。海がいまひとつ壁を乗り越えられない原因。

茉莉緒はキャンディをひとつ口に入れると残りをポケットに突っ込んでエンジンをスタートさせた。

「これからどうするの？」

「お部屋まで送ります」

「いいよ、六本木の交差点辺りで下ろしてよ」

「だめ」

茉莉緒は信号待ちで海の方を向いた。

「もう、いい加減に自覚してくださいよね、今冴子さんと社長は警察に行って、善後策を話し合っているところなんですよ。それでなくても昼間、ワイドショーに押し掛けられて大変だったのに。ともかくハワイに出発してしまうまでは夜遊びも単独行動も諦《あきら》めてください。あたしがずっと付いてますから」

「なんか茉莉緒、迫力出たね」

海がくすくす笑った。

「俺のボディガードみたい」

「あたし、レインコートになるって決心したんです」

「……何になるって？」

「レインコートです。雨ガッパ」

「なんでそんなものになりたいのさ」

「あなたには必要だからです、海さん」

「さん無し」

「はい。海」

「俺、レインコートなんて嫌いだよ。あれ、蒸れるじゃない。暑いし」

「蒸れても暑くても、あなたには必要なんです。あなたにぴったり貼り付いて、あなたを雨から守る存在が。それでいてあなたの行動を妨げない存在が」

「そういうの、普通逆じゃない？」

「逆って、何が？」

「普通はさ、男でしょう、あなたを守りますって言うのは」

茉莉緒は思わず笑い出した。

「海さ……海って、意外と古くさいんですね。今時、男が女を守るものなんて決めつけたら笑われますよ」

「そうかなぁ……自然な発想だと思うけど。男ってのは女を守るように生まれついてるもんでしょう」

「じゃ、女は男を守るようには生まれついてはいないんですか？　女だって、大事な男のことは守りますよ。腕力とか体力の問題じゃないでしょう、守るっていうことは」

「あ、なんかそれ、フェミニズム？」

「そういうことじゃありません」

茉莉緒は自分に言い聞かせるように言った。

「愛と責任の問題です」

言ってしまってから、茉莉緒は恥ずかしさで逃げ出したくなった。

だが海は笑わなかった。

少しの間、沈黙があって、それから海の大きな溜《た》め息が聞こえて来た。

「愛と責任の問題」

海が繰り返した。

「なんか、すごいな、その言葉。愛と責任か……でもね茉莉緒。君は俺に対して、そこまで思ってくれなくちゃいけない義理はないよ。真面目な話だけどさ……もし、今度の一連の事件が俺に危害を加えようとしてる奴の仕業だとわかったら、君はもうかかわらない方がいいと思う」

「どうしてそんな悲しいこと言うんですか。あたし……海のマネージャーなんですよ。あなたにかかわるのはあたしの仕事だし、それにあたし……あなたの友達だと思ってるのに。ゆうべあなたがそう言ってくれて、嬉しかったのに」

「だからさ」

海の口調は強かった。

「友達だと思ってるから、危険なことにかかわって欲しくないんだ。そんなつもりで君のこと、東京に呼んだんじゃないもの」

「どんなつもりで呼ばれたにしろ、あたしはもう帰れないんです」

茉莉緒は言った。

「もう京都に戻るわけには行きません。何が起こっても、やれるところまでやってみたいんです。それに、もう大丈夫ですよ、きっと。警察が本格的に動いている以上、犯人が何を考えているにしても、これ以上の事件は起こせないと思います」

もちろん、本気でそこまで信じているわけではなかった。警察が動いていると言ってもそれは、千夏を殺した犯人を探しているだけのことで、海を守る為に動いてくれているわけではない。犯人の目的が本当に海にあるのなら、いつでも、いくらでも機会はあるのだ……海を傷つける機会が。

だがそう信じていなければ、恐かった。今の今も殺人犯が海と自分の乗ったこの車を付け狙っているかも知れないと少しでも想像したら、何もかも放り出して逃げてしまいたくなる。

「ともかく、悪い方へばかり考えるのは止《や》めましょう」

茉莉緒は自身を励ますように言った。

「来週末にはハワイです。十日間向こうにいる間に、きっと、何もかも解決していますよ」

車は六本木から渋谷の方向へと向かっていた。青山墓地の横から246に出て表参道へと考えていたのだが、渋滞がかなりきつい。

日はいつの間にか暮れて、夜の街は明かりに溢《あふ》れてきらきらと綺麗《きれい》だった。

突然、そのきらきらと輝いているイルミネーションがぼやけて滲《にじ》んだような気がした。なぜだろう？……胸のあたりが、重苦しい……

茉莉緒は必死でハンドルを握り締めた。だが次第に、握った手の力が抜けて行くのを感じた。

「海……さん」

茉莉緒は手を伸ばして海に助けを求めようとした。だが海もまた、前のめりになるようにして屈み込んでいる。

こめかみがガンガンと音を立てて痛み始めた。目の前が暗くなる。

茉莉緒は唇を噛《か》み、その痛みで何とか自分を正気づけながら、車を左端に寄せようとした。しかし、とろとろと流れるぎっしりと詰まった車の列の中では、思うように左側に寄ることが出来ない。

後続車が茉莉緒の運転に苛立《いらだ》ってクラクションを鳴らす。それでも茉莉緒はハンドルを握り続け、ウィンカーのカチカチという音を祈る思いで聞きながら、少しずつ左へと車を移動させた。

ようやく路肩が見え、茉莉緒は最後の気力を振り絞ってサイドブレーキをひいた。ハザードのスイッチに指を掛けたのと、意識が白くなったのはほぼ同時だった。

6

いったい、何が起こったんだろう？

目を開けてからもしばらく、茉莉緒はわけがわからずに白い天井を見つめていた。だいぶ経ってからようやく、それが病室の天井だということに気づいた。茉莉緒は病院のベッドに寝ていたのだ。

からだを起こそうとすると、頭を殴りつけられたような強い痛みで眩暈《めまい》がした。だが傷の痛みではない。外傷はどこにもないようだ。

無意識に海の姿を探した。四人部屋らしいその病室には、海の姿は見当たらなかった。茉莉緒の寝ているベッドの隣は空いていて、足下の方の二つのベッドには老女と中年の女性が横になっている。もしかしたらこの部屋は女性専用の部屋なのかも知れない。海は他の病室にいるのだろうか……

「あら、あんた」

中年の女性が茉莉緒が起き上がったのに気づいた。

「気がついたの？　だったらすぐ看護婦さん呼んだ方がいいわよ。ほら、そこの頭の後ろにぶら下がってるナースコールを押すの」

「あ、ありがとうございます」

茉莉緒は言われるままに、炬燵《こたつ》のスイッチに似たボタンを押した。ものの数秒で、ドアが開いて白衣の看護婦が現れた。

「和泉さん、気がつかれましたか」

看護婦が茉莉緒の顔を覗《のぞ》き込んだ。

「ご気分はいかがです？」

「あの、ちょっと頭痛が……」

看護婦は頷《うなず》いた。

「そうでしょうね、まだ頭の痛みは残っていると思いますよ。今、先生を呼びますから」

「あの……あたしいったい、どうしたんですか？　車を運転していて気分が悪くなったところまでは覚えているんですけど、その後のことが……」

「詳しいことはわたしも知らないんですよ」

看護婦は困ったように首を傾げて微笑んだ。

「和泉さんと、車に同乗されていた雨森さんは、夕方の六時半過ぎでしたか、救急車でここに運ばれていらしたんです。一一〇番に通報したのは通行人の方だったようですけど、その辺りのことも詳しいことはわかりません」

「救急車で……」

茉莉緒は頭痛に顔をしかめながらその時のことを思い出そうとしたが、完全に意識を失っていたのだろう、まるで思い出せなかった。

「それであの……いったいあたしのからだは……何の病気だったんですか?」

「ご病気というよりも、事故ではないかしら。正確なことは先生にお尋ねになった方がいいと思いますけど、症状としては、一酸化炭素中毒だということです」

一酸化炭素中毒?

車の中にいただけなのに、いったいなぜ……

「それじゃ、先生を呼びますから」

看護婦が出て行った。

まだ何が何だかわからないでいる茉莉緒の前に、すぐに若い医師と、見知らぬ男が現れた。

医師は気分が悪くないか訊《き》いてから、茉莉緒の瞼《まぶた》をひっくり返し、目を覗き込んだ。頭痛がすると訴えると後で薬を処方すると答えた。医師と茉莉緒とが話している間中、横の男は黙って茉莉緒の顔を見ていた。その男の服装から、医者ではないことは見て取れる。黒い革のジャンパーを羽織って短く刈り上げた髪型をしているところは、日曜日の競馬場でよく見かける中年男そのものといった感じだが、その目つきの異様な鋭さが、男の素性を茉莉緒に教えていた。

やがて、医師が看護婦と共に病室を出て行くと、待ちかねたように男が口を開いた。

「六本木署の近田と言います」

男はさっと手帳を開いて茉莉緒の目の前に突き出し、早業のように素早くしまった。

「こんな時に恐縮なんですが、二、三お尋ねしておきたいことがあります」

「あ、あの……」

「昨日夕方、六本木から渋谷方面に向かっていたあなたの運転する乗用車が突然路肩に停車し、中から若い男性が転がり出て来て通行人に助けを求めた。通行人は携帯電話で一一〇番し、指令センターで病人がいると判断して救急車の出動も要請したわけですが、あなたはそのことについてご記憶がありますか？」

茉莉緒は首を横に振った。

「憶《おぼ》えておられませんか。するとその前に、もう意識を失われていたわけですね」

「たぶん……そうだと思います。あの、雨森は……」

「雨森海さんは、ここに運ばれて三時間ほどで回復され、ゆうべの内に退院されたんですよ」

茉莉緒は反射的に時計を見た。そして驚いた。八時少し前……だが……窓の外は明るい。ということは、今は午前八時！

十数時間も眠り続けていたのか……

「雨森さんに比べてあなたの症状が重かったのは、排ガスが主に漏れたとみられるエアコンの吹き出し口が運転席側だったことがあったようです」

「排ガスが……漏れた？」

刑事は頷いた。

「運転中に排ガスの臭いには気づかれませんでしたか」

茉莉緒はまた思い出そうとした。よく考えてみれば、いつもより少し空気が悪いような気はしたようにも思う。だがはっきりと、排ガスを感じたりはしなかった。と言うよりも、海との会話と渋滞の中での運転に気を取られていて、あまり気にしていなかったのだ。

そう……愛と責任の問題についての海との会話に夢中で。

「逆流した排ガスがエアコンの吹き出し口から車内に漏れる事故というのは、時たま起こります。自殺する為にパイプなどで引き込むのとは違って、状態によって微量ずつ漏れたりするので意外と臭いに気づかないもののようですな」

「逆流した排ガス……でも……あの車はちゃんと定期点検をしていたはずです。そんなに古いものでもないし……」

「確かに、車自体には問題はありませんでした。実はゆうべ、現場で停車している車を調べた警察官が排ガスの臭いに気づいたもので、整備不良による事故と自殺の両面を考えてあの車を署で捜査したんですが、ちょっと不可解なことが判ったんですよ」

「不可解なこと、ですか」

「ええ。実はですね、マフラーの奥に、ボロ布が詰め込んであったんです」

茉莉緒は仰天して刑事の顔を見た。その刑事が何を言おうとしているのか……恐怖が背中をはい上る。

「それは……それはつまり、誰かがマフラーの中に布を故意に詰めたということですか？」

刑事は、同室の患者に話の内容がわからないようにとの配慮からか、茉莉緒のすぐ枕元に来客用の折り畳み椅子を広げると、耳に囁《ささや》くように言った。

「普通に考えると、そうなるでしょうな。自動車修理の最中などに何気なく入れておいた布をそのままにした、という例もないわけじゃありませんが、今回の場合、かなり奥の方に詰められていましたから、意識的にされたことだと考えていいと思います」

「あの、それじゃ……それって……誰かがあたしたちを……」

「犯人にどこまでの意図があったのかははっきりしませんが、悪意のある行為だということは確かです。運が悪ければ、あなた方は死んでいたかも知れない」

茉莉緒は顔を覆った。背中が震え出して止まらなかった。

「いや、言い方が悪かった。和泉さん、大丈夫ですか」

茉莉緒は顔を覆ったままで頷いた。

「殺意の立証は困難だという点で我々の見解は一致しています。と言うのは、第一に、布は完全にマフラーを塞《ふさ》ぐように詰められていたわけではないんですよ。実際、完全に塞がれていたら、エンジンをかけた時点で排ガスの臭いに気づかれたでしょう？　車は、幸い渋滞していたということもあるが、いちおう走っていたわけですからね。犯人の狙いが排ガスを逆流させることにあったのかそれとも、車の走行を困難にすることにあったのか、その点はどうにも曖昧《あいまい》なんです。もしかしたら、単にスピードを出なくしたかったとか、或《あ》るいは故障だと思ってあなた方が途中で車を降りることが狙いだったということも考えられます。いずれにしても、嫌がらせにしてはかなり悪質だということだけは言えますが」

「……だけど……いったい誰がそんなことを……」

「もちろん、最も重要な点はそれです」

刑事の声の調子が変わった。

「現在はまだ今度のことについて、何らかの刑事事件として立件が可能かどうかは検討段階といったところなんですが、被害に遭われたあなた方の特殊事情を考え合わせると、単なる度の過ぎたいたずらではない可能性が高いと言わざるを得ない状況なわけです」

茉莉緒は顔から手を離して刑事を見た。

「運転者であるあなたは殺人事件の被害遺体の第一発見者でもあったわけですし、助手席にいた雨森さんは、その殺人事件の被害者の恋人だった京都で変死した大学生と、無関係ではなかった」

「そ、それはどういう意味ですか？」

茉莉緒は思わず声を荒らげた。だが部屋の反対側で、寝ていた中年女性が明らかに興味を抱いてからだを起こしたのに気づいて、慌ててまた声を低めた。

「雨森は一ノ瀬という学生とは無関係です。本当に、あのロケの時まで見ず知らずでしたし、あの時だって言葉を交わしたのはほんの一言だけでした。それも一ノ瀬という人の方から一方的に何か言われただけで、雨森はその意味もわからない状態だったんですよ！」

「まあまあ」

刑事は茉莉緒をなだめるように苦笑いして言った。

「言葉の選び方が悪いのは、まあ、この仕事をしている者の習性だと思ってください。確かに、雨森さん自身の言葉通りならば、一般的には一ノ瀬という学生と雨森さんは無関係という関係である、ということでしょう。がしかし、亡くなった一ノ瀬という学生が雨森さんに対して親しげな口をきいたという事実だけ考えてみれば、彼と雨森さんが知り合いだったのではないか、という可能性を考えるのは当然だということですよ。まあいずれにしても、わたしは京都の事件の捜査をしているわけではないし、赤坂の殺人事件の捜査本部にいるわけでもありません。わたしはあくまで、交通課の人間ですからね。みなさんはご存じないと思いますが、交通課にだって刑事はいるんです。ひき逃げという悪質な犯罪を捜査するには聞き込みだの何だのという刑事捜査も必要なわけですよ。今回のあなた方の事故は、まだそうした刑事捜査が妥当な犯罪なのかどうか、はっきりしていません。案外、子供の悪戯《いたずら》ということだってあるかも知れない。今のところわたしが興味があるのはその点だけなんですが、仮にマフラーにボロ布を突っ込んだのが分別の出来る大人だったとした場合には、当然、そこに動機というものが存在します。その動機の側から犯人を想定しようとすれば、赤坂の殺人事件や京都のロケ現場での変死事件も睨《にら》んだ上で捜査を進めなければならないだろう、まあ、わたしが言いたかったのはそういうことです。ま、いずれにしても、詳しいことはまた、退院されてからお伺いしましょう。我々としては、事務所の方にお話を伺って、まずはあの車が整備に出された工場にあたって、つまらない不注意から起こった事故だという可能性を潰《つぶ》すことから始めます」

刑事は立ち上がると、会釈して部屋を出て行った。

茉莉緒はしばらくの間、ただ呆然《ぼうぜん》として天井を見つめていた。ショックのせいなのか、さっきまでしていた強い頭痛もどこかに行ってしまった気がする。

殺すまでの気はなかったとしても、犯人は、茉莉緒か海か、あるいはその両方共が、排ガスの中毒にかかるか、事故を起こして怪我をするくらいのことは想像した上で、マフラーにボロ布を詰めたのだ。

それは、はっきりとした敵意だった。

だが、何となくしっくり来ないものがあった。なぜあの車のマフラーなんだろう……

海は、ひとりの時に事務所の車を自分で運転することはない。誰が犯人だったとしても、事務所の事情に詳しい者ならばそのことは良く知っているはずだ。そしてあの車……年式は相当古いが調子は悪くないローレル、は、茉莉緒以外にも事務所の人間ならば足代わりによく使っているもの。つまり、茉莉緒が使うとは限らないのだ。

事務所の人間であの車を使わないのは、社長と冴子さんくらいだろう。冴子さんはいつもの赤い、小さなベンツを愛用しているし、社長はベンツだとか何だとかの外国車を数台、取っ替え引っ替え乗っているらしい。他の社員は自動車通勤は原則として禁止されている。事務所が借りているビルの駐車場はとても狭くて、事務所が確保している駐車スペースは五台分しかないからだ。所属のタレントだとか来客が車で来た時に停めるスペースがないと困るので、二台分は常に空けておくよう言われていた。事務所は他に、タレントを数名まとめて移動させたり、ロケ現場に乗り付けたりする時の為に八人乗りのワゴン車を二台所有しているが、それらは、事務所から徒歩で数分離れたビルの屋内駐車場を借りてあり、いつもそこに置かれている。

もちろん、犯人があたしを狙った場合には……と茉莉緒は考えた……冴子さんの車や社長の車に仕掛けをしても意味はないし、ワゴン車でも巻き添えにする人間が多くなり過ぎて現実的な選択ではないだろうから、あの車を狙うというのは、理に適《かな》っている。だがそれでも、確実にあたしを何かの事故か災難に巻き込む為には確率が悪すぎるのではないか。洋子さんや杉浦さんがあの車を使う可能性というのは、あたしがあの車に昨日乗る可能性よりもずっと高かったはずなのだから。

では、狙いは海？

だがそれではもっと確率が悪い。海はひとりでは決してあの車は使わない。海も運転免許は持っているし、冴子さんと一緒の時はあのベンツのハンドルを握ることもよくあるが、あたしの知る限り、事務所のローレルを海が自分で運転するということは、まずないはずだ。

それでは、犯人の狙いはあたしでも海でもない、ということ……？

そうか。

茉莉緒は、それまで考えてもいなかった可能性についてようやく思い至った。

マフラーにボロ布を詰めた犯人の狙いは……オフィスＫそのもの、だ！

あの車に普段誰が乗っているのかは知らない部外者であっても、あの車がオフィスＫの車であることを知っている人は大勢いる。犯人の標的がオフィスＫ全体なのだとしたら、あの車はその標的の一部として最適ではないか。

狙われているのは……オフィスＫ。

社長個人でも冴子さんでも、海でもあたしでもない。事務所の存在、そのもの。

確証はなかったが、茉莉緒は、妙にしっくりとこの考え方に納得が行った。

海やあたしには心当たりがなくても、オフィスＫ全体で考えれば、誰かの恨みを買っている可能性はとても高いに違いない。もともと芸能界とはそういう世界なのだ。どこかの事務所が浮かんでいる時には、どこかの事務所が沈んでしまう。オフィスKのように業界全体としては中堅以下の規模の芸能事務所であっても、他社を蹴落《けお》とし、他社所属のタレントを蹴落として仕事を取った経験など掃いて捨てるほどある。誰かの逆恨みの対象になっていたとしても、不思議はないのだ。

回診を告げる放送が室内に流れた。この病院では九時半に回診と点滴が行われるらしい。再びやって来た担当医師が鎮痛剤をくれたので、茉莉緒はそれを服《の》んで横になり、点滴を受けた。ゆっくりとした速度の点滴だったせいか、すぐに眠くなった。

目覚めた時には、とっくに点滴は終わり、室内には見舞客らしい姿が現れていた。

「ほんとに？」

足下の方で見舞客が驚いた声を出した。

「ほんとに警察が……」

後は声が低くなり、会話はほとんど聞き取れなくなったが、その見舞客と中年女性の入院患者が自分の噂をしていることを茉莉緒は感じ取っていた。今朝早くの刑事の尋問は、やはり、普通の人には奇異なものに思えたのだろう。

茉莉緒は憂鬱《ゆううつ》になった。海の場合には、あの程度の噂話では済まないのだ。今頃はもうワイドショーが騒ぎ立て、事務所には取材の申し込みが殺到しているかも知れない。

ノックの音がして、また見舞客が入って来た。

「茉莉緒ちゃん」

声に驚いて顔を上げると、洋子がホッとしたように微笑んでいた。

「びっくりしたわよぉ、知らせ聞いた時にはもう、心臓が停まりそうだった」

洋子は大きな紙袋を茉莉緒の頭の横に置いた。紙袋からはとてもいい香りが漂っている。

「……パン？」

洋子は頷《うなず》いた。

「銀座に仕事で出てたからね、木村屋のあんぱん。どうせ明日には退院でしょうけど、病院のご飯っておいしくないじゃない。あたしもさぁ、一昨年だったか盲腸切った時にひどい目に遭ったのよ。それにしても良かった、顔色もそんなに悪くないし」

「海さんは大丈夫だったんですか」

「あの子は大したことなかったの。ゆうべの内に退院して、今日はアパートで休ませてる。冴子さんが看《み》に行ってるみたいよ。一酸化炭素中毒は後遺症が怖いから、今日一日は仕事もキャンセルして寝かせておくしかないんだって。でも本人は軽い頭痛があるくらいで全然平気みたいだけど。だけどいったいどうなってるのかしらね、あの車、二カ月かそこら前に定期点検に出したばかりなのよ」

「洋子さん……聞いてませんか？」

「何を？」

「車のことです……故障じゃなかったみたいなんです。今朝、刑事が来て教えてくれました」

「故障じゃないって……どういうこと？」

茉莉緒は、警察から聞いた事実を洋子に話してもいいのかどうかわからずに少し迷った。だが刑事は特に口止めしたわけではないし、いずれ警察から事務所には報告が行くだろう。

茉莉緒は洋子に手招きした。また同室の患者に話を聞かれたくない。

洋子は茉莉緒の仕草の意味を即座に理解して、茉莉緒の口元に耳を近づけるように屈《かが》んだ。

「詳しいことはまだわからないんですけど……車のマフラーにボロ布か何かが詰め込まれていて、それで排ガスが逆流したみたいなんです」

洋子の口がぽかんと開いた。

「……ボロ布か何かって……どういうこと？　つまり誰かが故意にマフラーを塞《ふさ》いだって……」

茉莉緒は頷いた。洋子の目が大きく見開かれた。

「ちょっと……それって、だって……排ガスってたくさん吸うと死んじゃうんでしょ

「……まさか、そんな……」

「殺すつもりがあったかどうかはわからない、と刑事は言ってました。布の詰め方がいい加減で、あのくらいだと車が走る程度に排気は出来るから、排ガスが逆流したとしても大したことにならないって意味だと思います」

「た、大したことにならないって、茉莉緒！」

洋子が思わず大声を出したので、茉莉緒は慌てて指を口にあてた。

「ごめん、だけどね、大したことになっちゃってる、じゃないのよ、ちゃんと。海が気づいて助けを呼ぶのが遅れてたら、あんたは助からなかったかも知れないし、もし道路が渋滞してなくてスピードが出てる時にガス中毒で気を失ったりしたら、大事故起こしたかも知れないのよ」

「それはそうなんですけど……犯人の意図が曖昧《あいまい》だと刑事は思っているみたいです。マフラーに物が詰まっていてはスピードが出ないので、事故を起こさせようとしたというのは不自然ですし……刑事は、悪質な嫌がらせ、という言葉を遣っていました」

「悪質な、嫌がらせ」

洋子は暗唱するように繰り返した。

「何か良くわからないわね……つまり、あんたか海に恨みを持ってるけど殺したいとまでは思ってない奴が、嫌がらせにやった、そういうこと？」

「それなんですけど、あたし……さっき考えていたんです。それで思いついたことがあるんですけど……犯人が恨みを持っているのは、あたしとか海さんとか特定の人間じゃなくて、オフィスKそのものなんじゃないかと……」

「どうしてそうなるのよ」

「車です」

茉莉緒は頭の中を整理しながら言った。

「あのローレルはオフィスKの車ですよね、海さんのでもあたしのでもなく。海さんは普段、ひとりであれに乗ることはなくて、乗る時は事務所の誰かが運転します。犯人がそのことを知っていたら、海さんを狙うのにあの車に細工するのは効率が悪過ぎます」

「知らなかったとしたら？」

「だったらなおさら、他の方法を考えると思います。海さんがあの車にひとりで乗ることはないわけですから、そういう場面を犯人がどこかで見ていた可能性もない。だったら犯人は、あのローレルと海さんとを結びつけて考えたはずがありません」

「狙われたのは、あんただったかも」

「あたしはまだ、事務所で働き出して二週間そこそこしか経ってません。その間にあたしがあの車を運転したのは……えっと、四回だけです。それに比較して、たとえば洋子さんは何回ぐらい運転されました？」

「うーんと……この二週間なら十回は乗ってるでしょうね」

「つまり、あの車とあたしとが共に犯人の目に触れる機会は、他の人があの車と一緒にいた回数よりずっと少なかった。犯人の狙いがあたしだったとしても、もっと確実にあたしと関係のある場所や物に細工したはずです」

「だから要するに、犯人はそういう事情に疎かったってことでしょ？　疎いから、事務所の車だっていうだけで、単純にあんたか海と関連づけて嫌がらせしたわけよ」

「車に細工するっていうのは犯人にとって危険を伴うと思うんです」

茉莉緒は頭の中で犯人像を描こうとしながら言った。

「マフラーに布を詰めるという作業は、誰かに見られたら一発で不審な行動だと咎《とが》められます。場合によっては即座に警察に突き出されるかも知れません。よほど、誰にも見られない場所を選んで行わないとならない。あのローレルはいつも事務所のビルの駐車場に入れてありましたけど、あそこはしょっちゅう、あのビルに出入りする人が前を通ります。近くに繁華街がありますから真夜中でも人通りは多いですよね」

「別の場所でやれば？」

「事務所の人が数人で乗り回しているわけですから、あの車は一日中、どこにあるのかわからない状態です。もし車に細工しようと考えたなら、一日中後《あと》をつけて機会を狙っていなければならないことになります。そうまでして車に細工して嫌がらせをする熱意があったのなら、あたしか海さんをもっと確実に狙う機会を見つけることぐらいは出来たと思うんです」

「ふむ」

洋子は腕組みして病院の天井あたりを見つめながら言った。

「だけどこうは考えられない？　マフラーに詰め込まれていたのはボロ布だって言ったわよね」

「刑事はそう言ってました」

「つまり、手の込んだ道具じゃなくて、誰にでも簡単に手に入る物だってことよね。だとしたらさ、計画的な犯行じゃなくても、たとえば出来心というか衝動的にやっちゃった、って線だって考えられるんじゃない？」

「……衝動的に？」

「そう。たまたまどこかであのローレルを見つけて、しかもそれにあんたと海が乗っていたことから咄嗟《とっさ》に思いついたわけよ。ボロ布なんて探せばいくらでも見つかったでしょうから、何も計画してなくても出来たってわけ」

洋子の言うことも充分あり得る話だ、と茉莉緒は思った。咄嗟に思いついたことならば、犯人が何を狙ったのか曖昧だと刑事も首をひねる今度の悪戯《いたずら》もある程度理解出来る。マフラーに何か詰めてやれば、ともかく相手は困ったことになる、その程度の考えで衝動的にやってしまったことならば。

だがそれでも、犯人の狙いが自分か海だったという説は納得出来なかった。もちろん、何より茉莉緒は、納得したくなかったのだ。

「まあ事務所全体が恨まれてるって可能性も、確かにあるだろうけどね」

洋子は小さく溜《た》め息をついた。

「うちは社長もどっちかって言うと淡泊な人だし、冴子さんは潔癖なタイプだからさ、そんなにえげつないことしてまで仕事を取るってことはしないけど、それでも競争があれば勝たないことにはみんな干上がっちゃう世界だものね。あんたも追々わかって来るだろうけど、時には汚いことも見ないとならないってのはあるわけ。恨みのひとつやふたつ買ってたとしても、別にあたしは驚かないな」

「この話、警察にした方がいいですよね」

「うーん」

洋子は困ったように首を横に振った。

「あたしには判断出来ないな。冴子さんには話してみるけどね。ま、恨まれてるのが海だってどこかの週刊誌にすっぱ抜かれるよりは、事務所全体が恨まれてるって話にした方がましだとは思うけど、ただそれだとね、うちの事務所のタレントは海だけじゃないわけよ。やっぱり自分の所属している事務所が誰かから恨まれてるなんてのはいい気分のものじゃないし、不安だって感じるでしょ。それに仕事を回すテレビ局だの広告代理店だのにしてみたら、恨みを買って誰かに狙われてる事務所のタレントなんて、使わないで済めば使わないに越したことはないと思って当然。売れてる子ならリスク覚悟でも視聴率欲しさに使ってくれるだろうけど、他に同じくらいのタレントがいるような場合だったら、うちがはずされるって可能性は出て来るわけ。わかる?」

「……はい」

茉莉緒は頷いたが、洋子は要するに、海ひとりを守る為に他のタレントを犠牲には出来ない、と言っているのだ。それは正論だったが、だからと言って、他のタレントの為に海を犠牲にしても構わないという意味ではないはずだ、と、茉莉緒は唇を噛《か》んだ。

「いずれにしても、この件も冴子さんに相談して結論を出しましょ。それまであんた、警察に余計なこと喋《しゃべ》ったら駄目よ。推理ごっこするのは構わないけど、現実の警察ってのは、推理小説に出て来る警察みたいに思いやりが深いわけじゃないからね。彼等は犯人が逮捕出来ればそれでいい。芸能人のひとりやふたり、スキャンダルで潰《つぶ》れたって痛くも痒《かゆ》くもないわけだからさ」

洋子が帰った後で、茉莉緒は枕に頭を横たえて考えた。

犯人が衝動的にマフラーに布を詰めたとして……そんな衝動に駆られた場所は、いったいどこなんだろう?

事務所からボイストレーニングを受けに行くまでの道のりでは、車の走行にもあたしのからだにも、何も異常は出なかった。だが、布はしっかり詰められていたわけではないので、逆流した排ガスがある程度溜まって車内に漏れ出すまでにはいくらか時間がかかったはずだ。だとしたら、事務所を出る時点で布が詰められていた可能性もないとは言えない……いや。

午前中に車を使った者が誰も異常に気づいていなかったのだから、やはりマフラーに細工がされたのは、午後になってから……あたしが海を乗せてあの車で事務所を出てからだ。

だとしたら、それはあのマンションの地下駐車場以外には考えられない。

そうだ！

茉莉緒は思い出した。連日の疲れでついうとうとしていた時、確かに、何かがぶつかるような……何かが落ちたような音が車の後ろの方で聞こえた！

あの時だ。あの時犯人はマフラーに細工をして逃げた。あの音はもしかしたら……

犯人が何か落とした音では？

7

翌朝、茉莉緒は退院した。杉浦が迎えに来てくれてアパートまで送ると言ってくれたが、茉莉緒は事務所に行きたいと言い張り、結局午後には自分の机の前に座っていた。

ハワイへ出発するまでもう日がない。片付けなければならない仕事は山積みだった。

だが冴子の判断で、海は念のためもう一日休ませることになっていた。午後遅くなって社長が出勤して来ると、茉莉緒は冴子に会議室に呼ばれた。会議室とは言っても、社長室の続きの小さな部屋に、机と椅子が数個並んでいるだけの部屋だ。

「警察の感触はそう悪くなかったよな」

社長の川谷は、禁煙パイプを唇から突き出したままで唸《うな》るように言った。

「海があの千夏とかいう女の子を殺した犯人だとは考えてないようだった」

「あてにしていいのかしらね、社長の感触」

冴子は苦笑いした。

「警察ってのはポーカーフェイスなものよ」

「だったらあんたにはどう思えた？　奴等は本気で海が犯人だと考えてるように思えたかい？」

「正直なところ、丸でわからない」

冴子は肩を上下して特大の溜め息をついた。

「そもそもね、あの京都での事件。あれがだいたい、すごく変じゃない？　海があの一ノ瀬って学生のことを知らなかったって点は、海の言葉を信じていいと思うのよ。知っててとぼけてるなら、わざわざ、意味不明のことを話しかけられたなんて言う必要ないものね」

「一ノ瀬とかいう学生が海に言った言葉ってのは、正確にはどんなもんだったんだ？」

川谷の問いに、冴子は間髪いれず答えた。

「すみません、ひとつ貰《もら》っちゃいました。後で渡します」

「なんだそりゃ」

「知らない。だけど海はこう聞いたの。もちろん海にも何のことかさっぱりわからなかったんだけど、警察はね、海宛てに届いたファンからのプレゼント、たとえばお菓子みたいなものを、一ノ瀬って子がひとつつまみ食いしたんじゃないかと考えたみたい」

「そんなこと普通しないだろう」

「そうなのよ。だからわけがわからないの。それにあの日、映画のスタッフに警察が徹底的に聞き込みしたんだけど、海に宛てたファンからのプレゼントなんて届いてなかった。まあ普通そうよね、ロケ現場に宛ててプレゼント送ったりしないわよね」

「一ノ瀬の死因ってのは何だって？」

「毒物による中毒死。ただ変なのは、毒物が特定出来てないらしいの」

「毒成分は検出出来たとか、新聞で読んだ気がするが」

「わたしもよくは知らないんだけど、なんかの神経毒は検出出来たみたい。ただ、一般的に手に入る薬品でその毒成分が多量に含まれているものがないんですって。自然界にならあるんだとか」

「自然界？」

「いろいろあるじゃない、毒のあるものって。きのことか野草とか。そういうものが何かの理由で偶然に体内に入った可能性を否定することが出来ないんだそうよ。だから殺人と断定することもまだ出来てないらしいの。京都府警の公式見解は変死扱いのままなのよ。ま、それでも殺人事件として捜査されているのは間違いないけど」

「今の科学捜査研究所の能力で特定できない毒物なんて、あるのか？」

「詳しいことは知らないけれど、たくさんあるようなことを刑事は言ってた。特に、自然に存在している毒物だと特定が難しいんですって。いくつもの毒成分が複合的に働くことがあるらしいわ。でも、一ノ瀬って子の胃に残されていた昼食の弁当の残りからは毒成分は出なかったそうよ。って言うより、胃の残留物から毒は検出出来なかったんですって」

「……食べたんじゃないってことだな。口から摂取したんじゃなく、注射か何かされたのか」

「でも少量を飲んだ場合とか、気体で吸い込んだとか、そういうケースだと口から入った毒でも胃では検出出来ないこともあるそうだしね。我々にはそういう専門的なことはわからない。ただ少なくとも、海に宛てて届いたお菓子を盗み食いしたって線はないってことよ。それがはっきりしたんで、警察も今のところ海は事件と関係ない可能性があると見てるみたい」

「ひとつ貰っちゃいました。後で渡します、か……海にはほんとにまったく心当たりがないんだな？」

「あたしは信じてるけど、嘘はついてないと思う」

「茉莉緒」

川谷が茉莉緒の方に向き直った。

「冴子から聞いたんだが、おまえさんはあの日、エキストラとして河原にいたんだって?」

「はい」

「この際だから正直に答えてくれ。茉莉緒はあらかじめ海と打ち合わせの上でエキストラに応募したのか?」

茉莉緒は首を横に振った。

「違います。あのバイトは雑誌で公募してるの見つけて、応募したんです。海さんが出るって知ったのは、応募した後でした」

「じゃ、茉莉緒はよほど海と縁があったんだな。最近は知っての通り、エキストラもエキストラ・プロダクションに登録してる人間を使うことが多いからな」

「あの時はものすごく大勢必要だったからね」冴子が口を挟んだ。「今時、あれだけエキストラを使うのは珍しいわね」

「あの監督は若いが完全主義者らしい。だがそのせいで製作予算が大変だ。あれもどうなんだ、当たりそうなのかな」

「夏草麻衣人気におんぶしてる感じなんでしょうけど、まあ苦戦するでしょうね……でも社長、この子が海と示し合わせてエキストラに応募したなんて、どうして思った

「海の奴が鴨川の土手で一目惚《ぼ》れしたなんて、ほんとなのかなぁと思ったからさ」

茉莉緒は、言葉のあやだとわかっていても、一目惚れ、という言葉に反応してどぎまぎしてしまった。だが冴子はさらっとかわした。

「ほんとなのよ。あの子にしてはほんとに珍しく、茉莉緒のことをべた褒めだったの。だから連れて来ちゃったんだけど……何だかこの子に気の毒なことしちゃった。仕事はじめてすぐにこんなにいろいろ巻き込まれて」

「あたしはいいんです」

茉莉緒は言った。

「あたしは……この仕事が好きです。今はとっても楽しいです」

「ともかく、警察は海が海外に出ることは許可した。もっとも、今のところはそれを止める権利はないけどな。まあ俺としては、海は事件に無関係だと考えておくよ」

「記者会見はどうします？」

「やらないとまずいかな」

「まあ……事務所の見解を出して様子見ましょうか。マスコミもまだ、海に対して敵意を持ってるわけじゃないし。巻き込まれた被害者なんだって線で押すしかないわね。わかった？　茉莉緒」

「はい」

「今度の入院はあくまで車の故障ということにするからね。それで社長、さっきも話した通り、海は予定より早く海外に出しますね」

「その方がいいだろうな。向こうでの滞在はどのくらいになる？」

「引き延ばしても二週間が限度でしょうね。その後は、三回連続の単発ドラマの撮りがあるし」

「向こうで海がハメはずさないよう注意してやってくれよ」

「あら」

冴子はふっと笑った。

「あたしは行かないのよ。茉莉緒とスギちゃんとで行かせるわ」

「大丈夫なのか？」

川谷は不安そうに茉莉緒を見た。

「この子はまだ二週間だろ、業界に入って」

「スギちゃんが付いてるわよ。それに海外なら海はひとりでだって仕事出来るわ」

「他にネタがなかったらワイドショーが追いかけて行くかも知れないんだぜ」

「海程度のタレント追いかけて海外なんて来るかしら」

川谷は首を傾げて唸《うな》った。

「それはわからんな。何か事件が起こってくれてワイドショーがネタに困ってなければ放っておいてくれるかも知れないが、何もないと奴等も番組を作る為にはどんな小ネタだって拾うだろう。それにハワイは今や、海外ってほどのもんじゃない。北海道に取材に行くより安くつくぞ……よし、わかった」

川谷は膝《ひざ》を叩《たた》いた。

「仕掛けるか」

「私もそれしかないと思ってた。でも、社長何か持ってる？」

「風間《かざま》美奈子《みなこ》の例のやつ、そろそろいいだろう、流しても」

風間美奈子は三十代の中堅女優で、茉莉緒が知る限りスキャンダルとは縁のない人だ。

茉莉緒は二人のやり取りを驚きながら聞いていた。

「本人が承知するかしら。不倫じゃないにしても、相手は離婚したばっかりなんでしょ。悪く書かれる可能性もあるわよ」

「朱雀《すざく》ケイに流せばうまくやってくれるさ。いずれバレる話なんだから、いきなり写真週刊誌に撮られるよりはいいだろう。ま、ブラックなネタじゃないんだしさ」

「タイミング見計らってね。他に大きな事件が起きてくれたら出す必要ない話だし、出すからには引っ張って貰《もら》って、美奈子の露出を上げたいじゃない」

川谷は苦笑いした。

「理屈はそうだが、こればっかりはな。流した翌日に飛行機でも落ちたらパーだし。ま、最大限注意はするけどさ。冴子、美奈子の説得にあたってくれるか」

「わかりました。じゃ茉莉緒、あなたは今日はもう帰りなさい」

茉莉緒は瞬《まばた》きした。

「でも、まだ仕事が……」

「明日から出発まで息つく暇もなくなるのよ、退院した日ぐらいは家でからだ休めなさい。海も今日は休ませてるんだから。いいわね？」


茉莉緒は冴子に強く言われて、結局自宅に戻った。

ベッドにごろんと横になると、さすがに、後頭部がしくしくと痛いことに気づく。一酸化炭素中毒は後遺症が心配だと医師が言っていたのを思い出して、少し恐くなる。

だがそれよりも、川谷と冴子が交わしていた会話の内容が気になった。仕掛ける、とは？　風間美奈子の恋愛問題をわざとマスコミに流す、という意味だとは何となくわかるが。朱雀ケイというのはフリーのベテラン芸能レポーターだ。彼女に情報を流して、わざと記事にして貰うということだろうか。

そうか。それで騒ぎが大きくなれば、ワイドショーなども海のことを追いかけてハワイまで来たりはしないだろうという計算だ。でもそれなら、風間美奈子のお相手というのはよほどの大物なんだろうか。

冴子がまだ説明してくれていない、いろいろなこと。

自分は本当に駆け出しなんだな、と茉莉緒は思った。所属タレントの私生活まで取引の材料にしてしまうことが事務所の仕事に含まれているなんて、考えてみたこともなかった……

電話のベルが鳴った。

物憂げに受話器をとって耳に当てると、思いも掛けなかった声が流れて来た。

「もしもし。茉莉緒？」

「……海さん！」

「さん無し」

受話器の向こうで海が短く笑った。だが続いて、ちょっぴり不機嫌な声が耳に響いて来た。

「今朝退院だって聞いてたから朝から何度も電話してたんだ。そしたらさっき、冴子さんから連絡あったんだけど、茉莉緒、会社に寄ったなんて言うんだもの。どうしてそんな無茶なこと、するのさ」

海は少し、怒っていた。

「俺、冗談じゃなく心配だったよ。茉莉緒、言ったよね、俺のレインコートになるつもりだって」

「……ええ」

「だったらからだ大事にしなくてどうするんだよ。破れたレインコートなんて何の役にも立たないんだぜ」

「ごめんなさい。ただハワイ行きが近いから、溜《た》まってる仕事が気になって……」

「俺が休んでる時は茉莉緒も休む。茉莉緒は他に担当がいないんだから、それで当たり前じゃないか」

「わかりました。もう無理はしません」

「よし、素直でよろしい」

海の声がやっと明るくなった。

「それでちょっと相談なんだけど。明日、二、三時間スケジュール空くかな」

「えっと、ちょっと待ってくださいね」

茉莉緒は慌てて会社に持ち歩いているバッグから手帳を出そうとして、ようやく手帳をひったくられたことを思い出した。

そう言えば、あのことは今度の一連の出来事の中で、どういう意味を持つのだろう？

狙われているのは海個人ではなく、事務所だ、とあたしは考えている。だけどあたしの手帳をひったくっても事務所全体のことは何もわからないのだ。あの手帳には海の、海だけのスケジュールが並んでいるのだから。

ということはやはり……ターゲットは海、なのだろうか……

「……もしもし、もしもし？」

「あ、ごめんなさい。えっと」

茉莉緒は新しい手帳を買うまでの繋《つな》ぎに使い始めたメモ帳を引っ張り出した。

「明日は前倒しにして貰ったラジオの録音が午後一時から一時間、雑誌のインタビューが三時から二時間とってあって、七時から『古都壊滅妖怪大戦争』の撮影裏話の座談会を夏草麻衣さん、飯野《いいの》健太《けんた》さんとお食事を兼ねてすることになってますね。『映画ジャーナル』の企画です」

「何時頃に終わる？」

「夏草さんのスケジュールが一杯とかで、夏草さんは最初の三十分しか同席されないんですけど、お食事が終わるまでということだと、九時前にはなるんじゃないかしら」

「俺も早引けしたらまずいかな」

「それは駄目です」

茉莉緒はきっぱりと言った。

「夏草さんが途中で帰られてしまうので、後は飯野さんと海とで座談会して貰って、後で三人で話しているように構成を変えるという約束になってますから、海も早く帰るなんてことは出来ませんよ」

「うーん」

受話器の向こうで海が呻《うめ》いた。

「何かあるんですか？」

「さっきさ、晴海ちゃんから電話掛かって、衣装合わせしたいって言って来たんだ」

晴海ちゃん？

茉莉緒は一瞬考えた。そしてやっと思い当たった。スタイリストの石崎晴海か。

茉莉緒はちょっとムッとした。仕事の話だったら事務所か、少なくともマネージャーのあたしに先に連絡をくれるのが筋ってもんじゃない？　海に直接アポイントメントを取り付けようとするなんて、どういう神経なんだろ。

「明日でないと駄目なんですか」

「晴海ちゃん、あさってからパリなんだ。フランクフルト回って、日本に戻らずにマウイで俺たちと合流するんだって」

「そんなにタイトなスケジュールなんですか……それなら仕方ないですね」

茉莉緒は答えながら、内心ではふつふつと苛立《いらだ》たしさが湧《わ》いて来るのを感じていた。石崎晴海が人気スタイリストで超多忙なのは仕方ないが、今度のマウイでの撮影に同行するスケジュールは三カ月前から決まっていたことらしい。なのに衣装合わせのように大切なことが、こんなにぎりぎりまで行われていないというのは無責任だという気がする。しかもそれを、事務所に相談するのではなく海個人とアポを取って済ませてしまおうとしているのだ。

茉莉緒の目の前に、スタジオで海とじゃれていた石崎晴海の姿が浮かんで来た。

茉莉緒はハッとして、自分の唇を嚙《か》んだ。

今のは嫉妬《しっと》だ。確かに。

茉莉緒は自分で自分が情けなくなった。自分は、海が他の女性と親しくすることに対して嫉妬出来るような立場じゃないのに……勘違いもいい加減にしないと。

「ええっと……午前中では駄目ですか？　午前十一時くらいからでしたらいいんじゃないかと。一時のラジオ録音に間に合えば他のスケジュールに障りませんから」

「そう、じゃ、電話で訊《き》いてみる」

「あの、わたしが電話します。お仕事のアポですから」

「あ、いいよ。どうせ晴海ちゃんに連絡したいこともあるからさ。それより茉莉緒、もう今日は出掛けないで、からだ休めろよな」

「ありがとうございます」

「じゃね」

電話が切れても、茉莉緒は受話器を持ったまま気抜けしていた。

海は気楽過ぎる。もしかしたら命を狙われたのかも知れないのに、恐怖は感じないのだろうか。もちろん、そうした性格の鷹揚《おうよう》さが海のいいところではあるのだろうけれど。

石崎晴海の存在が神経をちょっぴり逆撫《さかな》でした気がして、茉莉緒は胸に息苦しさを感じた。さすがに外出する気分にはなれなかったが、外の空気が吸いたくなって小さなベランダに出た。

東京で再び暮らし始めて二週間余り。

もともとは生まれ育った場所だったのに、大学入学以来京都で暮らして、すっかり遠い場所になりつつあった、東京。

小さなベランダからは、重なった家々の屋根が見えるだけで、視界はすぐに背の高いビルに遮られてしまう。とてつもなく大きな町のはずなのに、いつも一部分しか見ていることのできない、東京。

ホームシック?

茉莉緒はひとりで笑った。変な話だ、ホームシックだなんて。だって実家は東京にあって、帰ろうと思えばいつでも帰れるんだものね。

いや……帰りたいと思っているのは、実家ではないんだ。

茉莉緒は、自分が、窓を開けると東山の緑がいつも見えていた、京都のあの小さな部屋を懐かしんでいることに気づいていた。

弱気になっちゃ、だめ。

茉莉緒は深呼吸した。決しておいしい空気とは言えない、どこかにいがらっぽさがある濁った東京の空気でも、胸いっぱいに吸い込んで思いきり吐き出すと、少し気分がすっきりする。

あれ？

茉莉緒はふと、視界の隅に誰かの視線を感じ、ベランダの真下を見た。

一瞬、目が合った。

だが次の瞬間には、確かに今茉莉緒と視線を合わせた「人物」は、信じられないほどの素早さで建物の陰に消えてしまった。

茉莉緒は反射的に部屋を飛び出し、階段を駆け下りた。

絶対に間違いない。今度こそ、見間違えじゃなかった！

あのシルエットは確かに、夏草麻衣のものだ。顔の形も！　サングラスをかけ、上着の襟を立てて顔を隠すようにしていたけれど、真上から見下ろしたせいで、顔形がよく見えた。

茉莉緒は混乱した頭の中で考えながら走った。

なぜ？　なぜ夏草麻衣が、あたしのこと、見張ってるの？？？

人影が消えた建物の角を回ると、車の往来が激しい明治通りまで一本道になる。茉莉緒は全速力で走った。夏草麻衣はタクシーに乗る為に明治通りに出るに違いないと信じて。

しかし……彼女に追いついたとして、いったい何を訊こう？　彼女を怒らせるようなことだけは絶対にしてはならないのだ。夏草麻衣は海にとって、単なる映画の共演者というだけではなく、海の今後の人気や芸能活動に重要な意味を持つキーパーソンだ。洋子さんなどは、いっそのこと夏草麻衣とロマンスの噂でも立ってくれたら海にとっては万々歳なのに、とまで言っている。今、自分が無思慮なことをして彼女を怒らせるようなことにでもなったら、辞表を書くぐらいでは済まなくなるだろう。でも。だからって、私生活を見張られるようなことをされて、知らない振りをしているわけには行かない。せめて、せめて理由だけでも訊かないと……

明治通りが見えて来た。茉莉緒は歩道から周囲を見回した。そして、確かに見た。夏草麻衣は今ちょうど、茉莉緒から百メートルほど離れた歩道から、停まったタクシーに乗り込もうとしていた。

「ちょっと待ってくださいっ」

茉莉緒は叫んで駆け出した。

「待って……お願い！」

茉莉緒の声は聞き届けられなかった。タクシーのドアは閉まり、走り出して茉莉緒との距離はみるみる開いて行った。茉莉緒は諦《あきら》めて足を止めた。

わからないことだらけだ。

茉莉緒はゆっくりと自分の部屋に戻りながら、何か悪い夢でも見ているような気分になっていた。

どうして夏草麻衣が、あたしを見張らなくちゃならないの？

いくら考えても理由がわからない。

これもみんな、一連の事件と関係があるのか、それともないのか。

茉莉緒は部屋に戻り、ベッドにひっくり返ってつらつらと考えた。だが考えても考えても、総《すべ》ての出来事がばらばらで、どうしてもひとつにまとまってはくれなかった。

茉莉緒は、また心細くなって来た。

8

翌朝は頭痛も消えて、久しぶりに体調が戻った感じだった。

茉莉緒は九時前に事務所に着いて海から連絡が入るのを待った。石崎晴海とのアポイントメントがどうなったのか、結局昨日は連絡がなかったのだ。だが十時半を過ぎても海から電話がないので、仕方なく携帯にかけてみた。

「あ、ごめん、電話するの忘れてた」

海の呑気《のんき》な声が聞こえた。

「今、晴海ちゃんの事務所に向かってるとこなんだ。今日は茉莉緒、別にいいよ。服のことだけだから俺ひとりで大丈夫だし」

茉莉緒は思わず、海を怒鳴りつけそうになった。第一に、冴子との約束を破ってひとりで行動したこと。第二に、仕事の段取りをマネージャーを無視して進めたこと。このふたつだけでも、自分が海に対して文句を言う権利は大いにあると思う。

だが茉莉緒は怒りを呑《の》み込んで、ただ一言、「これからそちらに行きます」とだけ言って電話を切った。


石崎晴海のスタジオは幸い、オフィスKの事務所からタクシーを飛ばせば五、六分のところにあった。スタイリストとしては世界的に有名な女性なのだと洋子が教えてくれた通り、スタジオも六本木のど真ん中の真新しいビルにあって、中に入ると南側が総ガラス張りの凝ったインテリアにまず、圧倒された。

だが石崎晴海自身は、もともと気取りのない性格らしい。黒いスパッツに薄手のニットという軽装で頭にタオルを巻き付けて仕事をしているその姿は、颯爽《さっそう》としてはいるが、世界的に有名な、という形容詞には合致しない。それだけに茉莉緒は、彼女が本物の「キャリア」なのだと思った。

彼女があたしのことを無視して海と直接仕事の話を進めてしまうのも、無理ないことかも知れない。

茉莉緒は内心、弱気になっていた。

海は少なくとも、モデルの世界では一流だったのだ。本人は大したことないと言っていたが、日本人の男性モデルで、大きなメゾンのステージをいくつか掛け持ちしてたという人はそんなに多くはいない。石崎晴海が一流であるように、海もまた、一流だった。二人にとっては、茉莉緒の存在などはなくても仕事をする上で何の差し障りもない。

だけど。

茉莉緒は唇を嚙《か》んで思った。

そうじゃないんだ。そうじゃない。海はもうモデルじゃない。俳優だ。俳優の世界では海はまだ駆け出しで、これといった実績も残してはいない。その意味ではあたしと同じなんだ。そしてあたしは、海のレインコートになると決心した。だから、あたしは彼に貼り付いていなくちゃいけないし、彼もあたしを無視していいわけがない。そう思わなくちゃ。

茉莉緒の思いなどまるで気にするふうもなく、海は石崎晴海と楽しそうに談笑しながら様々な服を羽織ったり帽子を被《かぶ》ったり、小物を手にしてポーズをとったりしていた。そんな時の海は、生き生きとしてとても輝いて見える。

海はほんとは、モデルに戻りたいんじゃないだろうか。

茉莉緒は、ふとそう思った。

「こんなもんでいいでしょ」

一時間ほどして石崎晴海が元気良く言った。

「マネージャーさん、お待たせ。だいたい決まったわ」

「だけどこんなに持って行くの?」

海が山になった服を見て心配そうな顔になる。

「荷物、大変じゃない?」

「別便でホテルに送るわ。最終的にはカメラマンが決めるから、出来るだけ選択肢は多くしておきたいのよ。ニューヨークとかと違ってハワイだと、イメージにぴったりの物がすぐ手に入るかどうかわかんないでしょ」

「晴海ちゃんは完璧《かんぺき》主義者だからな」

「あんただってそうじゃない」

石崎晴海がクスッと笑った。

「シャツの襟の立ち方ひとつでもぶつぶつ言うくせに。でも久しぶりにまともな写真の仕事が出来て良かったわね。最近の海のグラビアとかインタビューの写真、どれもこれもひどいんだもの」

「しょうがないよ……求められてるもんが違うから」

海が下を向く。石崎晴海は、ちらっと茉莉緒を見た。

「ねえ、マネージャーさん」

「はい?」

「どうせなら、海の写真集を企画してみたらどうかしら。この人はあたしが言うのも何だけど、ファインダーで覗《のぞ》いた時が最高なのよ。この人が被写体なら、どのカメラマンだってやる気になると思うわよ」

「……事務所で相談してみます」

茉莉緒は答えたが、海は複雑な笑みを石崎晴海に向けて言った。

「写真集ってのはさ、男優の場合、よっぽど人気がないと売れないんだよ。さもなきゃ、脱ぐかね。それも今のご時世、ただ脱ぐだけじゃ誰も買わない。女ならヘアヌード、男の場合なら、シルエットでナニの形まではっきりわからないと」

「ばか」

石崎晴海は笑ったが、茉莉緒は笑えなかった。海の言うとおりなのだ。今の海の人気では、相当きわどいものでなければ話題にもならないだろう。

「俳優なんて、面白い？　海にはモデルの方がずっと向いてるんじゃない？」

いきなり石崎晴海が海に訊《き》いた。茉莉緒は、海の答えを待つ間、心臓がどきどきするのを感じた。

海は深呼吸するように一度、天を見て、それから答えた。

「面白いよ。いや……面白いんだろうな、きっと、って思う。今はまだ面白さがわかるとこまでは行ってないけど。ただ、あの現場の緊張感は好きなんだ。映画でもテレビでも、カメラの前で科白《せりふ》を喋《しゃべ》る瞬間の、心臓がぎゅっとなる感覚、あれは、俺の人生を変えてくれるような気がする」

「海の人生を？　海、変えたいの、今の人生」

「うん」

海は小さく頷《うなず》いた。

「俺、今まで何やっても結局、中途半端だったろ。だから今度こそ、やれるとこまでやってみたい。もっと辛《つら》いとこまで踏み込んで、もっと面白さがわかって来るまでは、試してみたいんだ、自分を」

茉莉緒は、ホッとして小さく息を吐いた。

海は、冴子のそばにいたいから、嫌々俳優をしているわけではない。海自身、突き詰めてみたいと思っているのだ、俳優という仕事を。それがはっきりとわかっただけでも、茉莉緒は嬉《うれ》しかった。

＊

週末までは本当に目まぐるしかった。前倒しになったスケジュールをこなして行くだけでも、二十四時間があっという間だった。その忙しさのせいで、茉莉緒は気掛かりだった夏草麻衣のことも何となく忘れていた。

実際、石崎晴海と衣装合わせをした日の夜には、当の夏草麻衣と海との座談会もあったのだ。だが、夏草麻衣は茉莉緒の顔を見ても顔色ひとつ変えなかったし、もちろん、向こうからは何も言葉をかけて来なかった。そして茉莉緒も、あまりにも平静な夏草麻衣を見ていると、確信がゆらいでしまった。はたしてあの、二度にわたって自分の部屋を見張っていたと思われる女性は、本当に彼女だったのか。

結局それを直接確かめる勇気を持てず、かと言って、他の誰かに相談しても信じて貰《もら》えないかも知れないと思うと話す気にもなれないまま、日々が過ぎてしまっていた。

幸い、千夏の事件と、海や第一発見者の冴子と茉莉緒については、覚悟していたほどにはマスコミに取り沙汰《ざた》されないで済んだ。たまたま京都の撮影の時に知り合いになった茉莉緒を訪ねて千夏が「遊びに」上京したのだ、というオフィスKの説明を否定する材料は、どこにもなかったのだ。

もちろん撮影で変死した一ノ瀬と千夏の関係は問題視されていたが、冴子がシナリオを書いた川谷の巧みな「釈明」で、海はまったく無関係である、という事務所の主張がとりあえず通った形になっている。だがもちろん、火種はずっとくすぶったままだ。何か新事実が出れば、また海のことが殺人事件と絡めて取り沙汰されるようになるだろう。

茉莉緒は、千夏を殺した犯人が一刻も早く逮捕されることを祈らずにはいられなかった。もちろんそれは、海ではない。海であるはずがない。

だが……

鍵《かぎ》はあの言葉にある、と茉莉緒は思う。あの言葉。一ノ瀬が海に囁《ささや》いたという言葉。

『すみません、ひとつ貰っちゃいました。後で渡します』

何か……違和感があった。いったい何がひっかかるのか、はっきりとはわからないが、何か気になる。どこかが、変だ。

言葉。言葉。言葉……

……関西弁！

茉莉緒はやっと気づいた。そうだ、言葉だ。訛《なま》りだ！　一ノ瀬拓也はあの撮影の時、確かに関西弁で喋っていた。京都の学生だからといって関西の出身だとは限らないが、それでも彼が話していた言葉は、東京の言葉ではなかった。

だが、『ひとつ貰っちゃいました』……貰っちゃった、という言い回しは、東京や関東の言葉だろう。

海は、聞き間違えているのだ。少なくとも、一ノ瀬は「貰っちゃいました」とは言っていないに違いない。だが東京育ちの海にはそう聞き取るのがいちばん自然だったから、海の耳には「貰っちゃいました」と聞こえた。

それではいったい、一ノ瀬は何と言ったのだろう？　至近距離にいた海が聞き違えるほどだから、一ノ瀬はごく小さな声で囁いたのだ。だとすれば、全然違う言葉だったという可能性も、あるのだ。

「貰う」と似ていて、意味の違う言葉……？

茉莉緒の推理はそこまでで停まってしまった。そこから先はいくら考えても思い浮かばない。そして、週末はどんどんと近づき、目が回るような忙しさの中で、茉莉緒の推理はいつの間にか、頭の隅に追いやられていた。


金曜日の夕方、出発前の最後の仕事、番組改編期に放映されるスペシャル番組の収録を終えると、茉莉緒と海と杉浦は、三人で成田へと向かった。

飛行機の座席は、生まれて初めて座るビジネスシートだった。茉莉緒には随分と贅沢《ぜいたく》な気がして、何だか落ち着かない。仕事なのに。海だけがビジネスシートというのはわかるけれど、あたしまで座ってしまっていいのかしら？

「いつもビジネスクラスで移動なんですか？」

茉莉緒は隣の杉浦にこっそり訊《き》いてみた。杉浦はニヤッとした。

「うちの事務所の経済状態からして、贅沢だと思うでしょ」

「あ……はい」

茉莉緒は正直に頷いた。

「タレントさんだけならわかるんですけど、あたしまでは……」

杉浦は、茉莉緒の隣に座っている海に聞こえないように配慮してなのか、ごく小さい声で囁いた。

「冴子さんの方針でさ、移動の飛行機や新幹線はタレントによって格付けしてるんだ。海くんだとまだ、ファーストじゃないってこと。でもエコノミーでもない。わかる？で、マネージャーはそのタレントと同じ座席で移動するってのも冴子さんが決めたこと。だから僕も、新人と海外に出る時はエコノミーだし、久松さんと出る時はファーストに座れる。普通の事務所だと、タレントがファーストでもマネージャーはビジネスってのが一般的らしいけどね。でも冴子さんは、移動の時ってのは何があるかわからないから、マネージャーがタレントのそばを離れているのはよくないって言うんだ。まあ僕も、それは正しいと思う。しかし、経費としてはもったいないよね」

杉浦は肩をすくめた。

「ただ、冴子さんが示したいことの意味は理解出来るんだ。彼女はね、タレントってのは俳優でも歌手でもその他でも、みんな、存在の持つ雰囲気が大切だといつも言ってる。移動の時ってのはさ、社会から見えるところにいるわけでしょ。プライベートの時にタレントがどんな座席に座ってどんな旅をしていてもそれをとやかく言う権利はないけれど、仕事の移動の時には、それなりの存在を誇示して貰わないとならない」

「つまり、座席にふさわしいタレントでいなさいってことですね」

「まあ、そうかな。海くんにもね、冴子さんは、早くファーストで移動するのがふさわしい俳優になって欲しいと思ってるんだろうけど」

茉莉緒はちらっと横の海を見た。海は、ふたりの会話などにはまるで興味もないようで、リラックスした姿勢でヘッドホンを頭に載せ、音楽を聴いていた。

飛行機はほぼ定刻通りホノルルに着いた。現地時間では朝の八時過ぎだったが、日本時間ではまだ午前三時過ぎ、機内で二時間ほどは眠ったが、連日の睡眠不足もあってからだがふわふわして感じられるほど眠い。

夏休みの旅行シーズンはとっくに終わっているのに、空港には驚くほどたくさんの日本人がいる。それでも入国手続きはスムーズに済んだ。

荷物を受け取り、そのまま国内線の発着ビルへとスーツケースを引っ張りながら歩く。ハワイに来たのは随分久しぶりだった。まだ学生だった頃に、夏休みの二週間ほどをハワイで過ごしたことがある。一泊八十ドルのB&Bに女友達三人と泊まって、レンタカーを借りてオアフ中をまわり、隣島にも足を伸ばした。ブランド物のバッグを買いまくるような贅沢《ぜいたく》は出来なかったが、楽しい思い出だ。

風は爽《さわ》やかで、朝の明るい空気の中には甘い花の香りが漂っている。時々深呼吸すると、花の香りのおかげで眠気がすっとひいて行った。

ともかく。

茉莉緒は思いながら歩いた。

この十日間は、何もかも忘れて海にいい仕事をして貰うことだけを考えよう。一ノ瀬と千夏のことも、盗まれた手帳のことも、車のマフラーに詰め込まれたボロ布のことも全部、頭から追い出して。

国内線の発着ビルは、国際線のビルからゆっくり歩いて五分ほど、乗り換えの手間はさほどかからない。予約は日本で取ってあったので、四十分ほどの待ち合わせでマウイ行きのアロハ航空に乗り込むことが出来た。マウイまではほんの三十分、サービスされたトロピカルジュースを飲み終えた頃には、もう眼下に島の緑が見え始める。

「着いたらまず、買い出しだね」

杉浦はマウイ島のガイドブックを広げていた。

「レンタカーの予約は済んでるから、日用品と食べ物を買ってからコンドに行こう」

「伊澤先生のところの撮影スタッフはいつ到着ですか」

「彼等は当初の予定通りだから、火曜じゃないかな」

本来のスケジュールなら、撮影は来週の水曜から始まることになっていて、茉莉緒と海がこちらに来るのも来週の火曜の予定だったのだ。だが千夏の事件で海の名前が取り沙汰《ざた》されるのを懸念して、予定を早めてハワイに脱出してしまった。つまり、水曜の朝までの四日間は、オフも同然になってしまった。しかし、冴子は海をただ遊ばせる為に滞在費を出すような人ではなかった。

冴子はハワイ滞在が早まると決まってからの数日間で、予定外だった四日間にこなす仕事をしっかり取って来ていた。茉莉緒は前倒しになったスケジュールを調整することだけで手一杯だったのに、冴子はその先のことまで最初から考えていたのだ。冴子が書いてくれた指示書に目を通しながら、茉莉緒は、今さらのように冴子と自分との格の違いを噛《か》みしめていた。

「茉莉緒ちゃん、それ、指示書？」

茉莉緒は頷《うなず》いて、杉浦に冴子からの指示書を手渡した。

「うわ、やっぱりオフってわけには行かなかったのか」

杉浦が苦笑いする。

「いや、冴子さんから、海くんを遊ばせないように仕事は入れておいたからとは言われてたけど、一日くらいはのんびりとビーチで昼寝が出来るかと、ちょっぴり期待はしてたんだけどねぇ……やれやれ、ゆっくり出来るのは今夜だけだね。明日は九時過ぎから撮影とインタビューだよ、海くん。その後は同じ取材スタッフとラハイナの町を歩く……」

海は大きなあくびをしている。

「『マリーの部屋』なんて雑誌、僕は見たこともないなぁ。茉莉緒ちゃんは知ってる？」

「インテリア雑誌なんです。若い女の子を購読者層にしてると思います。学生だった頃に何度か買ったこと、あるんです」

「インテリア雑誌が、ハワイで海くんに何のインタビューするんだろうね」

「たまたま雑誌の特集が、ハワイアンキルトと南の島風のインテリアってことで、ハワイ取材は予定されてたみたいですね。たぶん、冴子さんがそこに海さんへのインタビューを突っ込んで貰《もら》ったんじゃないでしょうか。『マリーの部屋』には、芸能人が自分の部屋のインテリアを自慢したり、趣味について話したりする記事がよく載ってるんです」

「ラハイナでは買い物したりするとこを写真に撮るわけかな」

「ラハイナには、アーリーアメリカンな建物がたくさんありますから、どこで撮影しても絵になるんでしょうね」

「それにしても撮影の終わりが午後二時予定か……昼飯はそれまでお預けなんだろうな。それで午後五時から今度は夕飯がてら音楽雑誌の対談。松永《まつなが》ユージってギタリストでしょ？　なんでわざわざマウイで海くんと対談なんだろうね」

「松永ユージは確か、マウイに住んでるんですよ」

杉浦は小さく笑いながら、明日からの三日間に詰まった仕事を確認して行く。どれもこれも、特に海がしなくてはならない仕事、というものではない。冴子がコネと顔とで無理にひねり出した仕事ばかりだ。

それでも、一見海の仕事とは無関係のようなインテリア雑誌や音楽雑誌の仕事であっても、海の顔と名前とが世の中に露出することの意味は大きい。雑誌のインタビューなどは場合によってノーギャラのことすら多いのだが、それでもこつこつと消化して行くことは、海の将来にとって必ずプラスになる。

たった四日間でも無駄にしないで海の為に細かな仕事をかき集めた冴子の気持ちが、なんだか茉莉緒には痛かった。

冴子はもう、海のことを「男」としては考えていないのかも知れない。だがそれでも冴子にとって海は、かけがえのない存在なのだ。冴子は、海の将来に自分の夢を託している、そんな気さえ、する。


カフルイ空港で予約してあったレンタカーを借り、杉浦の運転でキヘイへと向かった。杉浦はマウイ島は初めてらしいが、海外で生活した経験も長いので通行ルールが逆でもまったく気にならないようだった。途中、ショッピングセンターに寄って十日間の生活に必要な物と食料品を買い込み、キヘイのコンドミニアムに着いたのは午後一時をだいぶ回った時刻だった。

さっそく昼食の準備にかかる。滞在費の予算は決して潤沢とは言えない程度の額だったので、贅沢は出来ない。それでも、茉莉緒にとっては久しぶりに他人の為にする料理だったので、スパゲティをゆでて缶詰のソースをかけるだけでも、けっこう楽しい。

もうどのくらい、誰かの為の料理、をしていなかったろう。

茉莉緒は、本当に突然に、以前交際していた上尾の顔を思い出してどぎまぎした。その男の為に自分の部屋の小さな台所で、シチューを煮ていた時のことが頭に浮かんでしまったのだ。だが、不思議ともう、心は痛まなかった。自分の中で、上尾誠というひとりの男の存在が消えかかっていることを、茉莉緒は知った。

そう。消えて行く。上尾はあたしの人生から消えて行くんだ。

そう思った途端、自然と鼻歌が出た。

解き放たれる……ようやく。

失恋して失業して、最悪の状況でコンビニのおにぎりを食べていたあの日から、まだほんの数カ月しか経っていないのに、あたしはもう、はっきりと新しい人生を歩いている。

海の為のレインコートになると決めた、新しい人生を。


「楽しそうだね」

振り向くと、海が笑っていた。

「料理好きなの？　何だかすごく、るんるん気分みたいだけど」

「あの、そんなに好きってこともないんだけど、何だかこういうのちょっと楽しくて。あたしひとり暮らしでしょ、誰かの為に料理するのが久しぶりなんです」

「ひとりで作ってひとりで食うのって、確かにつまんないもんな」

海は鍋《なべ》を覗き込み、フォークでスパゲティを一本すくって口に入れた。

「あと、一分ってとこかな。茉莉緒はアルデンテ、食べられる?」

「え?……もちろん」

海はおかしそうにクスクス笑った。

「いやさ、アルデンテが嫌いなイタリア人のこと、思い出したんだ。昔ね、パリにいた時、ミラノから来てたモデルの男と友達になったんだけど、そいつはイタリア人のくせにアルデンテに茹《ゆ》でたスパゲティが大嫌いだった。彼の言い分だと、イタリアではあんなにごりごりと固いスパゲティなんて誰も食べない、ってさ」

「本当なんですか? ほんとにアルデンテって、イタリアでは食べないの?」

「どうなのかな、イタリアでは確かに、普通の店では意外なほど柔らかいパスタが出ることは多いよね。でもそれってさ、たとえば日本でも、有名でも何でもない普通のそば屋のうどんはでろでろに柔らかいことが多いけど、ちゃんとした有名店のうどんはしこしこして歯ごたえがあるじゃない、あんなのと一緒かも知れない。イタリアでも、本当においしいと言われる有名店ではちゃんとアルデンテに茹でるのかも。でもそいつは要するに、庶民的な舌の持ち主だったわけさ。だけどあいつ、どうしてるかなぁ、今」

海は懐かしむように目を細めた。

「海さん」

「さん無し」

「はい。……海」

「なに？」

茉莉緒は鍋の中でぐるぐると回るパスタを見つめながら訊《き》いた。

「本当に、後悔はしてないんですか」

「何を？」

「順調だったモデルの仕事をやめて、日本に戻って来たことをです」

海は小さな溜《た》め息を漏らした。

「茉莉緒、もし俺が今、後悔してるって答えたらどうする？」

茉莉緒は顔を上げて海の横顔を見た。海は真面目な顔をしていた。

「後悔してるって答えたら、俺が今すぐ事務所をやめてパリに戻っちゃっても、俺のこと恨まない？」

「……恨みます」

茉莉緒は、はっきりと言った。

「あたし、海と最初に出逢《であ》った時は、どん底でした」

茉莉緒は、スパゲティがぐるぐる回っているのを見ている内に自分がどんどんと正直になって行くのを感じていた。

「付き合っていた男性とはうやむやなまま別れてしまい、仕事もクビになって、おまけに部屋のエアコンが故障していたの。あの日は会社に退職の書類を取りに行った帰りで、これからどうしようか、この不景気にどうやって仕事を見つけようかって途方に暮れてたの」

「じゃ、俺が貰っちゃったおにぎり、貴重なものだったんだね、茉莉緒にとって」

海があまり真面目にそう言ったので、茉莉緒は思わず笑い出した。

「あたしにだって、少しぐらいの貯金はあったわ。おにぎり一個ぐらい海にあげたって、すぐに飢えるわけじゃなかったけど……でも、どん底だったのは本当。あれからバタバタっとあたしの周りが変化して、今はこうして海のマネージャーしてる。なんだか夢みたい。でも……でも、これは夢じゃない。現実のことです。あたしにも、今は目標が出来たんです」

「……目標」

「ええ。人生の目標。あたしは海のマネージャーとしてとことんやってみたい。今は他のことは考えられない。だから、海が芸能界は嫌だなんて言ってパリに戻ってしまったら、どうしたらいいのか、また途方に暮れちゃうもの。海には責任があると思います。あたしに対しての責任。あたしをこの業界に誘ってくれた責任。それを果たすまでは、逃げたりしないで」

海は無言のまま、スパゲティの鍋をつかみあげて茉莉緒が用意しておいた笊《ざる》にあけた。湯気がもわっと立って、束の間、流し台の周囲が霧に包まれたようになる。

海の手際は素晴らしく良かったが、ずっと無言のままなので、茉莉緒は、怒っているのかと不安になった。責任なんて言葉をつかってしまったから、生意気だと思われたかも知れない……

「逃げたりはしないよ」

唐突に、海が言った。

「逃げるつもりなんか、ないんだ。それにね、俺は後悔もしていない。俺、今は本気で役者になりたいと思ってる。芝居が出来るようになりたいんだ。正直に言えば、ここのとこずっと悩んでいたのは本当だ」

海は、湯気を睨《にら》み付けるようにじっと一点を見ていた。

「俺がこの世界に入ったのは、茉莉緒もわかってる通り、冴子さんを追いかけて来たからだった。その意味では、動機は甘ったれたもんだった」

海は、それまで聞いたこともないほど静かに、染み込むような口調で言った。

「遊ばれたと思ったんだ。彼女と暮らして世界中を回って、彼女に言われる通りにオーディションを受けてステージに立った。あれよあれよという間に俺の環境は変化する。面白いように金も入るようになった。モデルの仕事は大好きだった。あの舞台の上でのほんの一分にも足らないウォーキングで、どこまで自分を表現出来るか、まるでゲームみたいにスリリングだったよ。ようやく自分のしている仕事の大きさが見えて来て、本格的にやって行こうと思っていた矢先に、彼女は突然俺を捨てて日本に戻ってしまった。

もちろん、彼女はちゃんと俺の為に、優秀なマネージャーの後任を見つけておいてはくれたんだ。だけど、その人とは一シーズンだけで契約を解除して貰《もら》った。……駄目だったんだ。他の人間と組んでも、全然自分を表現出来なかった。俺にだってプライドはあったから、年上の女にただ遊ばれたとは思いたくなかった。だから彼女無しでも絶対に一流になってやると思った……でも、わかったんだ。結局俺は、彼女にインスパイアされたものによって自己表現出来ていたに過ぎなかったってことが」

それはきっと違うわ、と茉莉緒は言おうとした。海には、海本来の個性が持っている輝く素質があるのだ。それは決して、冴子の力によってしか開花出来ないものではなかったはずだ。

だが、声は掛けられなかった。ようやく薄れて来た湯気の中で、海の横顔は見ている茉莉緒の胸が痛むほどに険しかった。

「君とおんなじだ……俺は途方に暮れた。そして日本に戻って、ともかく彼女に会って罵倒《ばとう》してやろうと思った。俺に世界へのぼる階段の在処《ありか》を教えておきながら、一緒にのぼってくれると約束しながら、俺が一段目に足を掛けた途端に俺を放り出して自分の夢に帰ってしまった女に、唾《つば》を吐き掛けてやりたかった。それだけだったんだ、俺が日本に戻った理由なんて。俳優になることなんか、まるで考えてなかった」

海は笊ごとパスタを持ち上げて水切りすると、微《かす》かに微笑んでその笊を茉莉緒に手渡した。

「情けない話だろ？　この業界には、心底役者という仕事が好きで、役者であることに命を懸けてる人たちが大勢いる。なのに俺は、ただ、あの女を見返してやりたい、それだけで役者になった人間なんだ。日本に戻って彼女の仕事場に押し掛けた時、彼女は丁度、若い男優と一緒にテレビドラマのオーディション会場にいた。彼女は俺の顔を見てとても驚いたはずなのに、その驚きを隠してこう言ったんだ。あら、海、どうしたの？あなたもオーディション受けるの？　って」

海は苦痛を嚙《か》み殺しているかのように、恐い顔になっていた。

茉莉緒は、言葉が出なかった。その時の海が感じた屈辱や敗北感が、手に取るようにわかる。

「俺はその瞬間、思った。この女の世界には役者やタレントを育てることしかない。この女に俺を認めさせるには、役者になるしかないんだ……ってさ。今考えてみたら、ととことん甘ったれでどうしようもない男だったよな、俺。冴子さん……冴子が俺から離れて行ったのは、たぶん、俺がいつまで経っても、モデルって仕事について自分の頭で考えて、自分の人生として消化しようとしていなかったからだと思う。俺は冴子に寄り掛かることでしか、いや、寄り掛かって冴子が重そうな顔をしているのを見ることでしか、自分を確認出来ない、そんな奴だったんだ」

「でも」

茉莉緒はソースを温めていた鍋《なべ》に手を掛けることも忘れたまま、ようやく声を出した。

「でも……今のあなたは違うわ。あなたは今、自分で自分の重さを支えようとしてる」

「俺は、役者になりたい。本気で役者になりたいと思ってるんだ、今。あの京都での撮影の時にね、俺、自分が陰口言われてるの聞いたんだ」

「……陰口？」

「ソース、焦げるよ」

茉莉緒は慌てて鍋を火からおろした。

「俺と少しだけ絡みがあった、佐野良太《さのりようた》って役者がさ、同じ劇団の脇役連中と喋《しやべ》ってるのを聞いちゃったんだ。あんなモデルあがりの、腹から声も出ないような奴がいい役についてるのは、伊藤冴子がプロデューサーと寝たからだって、みんなで笑ってたよ」

「そんなこと！　ただのやっかみだわ」

「違う」

海は茉莉緒の手から鍋を受け取り、いつの間にか三枚の皿に取り分けられていたスパゲティの上に、レードルを使わずにドボドボとソースを落とした。また湯気がたち、海の横顔が湯気の向こうに隠れた。

「冴子は本当に必要なら、そのくらいのことはする女だよ。それは俺がいちばん良く知ってる。だけど俺は、やっぱり悔しかった。情けなかった……結局、冴子がそうやって笑われるのは、俺が下手だからなんだ。確かに俺は、舞台の為の稽古《けいこ》もしたことがないから腹からしっかり声が出ていないのかも知れない。佐野良太は研究生から叩《たた》き上げた劇団俳優だ、俺がちょっと科白《せりふ》を喋るのを聞いただけで、そのくらいのことは見抜くんだろう。それだけじゃない。俺はやっぱり、客観的に見て下手クソなんだ。きっと今までだって、俺と仕事をした奴等は陰で笑ってたはずだ。モデル上がりの、伊藤冴子のヒモのくせにって、ね」

湯気が消えると、海の笑顔があらわれた。海は、さっきまでの険しい顔が嘘のようにおだやかに微笑んでいた。

「あの日、茉莉緒に東京に来て貰いたいと俺が思ったのは、そのショックがあったからだと思う。佐野良太だけでなく、今まで俺と仕事をした大勢の人間に俺は笑われてたんだ。そう思ったら、何だかとても……心許《こころもと》なくなった。不思議なことだけど、俺、茉莉緒と喋ってると気持ちが落ち着いて来る。あの日もそうだった。佐野良太の笑い声が耳について、どうしても離れなくて、撮影現場から逃げ出したいと思っていた時に、君を見つけた。何だか運命みたいなものを感じた、って言ったら大袈裟《おおげさ》かなぁ、でも、俺が落ち込んでる時に現れるティンカーベルみたいな存在に、茉莉緒のことが思えたんだ。茉莉緒がいつもそばにいてくれるなら、落ち込まずに役者をやって行けそうな、そんな気がした」

茉莉緒は、やっぱり嬉《うれ》しかった。涙が目尻《めじり》からこぼれて頬に伝わる。自分は必要とされていた。海の気まぐれで東京に呼ばれただけではなかったのだ。

今、正直な海の気持ちがこうして聞けただけで、この仕事を選んで良かった、と茉莉緒は思っていた。

「俺は、ちゃんとした役者になる。もう冴子を見返したいとかそういうことじゃなくて、芝居をするってことがどういうことなのか、演じるってことの意味を、追求してみたいんだ。冴子が選んだ仕事を冴子の気に入るようにこなす時代は、今日で終わりだ。これからはどんな仕事だって、俺自身の役者としての人生の為にやって行く。俺の頭でちゃんと考えて。だからね、茉莉緒」

海が不意に茉莉緒の顔を見た。

「隠さないで話してくれ。三郷一郎のホンで俺にどうかって仕事、来てるんだろう?」

「洋子さんから聞いたのね」

海は頷《うなず》いた。

「冴子が反対してるって話も聞いた。どんな役なのかもだいたいね」

「冴子さんは慎重なのよ。あの仕事は賭《か》けだと言ってます。勝てば確かに海にとって大きな一歩になるかも知れない。でも、万一思ったような成果が上げられなかったら、タレントとしてのイメージダウンに繋《つな》がる。CMの話だって来なくなる。冴子さんはそれをいちばん恐れているんです」

「どうせもう、しばらくはCMの話なんて来ないよ」

海は小さく首を横に振った。

「関係あってもなくても、殺人事件に関連して名前が出たタレントなんか使いたいと思う企業はないさ。はっきり言うけど、俺は自分でわかってるんだ。俺はもう、アイドル売りだとかスター売りが出来るようなタレントにはなれない」

茉莉緒は否定しなかった。否定したかったが、出来なかったのだ。

海の言うことは当たっている、と思った。


「お盆なんてもの、あるのかな」

海が手を伸ばし、システムキッチンの棚を開ける。

「やっぱりないな。いいか、手分けして運べば」

「あの、サラダ作ります」

「スパゲティのびちゃうよ。昼はこれだけでいいじゃない」

海は二つの皿を両手で持ってキッチンを出て行く。茉莉緒も自分の分を手にその後に従った。

「あれ、スギさん、どこ行ったんだろ」

食堂とリビングが一体になったその部屋に、杉浦の姿が見えなかった。茉莉緒が調理を始めるまではソファで新聞を読んでいたのだが。

「散歩かな。困ったな、のびちゃうのに。いいか、先に食べてよう」

海は食料品を買い込んだ袋から粉チーズを取り出した。

「缶ビールでいい？」

海がバドワイザーの六缶セットをそのままテーブルの上に置いた。

「今の話だけどね」

プルトップを開け、海はごくごくとビールを飲んでから言った。

「茉莉緒はどう思ってる？　やっぱり反対？」

「あたしは」

茉莉緒も缶ビールに一口、口をつけた。

「あたしは、挑戦して欲しいと考えてます。ただまだ脚本自体が出来ていないようなので、目を通してみないと……」

「三郷一郎のホンにケチなんか絶対つけられない。一度引き受けたら、降りられないさ、もう」

「わかってます。だから冴子さんが、何とかして先に脚本を読むことが出来ないかやってみると言ってました」

「難しいだろうな。三郷一郎って先生は、筆が早い方じゃないんだ。連ドラやってた頃なんかは、撮りの前日になってもホンがあがってなくて、役者が現場で科白を覚えてたなんてこともしょっちゅうだったらしいよ。今はもう大家だからね、連ドラは滅多に書かなくなったけど。いくら冴子さんでも、事前にホンを手に入れるなんて芸当は無理だろう」

「でも、まったく何もないわけじゃないと思うんです。この話は大東テレビの山下さんから出た話なんだけど、あたしも山下さんが洋子さんにこの話を持ち出したところにいたの。その時の山下さんの口振りだと、かなりはっきりと性格付けられた役柄が決まっているみたいだった……」

「つまり、三郷一郎があらかじめホンを書いていて、それを山下さんに見せたってことかな」

「ちゃんとした脚本の形にはなっていなくても、相当具体的なところまで内容が決まっているんじゃないかしら。少なくとも、たたき台にする粗筋を書いたものくらいはあるんじゃないかって思うんです」

海は器用な手つきでスパゲティをフォークに絡め、ぱくぱくと気持ちよく食べた。そしてまた缶ビールを威勢良く飲んで、おもむろに言った。

「ともかく、ホンの中身がどんなものでも、俺は茉莉緒がいいと思ったら、やるよ」

「あたし、が？」

「茉莉緒は俺のマネージャーだ。俺にとっていいと思う仕事を取って来るのが茉莉緒の仕事。その茉莉緒の判断を信用出来ないなら、コンビは組んでいられないさ」

茉莉緒はスパゲティを呑《の》み込み、ふうっと息を吐いた。

「わかりました。あたしが判断させていただきます」

海が笑った。

「なんか、すごく堅いな、言い方」

「だって」茉莉緒は小さく深呼吸した。「今あたし、すごく緊張してるんです。あたしの判断を海さんが信用してくれるなんて」

「さん無し。ねえ茉莉緒、マネージャーの仕事ってのはさ、ただの雨よけじゃ駄目なんだと俺は思うよ」

茉莉緒は海を見た。

「冴子のようになれとは言わない。彼女のやり方が総《すべ》て正しいわけじゃないからね。だけど、ただタレントを守ってやるだけなら何もマネージャーじゃなくてもいいんだよ。スケジュールの管理だけしてればいいんじゃないんだ。マネージメントってのは、もっと積極的なものなんだと俺は思う。ある意味で、これからは茉莉緒が俺を演出しないといけないんだ」

「演出……」

「そう。どの部分を出してどの部分を隠すか、どう出してどう引っ込めるか、俺って役者を世間に対して演出するのが、茉莉緒の役目なんだ。俺が最初、君に求めたのは、話し相手だった。君がいつもそばにいてくれたら気持ちが落ち着く。楽しくやれる。そう思ったから君を東京に呼んだ。だけど、それは甘えた考え方だった。俺自身の中に、マネージメントは冴子がやってくれるんだって甘えがあったんだ。でもね、今、俺たちは冴子と別に行動してる。もう冴子は俺のマネージャーじゃない。マネージャーは茉莉緒、君だ。これからは、俺の相棒は君なんだ。今日、本当の意味で、俺は冴子を卒業する。だから君も、今までの君を卒業して、俺の相棒になって欲しい」

茉莉緒は、自分のからだが震えているのを感じていた。感動と、そして不安とで。甘えていたのはあたしも同じだ。茉莉緒は思った。

あたしも、海の世話をやくことで満足してしまっていた。仕事に遅刻しないよう起こしたり、車を運転したり、そうやって面倒をみているだけで、仕事をしている気分になっていた。でもそれじゃ、マネージメントをしていることにはならない。ただの付き人だ。

海は今、はっきりとあたしに、マネージメントをして欲しい、と言った。

茉莉緒は唇をきつく噛《か》み、そして頷いた。

「精いっぱい、やります。海の相棒になります」

海は笑った。とても優しい笑顔だった。

「よろしく、相棒」

テーブルの上に海の手が差し出される。茉莉緒はその手をおずおずと握った。海の長い指が、茉莉緒の掌《てのひら》を包み込んできつく握り返した。

「それにしても、ほんとにスギさんどうしちゃったのかな」

海がテーブルの上に置かれたままの、すっかり冷めてしまったスパゲティを見た。

「もううどんみたいになっちゃったよ。せっかく丁度いい具合に茹《ゆ》でたのに。スギさん、どこか行くって言ってたっけ？」

「何も言っていなかったと思うんですけど……オフの時間があれば、日光浴したいとは言ってましたけど」

「買い物かなぁ」

「でも、ここに来る前に随分いろいろ買いましたよね」

「何か買い忘れた物に気づいたとか？」

「それにしても、スパゲティ作りますってあたし、言いました。買い物に行くにしてもお昼を食べてからにするはずだし……」

茉莉緒の背筋に小さな悪寒が走った。説明の出来ない不安で、何だか胸がムカムカして来る。

「杉浦さん、マウイは初めてだって言ってましたよね」

「うん。ハワイは何度も経験してるけど、なぜかマウイだけは来る機会がなかったって言ってたよ。だからひとりでどこかに出掛けるとは思えないんだけどな……」

「あの……警察に連絡した方が良くないですか？」

茉莉緒の問いかけに、海は苦笑いした。

「三十を過ぎた大人の男が、ほんの三十分姿が見えませんってかい？　忙しいのに何言ってるんだって怒られちゃうよ。大丈夫だよ、きっと散歩に出掛けて、何か面白い物でも見つけて時間を忘れてるんだ」

海の言葉を茉莉緒は無理に納得しようとした。海の言う通り、杉浦は大人の男で、しかも英語が話せるのだ。半日やそこら姿が見えなくても、警察が捜索などしてくれるはずはないし、頼んでも相手にされないだろう。

9

結局、杉浦は三時になっても戻って来なかった。海は、帰国してすぐに撮影に入るドラマの科白《せりふ》を覚える為に寝室に引きこもり、茉莉緒は荷物の整理をして過ごした。滞在は長いが、コンドミニアムでの生活なので荷物は少ない。

ひとりでいると、様々なことを考える。

姿の見えない杉浦のことも気掛かりだった。二度までも茉莉緒のアパートの近くに姿を見せた夏草麻衣のことも、頭を離れない。マフラーにボロ布を詰めた犯人のこと。そして、一ノ瀬拓也と、ベッドに仰向けに倒れて死んでいた千夏のこと……。

総《すべ》てのことは、ひとつに繋がるのだろうか？　それとも、まったく別々の事件が重なって次々と起こっているだけなのか。

まず、一ノ瀬拓也の事件。

ひとつ貰《もら》っちゃいました。後で渡します。

普通に聞けば、聞き間違えるような言葉は含まれていない。でも関西人の一ノ瀬拓也が、貰っちゃいました、と言うのはやっぱり、不自然だ。話しかけたのがそんなに親しい相手でもないのに。

茉莉緒はスーツケースから出した衣類を部屋に備え付けられている整理棚にしまいながら、考え続けた。

文節に切ってみたらどうかな。

ひとつ。これは問題ないだろう。どう聞いても、ひとつはひとつだ。

貰っちゃいました。これが問題なのだ。聞き間違えるとしたらこの部分だ。後で渡します、も、おそらくは問題ないはずだ。

貰っちゃいました。貰っちゃい……貰い……標準語で言おうとすれば、貰ってしまいました、貰いました、貰っておきました、となる。関西弁で友達同士で言うなら、貰うといたで。もろうといた、となる。もらい、ではなく、もろう、と。それだとやはり、貰っちゃいました、とはどう聞いても聞こえなかったはずだ。

たぶん……言葉そのものが違うのだ。「貰う」という言葉ではない、別の言葉がそこにはあてはまるはずだ。

次に、千夏の事件。

いちばんの問題は、犯人が、千夏があのホテルに泊まっていることをどうやって知ったか、だろう。

警察は、千夏が自分で犯人に居場所を教えたと考えているようだった。だから犯人は千夏の顔見知りだと。順当に考えれば、たぶんそういうことだったのだろうとは思う。だが……千夏が何をしに東京に出て来たのか考えてみると、少しおかしい。

千夏は、海が一ノ瀬の事件に深くかかわっていると思っていた。もっとはっきり言うなら、海が一ノ瀬を殺した犯人だと思っていたと言ってもいいかも知れない。そんな口振りだった。千夏は思い詰めていた。京都の警察が海のことを調べようとしていないことに苛立《いらだ》って、自分の手で海の犯罪を暴こうと、海を告発しようと考えていたに違いない。もしあの時、あたしが彼女のことを相手にしなかったら、千夏はマスコミに向かって騒ぎ立てたかも知れないし、直接海に危害をくわえようとした可能性すらある。そのくらい緊迫した様子だったのだ。

そんな状態の人間が自分の居場所を知らせるとしたら、その相手は、よほど信頼している人間でなおかつ、千夏の上京の目的を知っていた人間、ということになりはしないか？　仮にそんな人物がいたとしたら、なぜ警察がそれを突き止められないのだろう？

それに千夏が自分でホテルの場所をその人物に知らせたとするなら、普通に考えればホテルの電話を使ったはずだ。ホテルの電話から0発信で外部にかければ、相手の電話番号は記録に残る。電話先を突き止めることは簡単なはずだ。それとも千夏は、部屋の中にいるのにわざわざ携帯電話を使ったのだろうか？　もちろん、その可能性がないとは言えないけれど……

仮に……仮に、千夏が自分で犯人に居場所を知らせたのではない、としたら？　それならば犯人は千夏の顔見知りではない可能性も出て来る。だから警察は犯人を絞り込むことが出来ないのだ。

犯人は何らかの方法で千夏の居場所を知り、あのホテルを訪れたのだ……千夏を殺す目的で。

だが……まず第一に、千夏は犯人を自ら部屋の中に招き入れている。そうでなければ、オートロック式のあのドアから部屋の中に入ることは出来なかったはずだ。だとすれば犯人はやはり千夏の知り合い……？

そして第二。千夏があのホテルに泊まることを知っていたのは、千夏が誰にも言わなかったとすれば、千夏の他にはあたしだけ。

茉莉緒は、そこに思い至って思わず身震いし、自分のからだを両腕で抱いた。

そうだ。他の人間がそれを知り得たはずはないのだ。あの日、あたしは、突然千夏にテレビ局の前で呼び止められ、海のことで詰問された。

だからあたしは、ともかく千夏の泊まり先を確保する約束をして、適当なビジネスホテルに連絡して部屋を確保したのだ。あの日、予約の電話をかけるその時まで、あのホテルに千夏が泊まるということは神様でしかわからないことだった。そして千夏の為にホテルを予約したのは、確か、江崎マナをテレビ局から逃がすダミーの役を引き受けて、江崎マナの車に乗っている最中だ。その後すぐにあたしは千夏と会い、予約したホテルの名前を彼女に教えた。そしてあたしは、冴子に訊《き》かれるまで誰にも千夏が泊まっているホテルを教えたりはしていない。

やっぱり……泊まり先を犯人に教えたのは千夏自身なのだ。他には考えられない。

犯人は千夏の知り合い。それも、千夏が信頼を寄せていた人間だ。

千夏の事件についてはこれで、海が犯人だという可能性はなくなった。

茉莉緒はホッとした。もちろん、海が千夏を殺すわけはないとその点だけは固く信じている。だが、信じているというだけでは世間や警察を納得させることは出来ない。客観的事実として、海が犯人ではあり得ないと指摘出来なければ駄目なのだ。

千夏は海と知り合いでもなければ、信頼を寄せているなどということもなかった。それどころか、千夏は海を殺人犯ではないかと疑っていたのだ。自分の宿泊先を海に教えるはずはないし、何らかの方法で千夏の泊まり先を突き止めた海が尋ねて行ったとしても、絶対に部屋の中に入れたりはしなかっただろう。

そうか。

茉莉緒はようやく納得した。たぶん、同じ推理をたどって、警察は海が犯人ではないと判断したのだ。

だが千夏が信頼を寄せていた人間、というところまで見当がついているのだから、犯人が絞り込めないというのは変だ。それとも警察はもう、犯人の目星がついているのだろうか。ただ捜査上の理由から発表しないだけ？

茉莉緒は整理棚の扉を閉めて頭を振った。ここから先はいくら考えてもわかるわけがない。千夏の事件については、海には関係ない、とだけ思っておけばそれでいいだろう。千夏には気の毒だけれど。

茉莉緒の目の前に、また、仰向けになった千夏の死に顔が浮かんだ。どんな理由があったにしても、あんなに若くて溌剌《はつらつ》としていたのに、殺されるなんて……

面識と言っても二度しか会ったことがなく、私生活についてもほとんど知らない千夏のことがふっと哀れになって、茉莉緒は溢《あふ》れそうになった涙をこらえた。

だが、千夏のことばかり同情してもいられない。茉莉緒は自分自身に関して起こった様々な出来事を思い返した。

まず手帳のことがある。

青山で、二人組にバッグをひったくられたこと。それだけなら、都会にはよくあるひったくり強盗だと思っただろう。だがあの二人組の狙いはあたしの手帳だった。金銭やカードの入った財布には手を付けず、海のスケジュールが書き込んである手帳だけを奪って行ったのだ。

単純に考えて、あの二人組の狙いはつまり、海のスケジュールだった、ということは言えるだろう。あの手帳にはあたし自身の住所だの、仕事関係のメモだのも書きつけてあるが、そんなものを知りたがる人間がいるとは思えない。もちろん、バイクに乗っていた二人が直接の犯人かどうかはわからない。誰かに頼まれたということも考えられる、いや、その可能性の方が高い。いったい誰が、何の為に、海のスケジュールを知る必要があったのか。そしてまた、その犯人はなぜか、あたしが海のマネージャーでスケジュールの管理をあの手帳でしていることまで知っていた。犯人が一般人であれば、海のマネージャーがあたしであることを知るチャンスはほとんどない。つまり犯人は、業界内部の人間かまたは、内部の人間ととても近い関係にあることになる。だが業界内部の人間でも海のマネージャーが冴子からあたしに変わったことを知っている人はまだそんなに多くはない。手帳を奪われた時点ではまだ、就任十日目だったのだ。一通りの挨拶《あいさつ》回りは済んでいたとは言え、雨森海と言えば伊藤冴子、というように結びつけて考える人の方がまだまだ圧倒的だったはずだ。

実行犯二人は誰かから綿密な指示を受けただけ、として、考えられることは……犯人は業界内部の人間で、しかも……あたしと海のすぐそばにいる、ということ……

すぐそばにいる！　あたしと、海のすぐそばに、海のスケジュールを知らなければならなかった人物が、いる……！

だけど。

あたしが海のスケジュールをあの赤い手帳に書き込んでいることを知っていたのって……オフィスKの社員以外に、いるのかしら？

仮に……もしもだけど、オフィスKの誰かがあのひったくりの黒幕だとすると……変よ。どう考えても、変。

だって、オフィスKの人間なら海のスケジュールなんて、ちょっとその気になればいつだって調べられるじゃないの！　手帳をひったくるなんて面倒なことをしなくても、何気なくあたしに訊けば、それで済むことなのに。

いったい、何がどうなっているんだろう。

茉莉緒は混乱して来た頭を整理しようと必死になった。だが考えれば考えるほど、腑《ふ》に落ちないことだらけになる。

その上に、二度にわたって夏草麻衣が自分の部屋の周囲に現れたことが、茉莉緒には
どうしても理解出来なかった。
夏草麻衣は、あたしの何を知ろうとしているのだろう？
あたしに、何の用があったのだろう……？

茉莉緒は決心した。

夏草麻衣があたしの周囲に現れたことを、海に話そう。

彼女が何を考え、どんな目的であんなことをしているのかは見当もつかないが、いずれにしても夏草麻衣があたしに関心を持ったり、個人的に用があるわけはないのだ。彼女があたしに興味を持つとすれば、それは、あたしが海のマネージャーだからであり、夏草麻衣の目的は海だということになる。


海の寝室をノックすると、眠そうな返事が聞こえた。科白《せりふ》を覚えている内にうとうとしていたのだろう。

「海さん……」

茉莉緒はドアの外から声を掛けた。

「ちょっといいですか？」

「さん無し」

海は大きな欠伸《あくび》をしてから言った。

「なに？　スギさん帰って来た？」

「いいえ、まだです」

「入っていいよ。鍵《かぎ》かけてないから」

海はベッドの端に腰掛けていた。台本が枕元に伏せて置いてある。

「科白、どうですか？」

「日にちがあるから大丈夫」

「連ドラでしたよね」

「ラストの二回しか出ないけどね」

「視聴率のいいドラマらしいですね」

「うん、そういう意味ではおいしいかな。それより、スギさんほんと、どこ行ったんだろうな。遅いね」

茉莉緒はサイドテーブルの上の旅行用の時計に目をやった。もう五時だ。

主寝室はツインベッドルームで、杉浦と海とで使うことになっている。だが杉浦の荷物はまだ、航空会社のタグが付いたままで開けられてもいない。

「荷物もほどかないで出掛けたんですね」

「みたいだね……ちょっと、変だな」

茉莉緒は海と目を合わせた。海も不安な顔をしている。だがまだ杉浦が姿を消してから半日も経っていないのだ。今騒いでも、地元の警察は動いてくれないだろう。

「東京に連絡しておいた方がいいかしら。今、丁度お昼ぐらいですよね、東京」

「冴子さんに？　うーん……もう少し待ってみたら？　真夜中まで待っても向こうは起きてる時間だろ。あまり早く騒いで大したことじゃなかったら、スギさんがまた、社長や冴子さんに怒られるからさ。茉莉緒も薄々知ってると思うけど、松崎かすみの事件の時にスギさん、ものすごくショック受けちゃって、精神的に不安定になって大変だったんだよね。だから社長も冴子さんも、はっきり言ってスギさんのこと、あまり信用してないんだ。いや、スギさんが悪い人間だって意味じゃ、もちろんないよ。そうじゃなくて、この業界の人間としては弱いというか……そういう意味でね」

「杉浦さん、松崎さんのマネージャー、長かったんですか？」

「いや、そんなこともなかったと思うけど。デビューしてしばらくは社長が自分でマネージメントしてたんじゃなかったかな」

「社長が？」

「うん。松崎かすみって、社長が見つけた子なんだって。自分でスカウトしただけに社長がものすごく可愛がって、最初はべったりくっついていたらしいよ。でも松崎かすみが売れたお陰で他の仕事も忙しくなって、確か、洋子さんが付くようになったんじゃなかったかな。でもさ」

海は言葉を切り、少しばつが悪そうに笑った。

「洋子さんってすごく優秀だけど、ほら、ちょっときついとこあるでしょ。それで松崎かすみとは衝突ばかりしてたみたいなんだ。冴子さんも時々、こぼしてたよ。洋子さんの言い分は正論なんだけどね、松崎かすみって子はいわゆる優等生じゃないし、頭の回転もそんなに早い方じゃない。もう少し包み込むみたいにして育ててくれると助かるんだけど、って。でも洋子さんにしてみたら、事務所の稼ぎ頭だけにしっかりして欲しいと思ったんだろうな」

茉莉緒は気がついた。海はまた、冴子の名前に敬称を付けて呼んでいる。それが海なりのけじめなんだろう、と茉莉緒は思った。昼食の時に海が冴子のことを呼び捨てにしたのは、あれが海の本音だったからだ。

海は、男として、女の冴子を愛していた。だが今はもう、その恋は終わったのだ、と海は知っている。

「難しいところなんだろうな。松崎かすみのように、いきなり爆発的に売れてしまうとね、この業界でやって行くのに必要な我慢や節制みたいなものを覚える暇がないんだって、冴子さんは言ってたよ。洋子さんはたぶん、それを教えようとしたんだろうな。でも松崎かすみには洋子さんの親心みたいなものは伝わらなかったんだな。彼女、いろいろトラブル続きでね、最後にはマネージャーを替えないと他の事務所に移籍するって言い出したんだ。それで洋子さんの代わりに冴子さんが付いたんだけど、あの事件の二カ月くらい前だったかな、杉浦さんと交代したんだ」

「交代の理由は何だったんですか?」

「詳しくは知らないけど、冴子さんはあの通り忙しい人だからね、松崎かすみぐらい仕事の量が多いと、専任のマネージャーじゃないと無理だったんだろうな」

「それじゃ、杉浦さんが松崎かすみのマネージャーだったのはたった二カ月だったんですね……それでもやっぱり、自殺なんて……ショックですよね」

「スギさんは責任感の強い人だからね、自殺を防げなかったことで自分を責めちゃったんじゃないかな。だけど、スギさんじゃなくて誰が担当していても、結果は同じだったと俺は思う。松崎かすみの運命は、変わらなかったよ、きっと」

海は大きな溜《た》め息をひとつ、ついた。茉莉緒もやりきれない気分だった。理由はどうあれ、あんなに人気があり、才能もあったタレントがひとり、自殺という最悪の形で人生を終えてしまったのだ。あの若さで。


「ところで、なに?」

海が訊《き》いたので、茉莉緒は自分が何を言いに来たのか思い出した。

「あの……ちょっと変な話なんですけど、いいですか?」

「変な話?」

海は笑って足をぶらぶらさせた。

「何だろう、怖いな。何か怒られるのかな、俺」

海があまり無邪気な顔で言ったので、茉莉緒は話を切り出すのを一瞬躊躇《ためら》った。

「そういうことじゃないんです。でもほんとにちょっと、変な話なんで、不愉快になっちゃったらごめんなさい」

「随分遠慮してるんだね。そんなに嫌なことなの」

「聞きようによっては……あのでも、絶対嘘じゃないんです。作り話じゃないんです」

「いいよ、わかったから、言ってよ」

茉莉緒は唾《つば》を呑《の》み込んだ。

「あの……あたし、かなり以前のことなんですけど……夏草麻衣さんそっくりな女性が京都のパン屋さんで万引きするところを見てしまったんです」

海は、一瞬とまどった顔で茉莉緒を見た。言葉の意味がよくわからないというふうに。

「万引きって……あの、万引きのこと？　店から品物をくすねちゃう？」

茉莉緒は頷《うなず》いた。

「その時は夏草さんだとは気づきませんでした。とても大人びた格好をしていて、サングラスもかけていたし。ただ、すごく奇妙な万引きだったんで強く印象に焼き付いたんです。チョコマーブルケーキをそのままむき出しで、紙袋の中に放り込んでしまって」

「すごいな。そんなことしたら後で食べられないね」

「ええ。品物が欲しいわけじゃなくて……ある種の病気なんじゃないかという感じがしたんです。で、後で夏草麻衣さんのことを知って、その時の人に違いないと思いました。サングラスで顔は隠れていましたけれど、その他の部分でもなんとなく普通の人と違って見えたし……」

「女優は顔が小さいからね。手足も細いし。確かに、ぱっと見た感じで少し違うっていうのはわかるけど。だけど……」

「ええ、思い過ごしだという可能性はあると思います。でも……でも……京都の撮影の時、冴子さんを初めて見て、万引きしていたのは冴子さんだったのだと、一瞬思い直しました」

海は笑って頷いた。

「確かに、さすがに姉妹だけあってあの二人はよく似てる。ただ年が離れてるから周囲は気づかないみたいだけど。つまり万引きしたのは冴子さんなのか夏草さんなのかは茉莉緒には判断出来なかったってこと？」

「いいえ。あれは夏草さんだったと今では思っています。あれから何度も思い返してみたんですけど、夏草さんに間違いないと。ちょうどあたしが万引きを見た時、夏草さんはあの映画の撮影で京都に長期滞在していた」

海は腕組みした。

「正直言って、ちょっと信じられないんだな。彼女とは今度の映画で一緒に仕事するのは二度目だったけど、情緒不安定って感じは受けなかった。病的な万引きっていうのは情緒不安定が原因のことが多いって聞いたことあるよ」

「女性の場合は、毎月のものが来る直前や最中に万引き癖が出る人も多いそうです。ただ、万引きのことだけならあたし、別に忘れてしまったっていいと思っていたんだけど」

「まだ何かあるの？」

茉莉緒は、もう一度躊躇ってから頷いた。

「夏草さんがあたしのアパートの近くに現れたんです」

今度こそ、海は驚いて目を丸くした。

「君のアパートの近くにって、それ、どういうこと？」

「わからないの。あたしにもどういうことなのかさっぱり。ただ、一度だけじゃないんです。最初は千夏さんの事件があった翌日、ほら、原宿で遅くまで食事して戻ったんで伊澤先生のスタジオに直行することになっていた朝です。薬局に行こうとした時に家の近くの坂の上に彼女がいるのに気づいたんです」

「どうしてそのこと、言ってくれなかったのさ」

「確信が持てなくて。夏草さんがあたしなんかに何の用があるのかわからなかったし、偶然近くに来ただけなのかもって。でもついこの間、もう一度同じことがあったんです。今度ははっきりと、あたしの部屋を見上げていました、彼女。それで今度こそ、彼女が用があったのはあたしだったんだって思ったんです」

海は大きく息を吐いて頭を左右に振った。

「いったいどうなってるのかな……茉莉緒、君はどう考えてるの？」

「考えてもわからないんです。ただ、万引きのことと夏草さんがあたしのところに来るようになったこととは関係があるかも知れないって」

「つまり、彼女は君に万引きを見られたことに気づいて君をつけ回してるって？」

「そんな馬鹿なことはいくらなんでもないと思うけど……」

「そう、いくらなんでもないよ。万引きしたことを目撃されたと気づいたとしても、君が何も言わないなら知らない振りしてるのがいちばん得策だ。余計なことして寝た子を起こしてもしょうがないよね。第一、彼女は今、スケジュールがすごく詰まってる状態のはずだ。君の家まで出掛けて行って部屋を見張るなんてことしてる暇があるとは思えないよ。もしほんとにそんなことしてるんだとしたら、相当強い理由があるはずだ。だけど茉莉緒、君、彼女とは面識ってないんでしょ？」

「ありません。撮影の時に一方的に見たことはあるけど」

「だったらどうして彼女が君のアパートの住所を知ってるのかも不思議じゃないか。つい最近引っ越したばかりなのに」

海の言うことはいちいちもっともだった。だが茉莉緒には確信があった。あれは間違いなく、夏草麻衣だったのだ。

「いいよ、わかった」

海は頷いて電話の受話器を手にした。

「冴子さんに電話してみよう。彼女なら今でもたまに夏草さんとは連絡とってるはずだから、何かわかるかも知れない」

海が受話器を取り上げて国際電話をかける間、茉莉緒はそばに座って待った。

日本は今、午後一時頃。冴子の出勤は他の社員より若干遅めだが、それでもこの時間には事務所にいるか、どこかでパワーランチの最中だろう。

海は事務所の誰かと話をしている。どうやら冴子は外出しているようだった。

「じゃ、そういうことでよろしくお願いします。あ、それから洋子さん、杉浦さんが今日、そっちに電話しなかった？」

海の問いに茉莉緒はつい、熱心に海の顔を見た。

「……そう……いや、いいんだ。何でもないんです。うん、大丈夫。じゃまた」

海は受話器をおいて軽く頷いた。

「冴子さん、社長と一緒にテレビ局らしい。こっちに電話貰《もら》えるよう伝言はしといた」

「杉浦さん……事務所に連絡とか入れてないんですね」

「ま、期待はしてなかったけどさ。こっちで仕事してるんだから、事務所に連絡しても意味ないもんな。それにしても……ちょっと困ったね。いくら何でももう、姿が見えなくなってから四時間以上経つからね、ちょっと買い物に行ったというわけじゃなさそうだね。もしかしたら、どこかで車が故障でもしちゃったかな？」

「でもそれなら、電話くらい掛けて来られるんじゃないかしら。ジャングルにでも入らなければ、田舎道でも電話を借りられるところはあると思うんだけど……」

茉莉緒ははっきりと不安になっていた。杉浦は英語には不自由ないが、マウイは初めてなのだ。どこかで車の事故にでも遭って、怪我でもしていなければいいのだが……

「いずれにしても、明日の朝までに連絡がなければ警察に行こう。気にはなるけど、探しに行くにしてもどこを探していいのか見当がつかないからね。大丈夫だよ、茉莉緒。そんなに心配そうな顔しなくても、スギさんは絶対、無事だから」

茉莉緒は微笑もうとしたがうまく行かなかった。千夏の死以来続く不審な出来事に、心が脅《おび》えている。


「そろそろ星が見えるかな」

海は窓の外を見た。夕闇は溶けてなくなり、いつの間にか夜になっている。

「ハワイってね、世界でいちばん星がよく見えるんだって知ってる?」

「ほんと?」

茉莉緒は思わず窓に近寄った。

海も茉莉緒の後ろから窓に顔をつけるようにして空を見始めた。

「太平洋のど真ん中って立地のせいらしいんだけど、星の観察にはハワイが最高なんだって」

「そう言えば、ハワイ島に世界でいちばん有名な天体観測所があるんじゃなかった？」

「よくは知らないけど、あるとすればマウナケアだね。僕、ハワイ島には行ったことがないんだ。でもこのマウイ島でも、ハレアカラに登るとすごい星空が見えるよ」

「海は、前にマウイに来たこと、あるのね」

海はただ苦笑いのような笑みを浮かべて頷《うなず》いただけだったが、茉莉緒にはそれだけで総《すべ》てわかった。海が以前にマウイに来た時には、その隣に冴子がいた、ということだ。

茉莉緒は気づかない振りのまま窓ガラスに顔を押しつけた。

「あら……月が出てしまった……月の光が強すぎて、星の数が少ないわ」

「月が沈むのは明け方だね。月が沈んでから日が昇るまでの間は、星の世界だ。明日の仕事がなかったら、ずっと起きていて見てやるんだけどな」

「明日は仕事です」

茉莉緒は笑いながら言った。

「そしてあさっても、しあさっても」

「わかってる。バカンスに来たんじゃないもんな、俺たち。だけどいつかはさ、ハワイで冬休みってのもいいよね」

「あ、いつもお正月明けのテレビで観てました！　元旦とか二日に、芸能人がたくさんホノルルに到着するのを、レポーターが待ちかまえてインタビュー！」

二人は思わず大笑いした。

「あれ、この業界ではステイタスだから。だけどいつからあれ、行事みたいになっちゃったのかな」

「ほんと。何もわざわざ、いつも顔合わせてる業界の人が大挙してハワイまで押し掛けてお正月しなくても、いいわよね。それにレポーターまでついて来ちゃうなんて。どうしてそういう邪魔の入らないところで冬休みしないのかしら。海もあれ、やってみたいんですか？」

「うん」

海が躊躇《ちゅうちょ》なく答え、二人はまた笑った。

「せっかく芸能人になったんだからさ、一度くらいはやってみたい。でも一度でいいな。一度やって満足したら、次の年からはどこか、誰にも会わなくて済むような静かなとこに行くんだ……なんて、そういう問題じゃないよな、俺。だいたい、正月に仕事なんかもともと入らないもんね、今の状況じゃ」

「入ります。来年からはきっと、休みたくても休めないくらいたくさん」

茉莉緒は強く言った。

「海は人気俳優になって、スターになって、お金持ちになって、そして素晴らしい俳優になる。あたしはその為にここにいるんです」

海は、茉莉緒と同じように窓の外を見たままで答えた。

「うん。俺もそう信じる」

海の小さな溜《た》め息が茉莉緒の耳に聞こえた。

窓ガラスに、吐き出した息の軌跡が残る。

「俺、ようやく欲が出て来た。茉莉緒とゆっくり話が出来て、ほんと良かったよ、今日。俺の我儘《わがまま》な思いつきで茉莉緒をこの世界に引きずり込んだこと、半分は後悔してたから。でも茉莉緒がそれだけ強く決心してくれてるなら、俺ももう迷わない。日本に戻ったら三郷一郎のホンの話、進めてくれ。レイプだって異常殺人だって変質者だって、俺は演じてみせる。冴子の期待した正統派の二枚目俳優にはなれなくても、俺には俺にふさわしい役者の道がきっとある、そう思うんだ」

この夜は特別な夜だ。

茉莉緒はそう思った。自分と海、ふたりの人生にとって、転機となった夜なのだ。

ふたりはもう、戦友なのだ。お互いの未来の為に、共に戦い抜くと決めた戦友。

10

杉浦は午後八時になっても戻らず、二人は缶詰とパンだけの簡単な夕飯を済ませた。

十時過ぎまでは明日の仕事のことを話し合って起きていたが、時差のせいもあり寝不足で、茉莉緒も海もそれ以上は杉浦を待って起きていることが辛《つら》かったので、取りあえずそれぞれの寝室にひきとった。

だがどんなに眠くても、結局茉莉緒は寝付くことが出来ずにベッドの中で寝返りばかり打っていた。目を閉じると悪い想像が頭の中に沸き起こって、どんどんと暴走を始める。マネージャーはレインコートにならなくてはいけない、と教えてくれた杉浦の、おだやかな声が耳の中で何度も響く。なぜなのか、松崎かすみの顔も頭の中に現れた。茉莉緒自身は松崎かすみが人気スターだった頃、さほど興味を持って彼女を見ていたわけではなかったが、それでも彼女の歌は知っていたし、会社の同僚と行ったカラオケで歌ったこともある。あの頃、自分が将来芸能マネージャーになるなどとは想像もしたことがない。そして同じあの頃、杉浦はかすみのマネージャーとしてすでに仕事をしていたのだ。

……あ、でも、杉浦さんは松崎かすみのマネージャーでいた期間はそんなに長くなかったって海が言ってたっけ。最初は社長がマネージメントして、それから洋子さんになって、冴子さんが引き受けて、最後が杉浦さんだったんだ……

同じ事務所の中で短期間に四人のマネージャーが替わったなんて、珍しいことじゃないのかしら？

松崎かすみはいったい、どんな女性だったのだろう？

この先、芸能マネージャーという仕事をずっと続けて行くとするなら、海のようにあたしのことまで思いやってくれる人とばかり仕事が出来るわけではない。我儘《わがまま》だったりだらしなかったり、無鉄砲だったりする人間とも付き合っていかなくちゃならないし、そうした人にこそ、マネージメントという仕事は必要なのだ。それはわかっている……けど……もし、もしも、自分が担当していたタレントが自殺してしまったりしたら、いったいどんな気持ちになるものなんだろう？　どんな傷が心に残ってしまうのだろう……

杉浦さんは、どんなことを考えたのだろう……松崎かすみの死を知った時。

ガタン、と音が聞こえた。茉莉緒が使っている部屋はロフトにあり、男性二人の寝室やリビングは下の階だ。

ドアが開いた音だ！

茉莉緒は起き上がり、スウェットのまま階下へ下りて行った。

「……杉浦さん？」

暗闇の中に人の気配がしたのでそっと声を掛けた。

「杉浦さんですか？」

「茉莉緒ちゃん。あかりのスイッチどこかな。さっきから探してるんだけど」

「杉浦さん！」

茉莉緒は杉浦に飛びつくようにしてその存在を確かめると、キッチンに近いところにある電灯のパネルに触ってあかりを点《つ》けた。

「あ、そっちにあるのか。やっぱり日本の家とは違うなぁ」

「杉浦さん！　すっごく心配してたんですよ、いったい、どうしちゃったんだろうって」

茉莉緒は涙声になっていた。杉浦は見たところ、怪我もしていないし病気でもなさそうだ。

「全然連絡がないんですもの……警察に行こうかどうしようか迷っちゃって」

「いやあ、本当に申し訳ない」

杉浦は頭をかく仕草をしながら、立ったまま頭を下げた。

「一生の不覚でした。海くんは？」

杉浦が言いかけた時、丁度隣の部屋に通じるドアが開いた。

「スギさん！　どうしちゃったの！」

「海くん、心配かけてすみませんでした。僕ももう歳だね。いや、弁解のしようがない」

「ともかく、座りませんか。今コーヒーいれますから」

茉莉緒に言われて杉浦はソファに腰をおろした。海もTシャツにトランクスという寝姿のまま杉浦の前に座った。

茉莉緒はキッチンで湯を沸かした。膝《ひざ》がガクガクするほどの安堵《あんど》感で、何かしていないと床にへたり込んでしまいそうだった。


「昼飯、スパゲティにするって茉莉緒ちゃんが言ってたでしょう」

杉浦は茉莉緒のいれたコーヒーをすすって、うまい、と呟《つぶや》いてから話し始めた。

「それでタバスコを買い忘れたことに気づいて、ちょっと近くのマーケットまで行こうと思ってね。ほら、来る途中の海岸の方へ曲がる道のとこにあったなと思ったもんだから。ところがガレージから大きな道に出るまでに二回曲がらないとならないのを一回と勘違いして直進しちゃったんで、どうやら反対方向に向かっちゃったらしいんだ。しばらく走ってから、随分遠いし見たことない景色だなと思ってようやく気がついたんだけど、ちょうど道路標識でラハイナまですぐってわかったんで、明日の仕事の下見にラハイナを見て帰ろうと思ってね。どこかで電話を借りて茉莉緒ちゃんに連絡するつもりでそのまま車を走らせたんだ。そしたら、少し走ってるうちに気分が悪くなって来ちゃって」

「気分が？」

海がちらっと茉莉緒を見た。

「胸がムカムカとか？」

「うん、まあそんな感じで。いや、たぶん寝不足のせいだったと思う。ともかくそのまま運転すると危険かなと思ったんで、パブリックビーチの標識を見つけて車を浜に入れた。で、少し持ち直すまで、と思ってシートを倒して横になったんだ。そしたらそのまま眠ってしまってね、気がついたら辺りは真っ暗で、腕時計を見たら十一時過ぎだろう。いやもう、本当に驚いて、スピード違反を覚悟で車をすっ飛ばして戻って来た。そういうことなんだ」

海の表情は険しかった。だが、杉浦の言葉を疑っているからではないというのは、茉莉緒にもわかった。

「スギさん、今はどうですか。胸、まだムカつきます？」

「いや、もう大丈夫だ。シートを倒して眠り込んでしまう前に吐いたからね。それにしてもつくづく、歳を感じたよ。確かにここ数日、不眠症気味で睡眠不足だったし、飛行機の中でも余り眠れなかったから、その上に時差のせいでからだが参ってたのはわかるんだけど、まさか十時間近くも気絶しちゃうなんてなぁ」

杉浦は苦笑いしながらまたコーヒーをすすった。

「スギさん、飛行機降りてからここに着くまでに、何か食べたり飲んだりしました？」

海が訊《き》いた。茉莉緒は緊張した。だが杉浦は、海の質問の意図がわからないのか、怪《け》訝《げん》な顔で首を横に振った。

「いや……どうだったかなぁ。食べ物は食べてないと思うよ。飲み物は……あ、そうだ、ここに着いてからミネラルウォーターを少し飲んだかな」

海が冷蔵庫を開け、半分ほど残っているミネラルウォーターのボトルを取り出した。

「これですよね？」

「うん、たぶん。ここに着く前にみんなで寄った空港の近くのマーケットで買った奴だよ」

「ここに着いた時、冷蔵庫は空だったわ」

茉莉緒は思い出しながら言った。

「杉浦さんが飲んだのはそれに間違いないと思う」

「でも、これなら俺もさっき飲んだよ……特に体調に変化はない」

「ちょっと海くん」

杉浦は困ったような顔で笑った。

「まさか僕が毒を飲まされたと思ってる？」

「毒というよりも、睡眠薬じゃないかと。睡眠薬は種類によって嘔吐《おうと》をもよおすことがありますから。十時間も眠ってしまったというのも、不自然ですよ、スギさん」

「いや、そんなことはないと思うよ……ほんとに最近、よく眠れなくて体力的に参っていたから、飛行機での疲れとか時差とかが重なって、一気に来ちゃったんだよ。それだけだ。第一、誰がやるにしてもさ、僕に睡眠薬を飲ませても何の意味もないだろう？いくら何でも、君たちの車にいたずらした犯人がハワイまで追いかけて来てるなんてことは、ないだろうしさ」

「ない、と決めてしまうのは危険だと思うんですよ」

海は険しい表情のまま言った。

「スギさんも聞いてると思うけど、車に細工した犯人の目的は俺と茉莉緒だけじゃなくて、オフィスK全体だったってことも充分考えられるんです。だとしたら、スギさん、あなたが狙われてもおかしくはないんですよ」

杉浦はようやく事の重大さに気づいたのか、目を大きく見開いていたが、やがて首を横に振った。

「しかし……ミネラルウォーター以外には口にしなかったからなぁ。もちろん、車が排ガス臭かったということもないよ。今さっきも乗って帰って来たが、ちゃんと走ったしね。今度のことは僕の体調のせいだと思うよ、ほんとに。二人に迷惑をかけて本当に申し訳ない」

杉浦がまた頭を下げたので、海はようやく表情を和らげた。

「もういいですよ、こうやって無事に戻って来てくれたんだから。じゃ、俺、もう寝ますね。明日の仕事は写真もあるから、寝不足だとまずいし。それじゃ、おやすみなさい」

海は立ち上がってリビングから出て行った。

「杉浦さん、お腹空《す》いたんじゃありません？」

茉莉緒が訊くと、杉浦は笑って頷《うなず》いた。

「そう言えばさすがに腹が減ったね。考えたら飛行機の中で朝飯食べたきりだった」

「何か作りますね」

茉莉緒は夕飯に食べたパンの残りをスライスしてチーズを挟んだサンドイッチを手早く作り、缶詰のスープを温めた。

杉浦は、よほど空腹だったのかあっという間に両方を平らげた。


「それにしても」

茉莉緒がもう一度いれ直したコーヒーをすすりながら、杉浦は茉莉緒に不安げな顔を向けた。

「さっき海くんが言っていたことだけど。犯人がオフィスK全体を狙っているっていったい、どういうこと?」

「冴子さんから聞いてませんか」

「うん。いや、あの排ガス漏れがただの事故じゃないかも知れないってことは、聞いたけどね。しかし僕は、あれは海くんに当てつけた嫌がらせの類《たぐい》だと思ったんだが」

「嫌がらせ、ですか?」

「そう」

杉浦はふうっとひとつ溜《た》め息をついた。

「たぶん、夏草麻衣のファンの仕業だと」

夏草麻衣。その名前に茉莉緒は緊張した。

「どうして、夏草さんのファンが？」

「茉莉緒ちゃんは知らなかったっけ。茉莉緒ちゃんが事務所に来る少し前かな、女性週刊誌に海くんと夏草麻衣の噂が少し、出たことがあるんだ」

「ほんとですか？」

杉浦は、真剣な顔をしている茉莉緒を見て小さく笑った。

「いや、あのね。仕掛けだよ、仕掛け」

「……仕掛け……」

「映画の話題作りだ。夏草麻衣の事務所には了解済みで、うちから流したガセネタさ。載せた女性誌には他のスクープとのバーターでやって貰《もら》ったんだ。海くんもそのことは知ってる。しかし、正直言うと海くんと夏草麻衣とでは、人気が違い過ぎるからね、大した話題にはならなかった。この手のことはよくあることで、珍しいことじゃない。ファンの方にしてみても最近はその程度のウラは知ってるから、本気にして騒いだりはしないもんなんだ。でも中には、狂信的というか、妄想の世界に入っちゃってるファンというのもいるからね。夏草麻衣が海くんと何かあったと信じ込んで、海くんに対して憎悪を抱いてしまった人間もいたかも知れない」

「それじゃ、杉浦さんはあの事故は海さんを狙ったものだと」

「だって他には考えられないじゃない。まさか茉莉緒ちゃん、自分が狙われる理由なんて思い浮かばないでしょ？　茉莉緒ちゃんはまだ業界に入って日が浅いから実感出来ないかも知れないけど、似たようなことはけっこう、あるもんなんだ」

杉浦は思い出したようにちょっと顔をしかめた。

「ファンレターの中に死んだゴキブリだのカミソリだのが入っているなんてことは日常茶飯事だし、ほら、爆発物を仕掛けられて開けた人が大怪我した事件もあったでしょう？　あそこまで悪質じゃなくても、どこで調べたのか自宅のマンションの郵便受けにネズミの死骸《しがい》を入れられちゃった俳優もいるし、無言電話をかけられ続けて、電話番号を何回も変えてるタレントもいる。自宅の電話番号なんて、事務所の人間でもごく一部しか知らない場合が多いのに、いったいどうやって調べるんだか、その執念ってのは怖いよね。まあいずれにしても、芸能人になるならそうした妄想の対象になることを覚悟しなくちゃならないんだろうな」

「ストーカーみたいなことするファンがいるんですよね」

「うん、まあファンと言っていいのかどうかわからないけどね。スターストーカーって言うやつだね。一般人じゃなくて、世間で有名な人間に対してだけ妄想を抱くんだ。そうした有名人にちょっかいを出すことで、自分も同じくらい凄《すご》い人間であるという錯覚を抱き、その錯覚の中でどんどん自己を肥大させて行くんだそうだ。ま、海くんの場合だと、もっと単純に夏草麻衣の狂信的なファンによる嫌がらせなんだと思うけどね」

杉浦は自分の説に自信があるようだった。

だが、杉浦の説が正しいとすればいろいろな矛盾が起こって来る。前にも何度となくそのことについては考えてみたのだが、どう考えても、あの時あの車に海が乗っていることを、外部の人間が知り得たはずはないのだ。

それならば……海に嫌がらせしようとした人間は、オフィスKの内部の誰かと通じていることになってしまう……

「ご馳走《ちそう》さま、とってもおいしかった」

杉浦が皿を手に立ち上がった。

「あ、いいです。それあたしが片付けます」

茉莉緒は杉浦の手から皿を受け取った。その時、杉浦の着ていたサマージャケットの袖が、何かの拍子にすっとずり上がった。

茉莉緒は、ハッとした。杉浦の手首のあたりに、白い包帯が見えている。しかもその包帯には、血が滲《にじ》んで……

「それ、どうしたんですか！」

茉莉緒が反射的に叫ぶと、杉浦はサッと腕を引っ込めた。

「ああ、何でもないんだ。ほら、気分が悪くなって車を停めて吐いた時にね、うっかり転んで、岩にぶつけたんだ。適当にハンカチで縛っておいたんだけど、化膿《かのう》しちゃうと怖いから、ここに戻る途中のマーケットでファーストエイド・キットを買って手当したんだよ」

おかしな話だ、と茉莉緒は即座に思った。

確かに、ＡＢＣストアにでも入れば応急処置用の小さな救急箱を売っていて、それを買えば簡単な怪我の手当ぐらいは出来るだろう。だが、スピード違反も構わずに車を飛ばして戻って来る途中で、なぜわざわざそんなことをしたのだろう？　そのままここに戻って来れば、救急用の薬くらいは日本から持って来ていることを、杉浦だって知っているのだ。日本からの飛行機の中で、常備薬を持って来たかと訊《き》かれた時にその話はしてあったのだから。

杉浦の話の通りだとすれば、怪我をしたのは十時間も前のことなのだ。血はとっくに止まっていただろうし、一分一秒を争って手当しなくてはならない状態だったはずはない。

それに……さっき見えた包帯には、確かに血が滲んでいた。鮮血というほどではないが、赤く見えたのだからそんなに古い出血ではない。十時間も前の傷口から包帯に滲むほど血が出たというのなら、傷は相当に深く、ファーストエイド・キットの応急手当ぐらいでは危険ではないのか？

十時間も眠っていたというのは嘘なのか。傷はもう少しあとに出来たもので、杉浦はその傷の手当をあたしにさせたくなかったのか。

なぜ、杉浦は嘘をつく……？

杉浦まで。信頼している杉浦までが、何か秘密を抱えている。

いったいあたしは……あたしと海とは、何に巻き込まれてしまったのだろう？

あまりにも多い謎の数々は、何を指し示しているのだろう？

誰もいなくなったリビングに座って、茉莉緒はひとり考え続けた。

頭の片隅に何かが引っかかっている。何かとても大切なことを、確かに知っている、そんな気がする。

確かに、見ている。

そうだ、あたしは見ているのだ。何かを。……何を？

それがわからない。だが、自分が何かを見たのだ、という気持ちはどんどん強くなって来た。

見ていたのだとしたら、それはあの、京都の河原での撮影の時だ。あの時、あたしはエキストラの待機場所に座って、ずっと撮影を見学していた。あの時に何かを、あたしは見たのだ……たぶん。

頭を拳骨《げんこつ》でコツコツと叩《たた》きながら、茉莉緒は必死で考えた。

いつの間にか、ハワイの夜は明け、リビングには明るい南国の陽射しが差し込みはじめていた。

4 挑戦と真相と新しい出発

1

まんじりともせずに、そのままリビングのソファの上で夜を明かして、茉莉緒は眠け覚ましのコーヒーを自分の為にいれた。

思い出そうとしていたことは、とうとう思い出せなかった。無意識に見ていたもの、それが問題なのだ。だが無意識に見ていたものの記憶は、頭のどこかにはあるとわかっていても、どこにあるのか探す術《すべ》がない。

今は考えても仕方ない、と茉莉緒は割り切った。とりあえず、自分は遊びにハワイまで来ているのではない。仕事をしに来ているのだ。他の総《すべ》てのことよりも仕事が優先だ。

杉浦も海も、昨日のことは何でもなかったかのような顔で起きて来て、朝食もよく食べた。茉莉緒は迷ったが、杉浦に疑問をただすのは思い留《とど》まった。少なくともこちらに滞在している間、海に余計な不安を抱かせたくはない。仮に杉浦が何か隠しているとしても、海に危害をくわえるつもりなどはまさか、ないに違いない。レインコートの話をしてくれた時の杉浦を、茉莉緒は信じたかった。

それでも、油断は出来ない。茉莉緒は自分自身に言い聞かせた。

あたしが、海を守るんだ。誰にも頼らずに、このあたしが。


ラハイナでの撮影とインタビューは順調に終わった。気をつけて見ていると杉浦の手首には包帯が巻かれたままだったが、いつの間にか新しいものと取り替えられていて、血の染みは見当たらなかった。傷の痛みもないのか、杉浦は機敏に動き、荷物を持つのにも躊躇《ちゅうちょ》はしなかった。

いずれにしても、そんなに深い傷ではなかったのだろう。だとすれば……十時間気絶していたというあの話はやはり、嘘なのか……

＊

伊澤瞬とスタッフの一行がハワイ入りするまで、冴子が入れた仕事をこなすのに茉莉緒は必死になった。ハワイに着いてから海はとても陽気になり、仕事には積極的になっていた。あの最初の夜に二人だけで話し合ったことが、海にいい影響を及ぼしたのだ。

そう茉莉緒は確信した。そしてそれだけで、とても幸せな気分だった。

杉浦もまったくおかしな素振りひとつなく、茉莉緒と海の為によく動いていた。杉浦が英語に堪能《たんのう》なおかげで現場での細かなトラブルも難なく切り抜けられ、総てのことがスムーズで、茉莉緒には、日本で起こった様々なトラブルの総てがもう、遠い昔の話のように思えていた。

これでメインの仕事がうまく運べば、日本に戻ってもきっと、何もかもが良い方向へと向くだろう。

茉莉緒は楽天的な気分になり、杉浦のことも自分の思い過ごしではないかと考えるようになっていた。傷の手当を自分でしたのは、血が止まらないことに少し焦ったからだと考えれば、さほど不自然なことでもないのかも知れない。その点さえ問題がなければ、杉浦の言葉を疑う理由はないのだ。

週が明け、伊澤瞬とそのスタッフがマウイ入りした。今回の仕事の依頼主である広告代理店の担当者も同じ日にホテルに着いたと連絡が入り、さらに、石崎晴海からも同様の電話があった。

いよいよ本番だ。

スタッフ全員参加しての初めての打ち合わせは、伊澤瞬が泊まっているカアナパリの高級コンドミニアムで行われた。

リビングは日本風に言えば十五畳はありそうな広い部屋だったが、伊澤瞬とその撮影スタッフ合計四名に石崎晴海、広告代理店の社員二名、それと茉莉緒たち三人で、ソファも椅子も満杯だった。茉莉緒は杉浦と二人で部屋の隅に立った。

伊澤瞬からの撮影のコンセプトの説明のあと、依頼主側の一人がソファに座ったままで口を開いた。

「はっきり申し上げて」

広告代理店の社員は、ひどくもったいぶって咳払《せきばら》いしてから話し始めた。

「今回の依頼は途中でキャンセルさせていただくことも検討したわけです」

茉莉緒は、思わずその社員の顔を見た。背中にヒヤッとしたものが流れる。

「理由はまあ、あえて言わなくてもオフィスKさんの方でわかっておられると思いますが……しかし、社内で何度も検討を重ね、スポンサーさんとも相談した結果として、やはり雨森海さんで行こうということになりました。この企画では五種類のポスターを制作するわけですが、マウイで撮影する今回の分に関しては、イメージが最初から雨森海さんを想定して描かれており、そのイメージでスポンサーさんにも了解をいただいておりました。従って、今になって他のモデルさんに変えることはいろいろな意味で難しいという判断があった。しかしそれ以上に、スポンサー側が雨森海さんに期待していたということがあります。ここであえてお願いしておきたいわけですが、ぜひ素晴らしい作品に仕上げてスポンサーさんの期待に応《こた》えていただきたい。伊澤瞬さんという当代随一の人気カメラマンを迎えて、雨森さんの魅力を最大限引き出した素晴らしいポスターになると、我々は信じています。我々の希望としては、ポスターの盗難が世間で話題になるほどになればと思っています」

その男の言葉の大半は、激励の名を借りた釘《くぎ》さしだということは茉莉緒にもわかった。殺人事件に関連して名前が取り沙汰《ざた》されてしまったようなモデルを使うにはこちらもかなり我慢しているのだから、それ相応の仕事はしてくれ、ということなのだ。だがそれでも、茉莉緒は武者震いのようなものが体中をかけめぐるのを感じていた。

少なくとも、ひとつのことは確かだ。

このポスター撮影を広告代理店に依頼したスポンサーは、海を選んでくれたのだ。海ならば、スポンサーのイメージ通りの作品がきっと出来上がると、信じてくれたのだ！

そう、海なら出来る。海には、求められているものが何なのか察知する本能的な勘と、自分の内部に眠っているものを瞬間的に引き出して表現して見せる類稀《たぐいまれ》な素質が備わっているのだ！

打ち合わせが済むと、時間をおかずに最初の撮影場所であるシュガートレインの駅へと一同は移動した。伊澤瞬のスタジオが撮影期間中、運転手と共にチャーターしたバスで、茉莉緒は石崎晴海と隣り合わせに座った。

「このあいだは、どうも」

茉莉緒が小声で言って頭を下げると、石崎晴海は不思議な笑顔になった。

「……ふうん……あなたが和泉さんなんだ。あの時は正式な新しいマネージャーだとは思ってなかったのよ。アルバイトの人かと思ってた。ごめんなさいね」

「いえ、雨森のマネージャーになってまだようやく三週間です。右も左もわからない状態なんで、よろしくお願いします」

「海が気に入って京都から連れて来たって、あなたのことなんでしょ?」

茉莉緒は、何と返事をしていいかわからなかった。

「京都から来たのは確かですけど……たまたま失業中だったので……」

石崎晴海はとても小声になって言った。

「ごめんなさい、変な意味で言ったんじゃないのよ。あたしね、良かったと思ってるの。海がやっと、冴子さんを離れてひとり立ちしようとしてるんだなって。もうそろそろ海も思い切らないといけない時期なのよ。いくら冴子さんのこと想い続けたって、もう彼女の心は海のところへは戻らないんだから」

茉莉緒は、狭いバスの中で、その言葉が海の耳に届くのではないかと心配した。海は前の方の席で杉浦と何か話している。

「冴子さんも結局、優しいからね。海がひとりでやってけるようになるまでは、結婚もお預けにしてるんだろうけど」

結婚。

茉莉緒は、石崎晴海の口から出た言葉に驚いた。

「冴子さん……ご結婚される予定があるんですか？」

「あ、知らない？　だったらまずいかな……でもいいか。どうせ海だって薄々気づいてることなんだから。冴子さんね、東条俊介と付き合ってるのよ」

東条……俊介。どこかで聞いた名前のような気がするんだけど……

「知らない？　この業界では有名な人なんだけどな。夏草麻衣のマネージャーよ。いつ独立して事務所を構えるかってみんな注目してる人」

あ！

茉莉緒はやっと思い出した。そうだ、あの宇治川での撮影を見ていた時、冴子と一緒に歩いていた男性……

「東条さんが事務所を持ったら、彼に育てられた恩のあるタレントがごっそり移籍するんじゃないかってみんな心配してる。冴子さん、彼と結婚して念願の自分の事務所、持つんじゃないかな、彼と共同経営か何かでね」

石崎晴海はますます声を低くした。

「おたくの川谷社長はいい人だけど、業界の人間としては押しが弱いというか、バリバリやるって感じじゃないでしょう？　これまでは冴子さんがいたから何とかやって来られたわけだけど。でもね……あ、これはあたしの勘だから根拠はないんだけどさ……おたくの、高村さん」

「洋子さんですか？」

「そう。彼女と川谷社長ってその……なんじゃない？　あたしの耳にもね、高村さんがこの頃、冴子さんを通さないでオフィスKの仕事を決めてるって話、届いてるの。冴子さんって勘のいい人だし、変なとこで古風というか、自分が引いちゃう人だから、もし高村さんと川谷社長がそういう仲になっちゃってて、自分の存在が邪魔なんじゃないかって思ったら、いい潮時だと考えるような気がするのよ。ま、冴子さんに比べたらまだまだだけど、確かに高村さんはこの業界でのし上がって行けるタイプの女性だしね。海のことさえ心配じゃなくなったら、きっと冴子さん、決断すると思うな。海もね、そのことは考えてるのよ。だから何とかして冴子さんからひとり立ちしようとしてもがいてる。あなたのことはさ、海なりの、冒険だったんじゃないかな」

茉莉緒は、洋子の顔や声を思い出していた。冴子とはまた違った形で、洋子は仕事の出来る女性だ。親しみやすい笑顔と明るい話し方で、テレビ局でも撮影現場でも人気があるし、冴子よりも大胆な面も多々ある。

もし冴子がオフィスKを出て行ったら……その時、海はどうするのだろう？　そして……あたしは？

「だけど、東条俊介が独立したとしたら、夏草麻衣はどうするつもりなのかが今、業界ではみんな注目してるとこなのよね」

石崎晴海は顔をバスの座席に隠すほど下げて囁《ささや》いた。話を海に聞かれたくないのだろう。

「夏草麻衣って子はさ、頭はとっても良くて勘もいい子なんだけど、神経症の持病があるのよ」

「神経症……ですか……」

茉莉緒は、自分の部屋を下から見上げていたあの夏草麻衣の姿を思い出した。

「まあ、かわいそうな話だけどこの業界ではよくあることよ。あの子、デビューした時はいわゆるアイドル路線だったんだけどその最初の事務所があまりしっかりしたとこじゃなかったのね。それでまあ、新人にはよくある意地悪みたいなのをされた時に、ちゃんと精神的にフォローしてあげなかったみたいなの。新人の場合に同業者やスタッフからいじめられるのは、ある意味でその新人が伸びる素質を持っていることの証《あかし》みたいなものなのね。この業界って、嫉妬《しっと》を原動力にしてやってるみたいな部分があるでしょう。彼女もたぶん、最初からけっこう光るものがあったんだと思うのよ。だからそのぶん、ねちねちとやられたんでしょうね。本当ならそういう時にしっかりと精神的に支えてやるのが事務所の役目なわけだけど、そのあたりのことがいい加減だったのか、彼女、神経症にかかってしまったらしいの」

「重症だったんですか？」

「……らしいわよ。もっとも、あたしは又聞きだからさ、あんまり無責任なことは言えないけど。でも、テレビの撮りの時に打ち合わせに全然ないようなことを口走ってみたり、ドラマで突然アドリブを始めたりって、業界ではかなり噂になっていた時期もあるわ。それでもう本人も駄目だと思ったんでしょうね、一時は引退までほのめかすようになった。それを救ったのが東条俊介なのよ。夏草麻衣の事務所は彼女に匙《さじ》を投げちゃって、東条俊介に預ける為に事務所を移籍させた。噂だと、お金も動いたみたいね。でも業界の大方の見方では、彼女はもう使い物にならないだろうってとこだったの。それがあっという間に立ち直って、今や人気女優の筆頭ですものね……東条俊介は夏草麻衣にとって、命の恩人みたいなもの。その人が独立して事務所を持ったとしたら、当然移籍という話は出て来るはずよ、夏草麻衣の側から。それに何と言っても、冴子さんは夏草麻衣の実のお姉さんなんだもの、冴子さんが東条俊介と結婚するなら、彼女の移籍は決定的ね。夏草麻衣さえいれば、新しい事務所は成功間違いないわ。問題は……海はどうするつもりなのか、ね……」

茉莉緒は、その答えが知りたかった。今、石崎晴海がその答えを教えてくれるのであれば楽なのに、と思う。

バスはすぐに撮影場所になるシュガートレインの駅へと着いた。近くに大きなゴルフ場もあって明るく開放的な場所だ。南の島の太陽は暑く、半袖のシャツから出ている腕が微《かす》かにひりついて来る。

伊澤瞬のスタッフはとても優秀だった。てきぱきと動いて何もないただの小さな観光列車の駅にスタジオのようなセットを組み立てて行く。

石崎晴海は、背中に背負い込むようにして持って来た巨大なバッグから、次々と撮影の小道具を取り出した。彼女はメイクも自分でやってしまうのだ。

海の顔を作り込んでいる時の晴海は楽しそうだった。海は、彼女にとってとてもいい素材なのだろう。

広告代理店の社員が茉莉緒のそばに来た。

「なかなかいいですね、雨森海」

年の頃は茉莉緒とほとんど変わらないだろうその社員は、だが、かなり年輩のような口調で言った。

「心配していたんだが、まあ、作品が良ければ多少のことはあっても彼でこのまま行きたいですね」

「よろしくお願いします」

茉莉緒は頭を下げた。

「今朝ね、日本のスポーツ新聞をホテルで読みましたよ。おたくの事務所も大胆なことしますね」

茉莉緒は、意味がわからずにその社員の顔を見た。だがその男は茉莉緒の方は見ていなかった。

「ま、あれだけ仕掛けてくれれば、しばらくの間はマスコミも雨森海のことは忘れるでしょうからね。その間に何とかして警察には頑張って貰《もら》って、あの女子大生の殺人事件を解決して貰いたいもんです。しかし警察が頑張った結果、真犯人が雨森海だなんてことになったら洒落《しやれ》にならないですからね、ほんと、頼みますよ、ねえ」

男の言い方の嫌らしさに不快になりながらも、茉莉緒は、冴子と川谷社長がいったい何をしたのだろう、と考えていた。やはりあのことを世間に広めてしまったのだろうか……中堅女優風間美奈子の、離婚して間もない有名人との恋のことを。

撮影が始まった。カメラを構えてからの伊澤瞬にはそれまでからは想像もつかない厳しい情熱があった。矢継ぎ早にスタッフに飛ぶ指示は次第に罵声《ばせい》に変わり、被写体である海にも次々と要求が飛ぶ。だがその合間合間に、伊澤瞬は海を誉めちぎった。まるで恋人を賛美するように、海の動きのひとつひとつを誉め、称《たた》え、美しいと絶賛する。カメラマンのそうした言葉は魔法のように海の瞳《ひとみ》に輝きを与える。

シャッターの音が雨のように降り注ぐ中で、今、伊澤瞬と海とは二人だけの世界にはまり込んでいた。

「ＯＫ！」

ようやく伊澤瞬は片手を挙げた。

「お疲れさん。良かったよ、海くん。ほんとに良かった」

伊澤が拍手をすると、スタッフも同時に手を打ち鳴らした。

茉莉緒はホッと肩の力を抜いた。撮影の間中、海に何か指示が飛ぶ度に自分のことのように緊張していたので、からだ中が強《こわ》ばっていた。

「お疲れさま」

海のそばに駆け寄って茉莉緒は言った。

「素敵でした。すごくいい写真になったと思います」

「茉莉緒」

海はなぜか、とても厳しい顔をしていた。

「ちょっといいかな。話、あるんだ」

「あ、でもこれからみんなで夕食が……」

「少し体調悪いから先に戻りたいって言って」

海はそれだけ言うとバスの方に向かって歩き出した。茉莉緒は海の不機嫌のわけがわからず、ともかく杉浦に事情を話して後を任せるとバスまで走った。

海はすでに、バスの中から自分の荷物を引き出していた。

「ホエラーズ・ヴィレッジの前からタクシーを拾おう」

「ちょっと待って、海。いったいどうしたんですか？　何か気に入らないことがあるんならちゃんと説明して下さい。こんなにいきなり帰ってしまったりしたら、伊澤先生が気を悪くされます」

「伊澤瞬とはもう、仕事出来ない」

「海……」

「しても無駄だよ。今度の仕事は無意味なんだ。ポスターは使われることはないだろう、きっと」

「説明して！」

茉莉緒は叫んだ。

「何がなんだかまるでわからないじゃないの！　いったい、何がそんなに気に入らないの？　海らしくないわ、嫌なことがあれば逃げないで前向きに解決しないと……」

「そういう問題じゃないんだ。そういう問題じゃ、ない」

海は下を向いたまま首を横に振った。

「だったらどういう問題なのよ！」

茉莉緒は海の腕を掴《つか》んで乱暴に振った。

「どういう問題なんですか！　何が問題なのか、ちゃんと言って下さい！」

海はそれでもまだ、頑《かたく》なな表情で下を向いていた。

「あたしには、言えないことなんですか？」

茉莉緒は海の腕を離し、代わりに顔をじっと見つめた。

「あたしでは駄目なの？　信用出来ないの？　だったら、東京に電話しましょう。冴子さんに話して下さい」

「茉莉緒……」

「そうして貰います。伊澤先生と仕事が出来ないと言うなら、この仕事はキャンセルするしかないでしょう？　でも今になってキャンセルなんて言い出したら、事務所に損害をかけることになるくらいのことは、あなただってわかっているはずです。それでも伊澤先生のカメラでは嫌だと言うのなら、その理由をちゃんと冴子さんに説明してください。それはあなたの、社会人としての義務よ」

「冴子に説明出来るくらいなら君に説明する」

海は小さな声で言った。

「君に説明出来ないのに冴子には説明出来ることなんて、ないよ。俺たち、そういう関係になろうって話し合ったんだもの、昨日」

茉莉緒は海の言葉が嬉《うれ》しかった。

「ありがとう。でも……わかって。何も理由を言わないで伊澤先生の仕事が出来ないと言えば、それは海の我儘《わがまま》にしかならない。あたし……海がただ我儘を言っているなんて思ってません。理由はあるはずよ。なぜ説明して貰えないのかな……」

「説明するよ」

海は言って、小さな溜《た》め息をついた。

「だけど最初に言っておくね。俺の言ってることに根拠なんかないんだ。証拠もない」

「いいわ、それでも。海の言葉を信じます」

海は頷《うなず》いた。

「ドラッグだよ」

海は、言った。

「伊澤瞬は、ドラッグをやってる。俺にはわかるんだ……前に……知っていたカメラマンがそうだった。同じ目をしてた……感じたんだ、さっき」

「だけど、根拠は……」

「だからないんだ、根拠なんて。証拠もないよ。でも俺にはわかるんだ……わかるんだ」

「海……でも、証拠がなければそのことを理由に仕事を降りるなんて無理よ。伊澤さんがハワイか日本の警察に捕まって事件にでもならない限りは」

「だけどきっと、そのうちにバレちゃうよ。せっかく撮影したポスターだって、そうなったらスポンサーが使わない。今度の仕事は無駄なんだ。きっと、無駄になる」

「そんなこと言わないで」

茉莉緒はもう一度海の腕をとった。

「海が一所懸命した仕事じゃないの。無駄だなんてことはない。やったことは無駄にはならないのよ。それに、海の言った通り伊澤先生がドラッグをやっているとしても……どんな種類のものなのかまではわからないんでしょう？　非合法なものだと決まったわけじゃ、ないんでしょう？」

「それは……わからないけど」

「だったら今はまだ、海が仕事を降りてしまう理由にはならないわ」

「嫌なんだ」

海は首を横に振った。

「あの日が……嫌なんだ……」

海は何かにおびえている。

茉莉緒はそこに、ひどくデリケートな部分があるように思った。海にはまだ、自分に話してくれていない過去がある。

「とにかく、コンドミニアムに戻りましょう。そして杉浦さんと話し合わないと。海、撮影はあと二日あります。この二日間どうしても仕事が続けられないとすれば、あたしたちの判断だけではどうしようもないんです。東京と相談しないと」

海は下を向いたままでいた。だが、そのままの姿勢でつぶやくように言った。

「いいんだ、ごめん」

「いいって、海……」

「もう大丈夫なんだ。心配かけてごめん。仕事はちゃんとする。だから東京には連絡しないで」


無力感が茉莉緒の胸に広がった。

一緒にやって行こうって言ったのは海なのに……たった今、そういう関係でいたいってその口で言ったのに……海はまだ、あたしに何か隠している。そしてそれを冴子は知っているのだ。海は冴子に自分がおびえていることを知られたくないのだ。

いったいいつまで、こんな気持ちを抱いたままでいなくてはならないんだろう。冴子と海の歴史の中に詰まった様々な、あたしの知らないこと。それらを総《すべ》て知ることなど不可能だし、意味のないことだというのはわかっている。わかっているけれど、寂しい。

寂しい。

2

タクシーでコンドミニアムまで戻り、杉浦が戻って来るまで二人で待った。急に帰ってしまった海と茉莉緒の代わりに言い訳や広告代理店の社員へのご機嫌とりで苦労している杉浦を思うと、茉莉緒は申し訳ない気持ちだった。自分があの場に残った方が良かったのかも知れない。

茉莉緒は疲れを感じていた。次々に起こる出来事やたくさんの謎。杉浦の不審な怪我。そして、海がまだ自分に話してくれていない、秘密。

頭痛がする、と、海は寝室に引きこもった。茉莉緒は海をそっとしておくことにした。撮影はあと二日続く。不安だったが、海が大丈夫だ、やる、と言った以上は信じるしかない。

杉浦は三時間ほどで戻って来た。

「海くんの様子、どう?」

「頭が痛いみたいです。ずっと寝室に入ったままで、寝ているんだと思います。伊澤先生、怒ってませんでした?」

「体調が悪いって言っておいたから大丈夫だ。風邪なら大変だって心配してくれてたよ。

ただ広告代理店の方は、食事の約束をすっぽかして帰ったってのが気に入らないみたいな感じだったけど」

「すみませんでした……引き留める暇もなくて」

「いいんだよ、茉莉緒ちゃん」

杉浦は笑った。

「よくあることだ。タレントってのはある意味でとてもデリケートなものだからね、急に機嫌が悪くなったり、頭痛がするって言い出して予定がキャンセルになったりすることなんてしょっちゅうなんだ。まあ考えたらさ、四六時中他人にじろじろ見られて、自分をさらけ出して見せ物にする商売だ、神経がぼろぼろになるのも当たり前だ。普通の生活だったら絶対に訊《き》かれないような無神経な質問もされるし、放っておいて欲しくてもちょっかいを出され、その上、いわれのないことで好き放題に悪口を書かれたり、根も葉もない中傷をいかにも本当のことのように流布されたりもする。いつも思うけどね、自分が芸能人だったらどうだろう、耐えられるだろうか、それを考えると僕は自信がない。茉莉緒ちゃんはどう？　失恋したばかりでどうして別れたのかってしつこく訊かれたり、親を失って泣いている顔を写真に撮られたり、他に本当に好きな人がいるのに、一、二度しか会ったことのない男と噂を立てられたりしたら、神経が参っちゃうとは思わない？」

茉莉緒は頷いた。もし自分がそんな目に遭ったら、きっと、耐えられないだろう。

「この業界に入ってね、無責任な報道のせいで本当に大切にしていた恋人と別れてしまった子も見て来たし、神経症になって薬がないと生活が出来なくなってしまった子も見て来た。自分をバッシングしている記事の載った雑誌を床に叩《たた》きつけて悔し泣きしていた中堅俳優もいたし、週刊誌の報道のせいで子供さんが学校でいじめに遭い、登校拒否になってしまった女優も知っている。みんな、尊厳やプライドや、自分が大切にしていたものを傷つけられ、心に大きな傷を負っていた。普通の社会生活をおくっている人がそんな目に遭えば、誰だって同情してくれる。気の毒だと思ってくれる。だが芸能人は違う。インターネットでちょっと検索したら、芸能人に関するひどい誹謗中傷がいくらでも出て来る。みんな、芸能人に対してならば多少のことはしてもゆるされる、って錯覚してる。そのくらい有名税だろ、ってね。あることないこと書かれ、人格を否定され、説明すれば言い訳してる、嘘つきと呼ばれ、黙って耐えていれば、反論できないから認めたんだ、となる。やりたい放題だ」

杉浦は、静かな怒りを言葉に滲《にじ》ませていた。

「芸能人なら、世間はそれで当たり前だと言うんだ。その為に高い収入を得ているんだろう、好きで芸能人になったんだろうってね。それは確かに、その通りなのかも知れない。みんな好きで入った芸能界だ、入る前からある程度はわかっていたことだ、プライバシーをオモチャにされることはね。売れてくれれば収入が他の仕事に比べて高いのも確かだろう。二十代で何億って金が稼げる仕事なんて、そうそうはない。だが、だからって、人間扱いされなくても仕方がないって、茉莉緒ちゃん、君は思うかい？」

「そんなこと思いません！　どんな仕事をしていようと、どれだけそれで収入を得ていようと、人として扱われるのは当然のことです」

「そうだ」

杉浦は、なぜか目に涙を浮かべていた。

「当然のことなんだ。タレントが時として我儘《わがまま》になったりこちらの言うことを聞かなかったりするのもね、彼等の、人として扱われたいという願望の現れなのかも知れないと、僕は思っているんだよ。もちろん総てをゆるしていては仕事にならないけれど、僕にはとても、いつでもどんな時でも品行方正でいろなんてことは言えないよ。だから僕は、彼らの気まぐれや我儘も、僕に受け止められる範囲は受け止めてやることにしているんだ。そうすることで、少なくとも僕だけは彼等を人として尊重していると知って貰《もら》いたいからね」

杉浦はまた溜《た》め息をついた。吐き出す息が長く茉莉緒の耳に残る。

「でも、僕のこのやり方は必ずしも茉莉緒ちゃんに勧められるやり方じゃない。実際、冴子女史や洋子さんからは、タレントを甘やかすと結局はそのタレントの為にならないんだって口うるさく言われてる。それも正しいと思うよ。芸能人なんていい時ばかりじゃないからね、売れている時には我儘も気まぐれも周囲が通してくれるけど、売れなくなった時には結局、周囲に好かれてるタレントの方が強い。難しいよね、その辺のバランスが」

杉浦は滲《にじ》んだ涙をさっと拭《ぬぐ》った。

「海くんは今、半端な位置にいるんだと思うよ。まだ我儘が通用するほど売れてはいないが、そろそろいろんな意味でストレスを感じる高さまで上って来ている。時には溜まっていたものが沸騰して、小さな爆発を起こしてしまうこともあるんじゃないかな。これからは時々、今日みたいなことがあると覚悟しておいた方がいいかも知れない。大切なことはね、茉莉緒ちゃん自身の態度をはっきりと決めておくことなんだ。どこまで受け止めてゆるし、どこからゆるさずに尻《しり》を叩くか。その基準が曖昧《あいまい》だと、海くんも、どこまで甘えていいのかわからずに苛立《いらだ》つと思う」

「あたし、まだ駄目なんです」

茉莉緒は言って下を向いた。

「海さんの顔色をどこかでいつも窺《うかが》っているみたい。海さんがさっきみたいに突然機嫌が悪くなったりすると、あたしの方が焦ってしまうんです。どうしていいかわからなくて、おろおろしてしまう」

「そんなのは当たり前だ。茉莉緒ちゃんはまだ業界に入ってやっと一カ月になるかどうかでしょ？　焦ることはないよ、少しずつ、自分のスタイルを作って行けばいい。マネージャーって仕事にはマニュアルはないんだ。担当するタレントひとりひとり、それぞれに違った仕事のやり方があり、また同じタレントでもマネージャーのひとりひとりにそれぞれの方法がある。しばらく揉《も》まれている内に、茉莉緒ちゃんにもちゃんと、自分の形が出来て来るよ。取りあえずは茉莉緒ちゃんの担当は海くんだけだ、海くんと茉莉緒ちゃんとの間で、二人だけの形を作ればいい」

茉莉緒は頷《うなず》いた。自信はないが、杉浦の言葉は茉莉緒にとって、大きな励ましだった。

マネージャーという仕事にマニュアルはない。

ひとりひとり、それぞれの形を持てばいい。


「あの、杉浦さん。実はちょっと相談しておきたいことがあるんです」

「何かな」

「伊澤瞬先生と仕事したのって、今度が初めてじゃないですよね？」

「うちの事務所が、っていう意味かな？　だとしたら初めてじゃなかったよ、確か。写真集を頼んだこともあったと思うし、事務所で作るカレンダーも、何年か前にあの人のカメラで撮ったんじゃなかったかな」

「伊澤先生って、ドラッグをやってるって噂、ありますか？」

茉莉緒の質問に、杉浦は大きく目を見開いた。

「ドラッグ？　それはいったい、どういう意味？　まさか、覚醒剤《かくせいざい》？」

「あ、そこまではわからないんです。ただ……海さんが、そう感じたって言うんです」

「そう感じた……伊澤瞬がドラッグをやっていると感じた、そういうこと？　根拠は？」

「根拠というのはないんだそうです。ただ、目でわかったと。それで海さん、どうしてだかおびえているみたいなんです。今日のことも、それが原因みたいで」

杉浦はしばらく腕組みしていたが、うーん、と唸《うな》った。

「確かに伊澤瞬は、ニューヨークが長いからね……ドラッグをやってるとしてもあり得ない話じゃないとは思うんだが……根拠がないんじゃ問題には出来ないよ」

「そうですよね。根拠がなければ……問題には出来ない……」

「で、海くんは何て言ってるの？　この仕事降りたいって？」

「いいえ、いちおう頑張るとは言ってくれたんですけど。ただ、あのおびえ方が気になって。もしかしたら海さん、過去にドラッグ絡みで嫌な目に遭っているんじゃないかなと思ったんです。海さんも海外が長かったから」

杉浦は腕組みして考えていたが、そのままの姿勢で言った。

「だとしても、本人が何も話してないんだったら、そっとしとくしかないだろうね。それにね茉莉緒ちゃん、こっちが不用意に触れて海くんが騒ぎ出したりしたら、海くんの過去のことも明るみに出てしまう可能性だってある。その過去ってのがどんなものかはわからないけど、ドラッグ絡みだとしたらスキャンダルになる可能性があるだろう？　海くんに今、余計なスキャンダルは命取りだ。それでなくても殺人事件のことがあるんだからね」

杉浦は一度大きく頷いて、茉莉緒の肩を優しく叩いた。

「ともかく、海くんが頑張るって言ってるんだ、あと二日、何とか乗り切ろう。海くんが過去にドラッグ絡みで嫌な目に遭っていたとしたら、そのことは冴子さんも知ってるだろうから、東京に戻ってから冴子さんと相談してみるといい。大丈夫、海くんはプロだ。頑張ると言った以上は、頑張ってくれるよ、絶対」

杉浦の言う通り、海を信じるしかない。茉莉緒は自分に言い聞かせた。大切なことは、迂闊《うかつ》に騒がないことなのだ。

3

結局、杉浦の言った通り、翌日からの撮影は順調そのものだった。海はもう二度と、伊澤瞬とドラッグのことは言い出さなかったし、茉莉緒も訊かなかった。不安そうな顔をしていた広告代理店の社員も、翌日の撮影を見学していてすっかり機嫌を直し、茉莉緒に海のことを褒めちぎっていた。

だが茉莉緒の目から見ると、海は少し頑張り過ぎているように思えた。いつもよりさらにテンションが高く、伊澤瞬が休息しようとしても気迫で撮影を続けさせてしまうほど、入り込んでいる。茉莉緒にはそれが総《すべ》て、海が恐怖を忘れようと必死になっている姿に見えて、痛々しく思えた。

しかし伊澤瞬がドラッグの常習者なのかどうかは、茉莉緒にはまるで判断出来なかった。確かに伊澤瞬は、異様なほど輝き、瞳孔《どうこう》が開いているのかと思うほど大きな黒目を持っていたが、それがドラッグのせいなのか生まれつきなのかはわからないし、ファインダーを覗《のぞ》いていない時の伊澤瞬は、特に言動がおかしいということもないのだ。

茉莉緒は、爆弾を胸に抱えているような気分のまま、祈るような気持ちで撮影を見守った。だが茉莉緒の心配をよそに、現場はカメラマンとモデルの双方がハイテンションになっていることに刺激され、異様なほどに興奮し、緊張感を保っていた。傑作が生まれる予感を誰もが持っているのだ、と茉莉緒にもわかった。

「海、すごいノリね」

石崎晴海が茉莉緒に囁《ささや》いた。

「ちょっと怖いくらい。あんな彼、久しぶりかな」

「パリコレとかに出ていた頃は、いつもあんな感じだったんですか？」

「うーん」

石崎晴海は小首を傾げた。

「ちょっと違うかも。どちらかと言うと彼はクールなタイプだったのよ。東洋系はそのクールさがメゾンに受けるのね。神秘的な感じがするから。ファッションのモデルっていうのは洋服と一体になった存在感が重要で、たとえば顔だけが浮いて見えるタイプとか、キャラクターが妙に立ってしまっているタイプは向かないの。タレントとはそのへんが決定的に違うのね。でも今度の撮影では何かそう……海は、モデルじゃなくて、俳優になっている気がする」

「俳優に……」

石崎晴海は頷いた。

「そう。物語が持続している、って言えばいいのかな？　うまく言えないけど。今、カメラに向かう時の海の顔は、あたしがお膳立てしたファッションだとか周囲の景色だとか、そんなものは霞《かす》んでしまうほど前面に出ているのよ。クールではなくて、ホット。あれなら裸で撮影したって印象はほとんど変わらないんじゃないかしら。ポスターという目的から考えたら、ちょっと入り込み過ぎてるかなって思うくらい。でもあのくらいで丁度いいのかも知れないわね、今度の企画はいわば競作でしょ、海以外にもモデルになるタレントはいるわけだから、その連中に存在感で勝たないと意味ないもんね。海も、どうやら本気で勝負に出たってことかな」

「それならいいんですけど……」

「あら……他に何かあるの？」

石崎晴海というこの女性がどこまで信用出来るのか、茉莉緒にはまだ判断がつかなかった。

「いえ……そうですね、海さんも本気で勝ちたいと思っている、そういうことだと思います」

「何か変ね」

石崎晴海はニヤッとした。

「奥歯にものが挟まってるみたい。まあいいけど、あたしには話せないことだってあるんでしょうし」

「あの、そういうことは……」

「いいのよ、いいの」

石崎晴海は、髪をかき上げて言った。

「あたし、何もかも知りたいなんて思ってないから。もともとおたくの事務所からは、海にまとわりついてる女って感じで白い目で見られてるのは承知の上よ。どうしてなのかしらねぇ、男と女の間じゃ、友情って成り立たないもんだとみんな決めてかかってる。あたしにとって海はまあ、同志っていうか、一度は同じカマの飯を喰《く》った仲間っていうか、そんなとこなのよ。でも冴子さんはそうは思ってない。悪いけど、あたしには海って男として意識出来る存在じゃないのよね。ま、弟って感じがいちばん近いかな。天地神明に誓って、海とは何でもない。やってもいない」

石崎晴海は押し殺した声で笑った。

「年下はめんどくさいから願い下げだわ。冴子さん見てるとつくづくそう思うのよ。彼女だって結局、海のこと、面倒になったってのが本音じゃないのかな。女ってさ、やっぱり楽したいじゃない。年上のよく出来た男に甘やかされて我儘《わがまま》言う立場の方が、その逆よりずっと楽だもん。あなたはどう、和泉さん」

「あたしは……そんなに年上とも年下とも付き合ったことがないんでよくわからないんです。それにここしばらくは、恋愛はいいかなって気がしていて」

「何かあったばっかりなわけだ」

茉莉緒は頷《うなず》いた。石崎晴海のあっけらかんとした喋《しゃべ》り方に、かえって気が楽になって素直になれる。

「東京に出て来る直前に失恋しました。その上失業もしちゃって」

「あらまあ。二重苦ね。じゃ、海に救われたようなもんね」

「ええ……ともかくチャンスを貰《もら》ったことを感謝してます」

「で、どうなの。やって行けそう、芸能マネージャーの仕事」

「面白い仕事なんだってことはわかって来ました。それだけに難しい面もあることも。今はしばらく続けてみたいと思っています」

「海だけじゃ駄目よ」

「え？」

「海だけ担当してたんじゃ、仕事の本当の醍醐味《だいごみ》はわからないってこと。タレントにはタレントひとりひとりにそれぞれ違ったマネージメントの方法があるでしょ。何人も担当してその違いがわかって初めて、マネージャーって仕事が理解出来るんじゃない？　ま、あたしは門外漢だけどね、そんな気がする」

「今はまだ、海さんだけで手一杯なんです」

「そりゃそうでしょうね。でも機会があったら他のタレントも担当するようにしたらいいと思うわ。そうそう、そう言えばあなたのとこに、新人入ったでしょ、ついこの前」

「新人？」

茉莉緒は一瞬、誰のことなのかわからなかった。

「あら、サトー企画の神田さんが、オフィスKに預かって貰うことになったって言ってた気がするんだけど、違ってたのかしら」

「あ」

茉莉緒は思い出した。塚田仁を洋子に紹介した女性は、確か、神田英子という人だった。

「わかりました。塚田さんですね」

「大東テレビでバイトしてた子でしょ。何度か顔を見たことあるけど、あれは掘り出しものかも知れないわね」

「才能がありそうだってことですか」

「魅力があるのよ。しかもテレビ向きのわかり易い魅力ね。海の場合はもう少し何と言うのか、とっかかり難《にく》さみたいなものがあるんだけど、あの子は違ってた。笑顔がいいのよね。人なつこくて、どこか甘ったれみたいな感じが母性本能をくすぐるタイプ。テレビ受けするには、仔犬を連想させるタイプがいちばんいいの。猫じゃだめ。犬って感情の表現がストレートでわかり易いでしょ、単純というか。そして健気《けなげ》に見えるじゃない。テレビの視聴者はそういう健気さや一所懸命さに弱いの。喜怒哀楽も出来るだけ単純で、はっきりしてる方がいい。その方が安心して見ていられるのよ。テレビを見てる時って誰でもリラックスしてるもんでしょ。緊張を強いられるタレントだと疲れちゃう」

「海さんは……わかり難いんでしょうか」

「うーん」

石崎晴海は、苦笑いしながら腕組みした。

「ま、どちらかと言えば、そうかな。少なくとも仔犬じゃないわね、猫、それも仔猫じゃなくて、成猫になったばかりってとこ？　見ているだけなら綺麗《きれい》だしいいな、と思うんだけど、テレビ画面に映って自分の生活、リラックスしたい時間の中に入り込まれた時のこと考えると、ちょっと鬱陶《うっとう》しいかも。そこが海がもひとつ、弾《はじ》けない原因だと思うわ。でもそれって逆に言えば海の個性だし、魅力でもあるわけだから、無闇に人なつこくしたり意味もない笑顔を振りまいたりしたら、よけいに海の魅力が曖昧《あいまい》になっちゃうでしょ。その意味では、海の欠点ってのは矯正出来ないものなのよ。矯正するんじゃなくて、それを逆手に取って武器として使わないと駄目だってこと」

「……難しいですね」

「確かにね。難しい。でもさ、俳優として成功した人って、ほんとは海みたいなタイプが多いんじゃない？」

茉莉緒は、石崎晴海の意外な言葉に思わず顔を上げた。

「それは、海さんみたいなタイプの方が俳優としては成功し易い、そういうことでしょうか」

茉莉緒の顔があまりに真剣だったのがおかしかったのか、石崎晴海はちょっと肩をすくめて苦笑いした。

「あたしはそっちの専門家じゃないからわからないけど、そんな気がする、っていうことよ。俳優って、テレビタレントとはやっぱり違うものだと思う。仔犬じゃなくて大人の猫じゃないと駄目ってことだってあるんじゃない？　ま、すぐに売れる可能性だけみたら、塚田仁の方が上かも知れないな、そういうことだと思ってね。だけど売れるのに時間はかかっても、海が本物ならいつかは必ず大きく弾ける。それを信じることね、あなたも」

もちろん、信じている。

茉莉緒は思っていた。

誰よりもそれを信じているのはあたしなんだ。でも……不安の種がたくさんあり過ぎて、時々自信がなくなってしまう。

＊

撮影は興奮の内に終了した。広告代理店の社員もすっかり満足した様子で、杉浦に向かってさかんに海のことを褒め、ポスターが大きな話題になることは間違いないと力説していた。

伊澤瞬も上機嫌だった。杉浦の知っている限り、伊澤瞬がこんなに楽しそうにするのは初めて見たほどだと言う。それだけ、満足の行く撮影が出来たということなのだろう。

茉莉緒も、写真の出来についてはまったく問題ないだろうと思った。もちろんポスターは写真の他に、付けられるコピーやデザインも大きな要素になるので、まだ結果がわかったわけではないが、プロである広告代理店の社員があれだけ持ち上げるのだからまず大丈夫だろう。少なくとも、これまでの海の仕事の中で、世間に対するインパクトは最も強いものになる気がする。

心配なのは、海のことだけだった。

撮影が終了した夜は打ち上げのパーティで、ホテルのレストランの個室を借り切ってあった。しかし撮影に関係した全員が満足してはしゃいでいる中で、海だけがひとり、静かだった。

撮影に没頭し過ぎて疲れたのだ。

茉莉緒は無理に自分に納得させようとした。

疲れているだけだ。日本に戻ってゆっくり休めば、また元の海に戻る……

だが、打ち上げの後、コンドミニアムに戻って荷物の整理を始めた海は、杉浦とも茉莉緒ともほとんど口をきかなかった。

茉莉緒は、どうしていいかわからずにいた。何か声を掛けるべきなのかそれとも、そっとしておくべきなのか……

翌朝は、三人でオアフ島に移動した。

ワイキキのホテルに落ち着いたのは午後になってからだったが、帰国便の出発は翌朝だったので、半日だけ、ぽっかりとオフになっていた。今回のハワイでの仕事で唯一の、自由時間。

杉浦は友人に頼まれた土産を買いに行くと言って出掛けてしまい、海は、疲れたので昼寝する、と言ったまま自分の部屋から出て来なかった。

茉莉緒はしばらく、ホテルの窓から通りを見下ろしてぼんやりしていたが、やがて決心して外出した。

オフィスKに勤め始めてから、休みというのは一日もなかった。あの排ガス事件の後で半日ほど自宅でゆっくりしたのが唯一の休みだ。仕事をこなすことと次々と起こる事件に振り回されて、休みたいとも思わないほど緊張し続けていたが、せっかくのハワイのオフなのだ、今だけは自分ひとりの為に楽しんでもいいだろう。

明るい陽射しと、暑過ぎず肌に心地よい気温、乾いた甘い香りのする風。

ホテルを出て一歩通りを歩くと、心の中に溜《た》まっていたもやもやしたものが、すーっと薄れて行くような気がした。海の不機嫌は、反動なのだ。撮影に没頭し、総《すべ》てを注ぎ込んでしまった反動で、海は心身ともに疲れている。それだけなのだ、きっと。

小銭を用意してバスに乗り、アラモアナまで行ってみる。昔の記憶が少しずつ甦《よみがえ》って、ワイキキの地理もいくらか思い出した。

夕方の四時近かったが、アラモアナ公園にはけっこう人の姿があった。アラモアナビーチは地元の人にも人気のあるビーチで、ワイキキに比べればずっと人が少なく、のんびり出来るところだった。だが木陰が少ないのが玉に瑕《きず》だ。日本の夏よりは遥《はる》かに過し易いとは言っても、陽射しの強さはさすがに南国で、こちらに来てから愛用している日焼け止めのクリームをしっかり塗っていても、腕のあたりにひりついた感覚がある。木陰を探して周囲を見回している内に、ふと、公園の一角に人だかりがしているのに気がついた。人だかりの内側からは、照明を調節する為の大きなレフ板が突き出している。何かの撮影だ。

茉莉緒は好奇心を感じて、その人だかりの方へと近づいた。近くに寄るに連れて、人だかりのほとんどが日本人観光客らしいことがわかる。しかも、若い人が多い。日本の撮影隊なのだろうか。

人だかりのいちばん外側に立って、茉莉緒は爪先立《つまさきだ》って輪の中を覗《のぞ》いた。テレビの録画だった。カメラクルーは二人ほど、それにディレクターらしい人物が台本を見ながら指図している。カメラはハンディタイプだったし、レフもあることはあるが、主に日除けとして使われているようだ。ドラマの撮影などではなく、旅行番組か何かの録画だろう。

撮影されているのは、何とも派手な女性が二人。片方はほとんど金髪に近い茶髪に染めた肩までのざんばら髪に、折れそうなほど細い脚をして、見覚えのあるジャケットを着ている。もう一人は黒い髪を長く伸ばし、ミニスカートに厚底靴風のブーツだ。

茉莉緒は金髪の方が着ているジャンパーを見つめた。あれは……そうだ、あの時、江崎マナの身代わりをしろと言われて羽織ったジャンパー！

そうか……確かにその金髪の女性は、江崎マナだった。茉莉緒は昨年までの江崎マナしか記憶になかったので感じがだいぶ変わっていたが、人気ロックボーカリストの江崎マナに間違いはない。そう思って見れば、黒髪の女の子も知っている。シンガーソングライターとして中、高校生に圧倒的な人気のある、川崎《かわさき》あゆみだった。

こんな派手な二人がハワイのアラモアナ公園にいる、というのも随分と変わった状況設定だ。いったいどんな番組なんだろう？

「やっぱりそうだ！」

いきなり背中を叩《たた》かれて、茉莉緒は、驚いて飛び上がりそうになった。振り向くと、眼鏡をかけた背の高い女が立っていた。

「あなた、オフィスKの新人さんでしょう？　この前はうちの江崎がお世話になっちゃったわね。助かったわよ、あの時は」

誰だったっけ……少し考えて思い出した。サンライズ・プロダクションの、確か、酒井とかいう女性だった。

「何、どうしたの？　雨森海、何か撮りやってんの、ハワイで」

「あ、あの、マウイで撮影だったんです、ポスターの。でももう終わって明日は戻るんですけど」

「あ、そうか、移動の関係で半日オフってやつか。いいわねぇ、ネイバーアイランドの仕事が入ってると。うちなんかこれ撮ったら、明日はもう帰国だもんね。買い物する暇もありゃしない」

酒井は肩を竦《すく》めて笑った。

「江崎もぶーぶーよ。ブランド物、買い漁《あさ》ろうと思ってたみたい。どう、雨森海。なんか面倒な事件に巻き込まれてるみたいじゃない」

「本人はあまり気にしてないんです。もともと、雨森とは無関係な事件ですから」

茉莉緒は少し警戒しつつ言った。この酒井という女性がどんな人間なのか、まるで知らないのだ。

「おたくの事務所は大変だったみたいよ。月影綾子《つきかげあやこ》と佐久間晋太郎《さくましんたろう》のネタなんてさ、ちょっとしたウルトラDよね。伊藤女史はさすがに考えることが違うって感心したわよ」

月影綾子と佐久間晋太郎?

茉莉緒が聞いていた中堅女優の話とは違う。佐久間晋太郎はオフィスKに所属しているタレントではあるが、本業は時代小説作家で、テレビのコメンテーターなどの仕事が増えて管理が大変になったという理由で、マネージメントをオフィスKが引き受けている。だがさほど本格的なタレント活動をしているというわけでもなく、クイズ番組に出たりバラエティのゲストや審査委員として画面に映る程度だった。一方月影綾子は、日本を代表する女優のひとりと言ってもいい大物で、所属は業界最大手のプロダクションだ。仕掛けたネタにしては二人のバランスが悪い気がする。第一、そんな大手プロや大物女優が、海のスキャンダル隠しのネタになどなってくれるはずがない。

本物なんだ。

茉莉緒は思った。本物の恋愛スキャンダルなのだ。そしてそれを、冴子は摑《つか》んでいた。

佐久間晋太郎ならば、万一スキャンダルで芸能活動が出来なくなったとしても本人の生活にはさほど障りはないだろうし、オフィスKの損失というのも小さくて済む。それに比較して、その効果は絶大だ。月影綾子のスキャンダルなら、海のことなどワイドショーは完全に忘れてしまうだろう。

「伊藤女史を見習わないとね、うちも。写真週刊誌にすっぱ抜かれた江崎マナと青年実業家ってネタで随分苦労しちゃったんだから」

「もう解決したんですか」

「解決って、こういうことはさ、時間が経つのを待つしかないわけよ。昔と違って今は、タレントの色恋沙汰《ざた》まで事務所が管理は出来ないもの。昔はね、恋人同士を無理矢理事務所が別れさせるみたいなこと、当たり前だったらしいけど。ま、少なくともうちはアーティスト系だから、そういうことには口出ししないのが方針だしね。それより、あなた、えっと」

「和泉です。和泉茉莉緒です」

茉莉緒は慌ててバッグを引っかき回し、名刺を取り出して渡した。

「あ、ご丁寧にどうも。和泉さん。今度あの時の御礼《おれい》に食事でもご馳走《ちそう》するわ」

「そんな、いいです。あのくらい」

「まあいいじゃないの、たまには情報交換ってのも。日本に戻ったら電話する。じゃ、ね」

酒井は陽気に手を振ると、人混みをかき分けるようにして撮影スタッフの方に近づいて行った。

茉莉緒は、人混みの輪を離れた。日除けのない場所にじっと立っているのはかなり辛《つら》い。アラモアナセンターにでも行ってみようか。からだの向きを変えたところで、茉莉緒は、その男に気がついた。

あの時の運転手だ。江崎マナの派手なポルシェを運転していた男。サンライズ・プロダクションの社員なのかと思っていたが、ハワイにまで付いて来ているところをみると、江崎マナの付き人的な仕事をしている人なのかも知れない。あの時は後部座席から見ていたので顔まではよくわからなかったが、特徴のある後頭部の感じですぐ思い出した。

その男は、撮影の間待機しているよう言われているのか、公園の植え込みの根元に座って海の方を向いている。

あたしもアラモアナの海を見てみたい、とちらりと思ったが、茉莉緒はアラモアナセンターの方に向かって歩き出した。事務所の人たちに何かお土産を買っておきたかったのだ。

だが、歩き出した足は、数歩で固まった。

視界の奥に現れたのは、杉浦だった。杉浦は茉莉緒とは反対にアラモアナセンターのある方向からやって来て、ゆっくりと、植え込みの根元に腰掛けている男に向かって近寄って行く。片手をあげて挨拶《あいさつ》しながら。

茉莉緒は迷った。大声で手を振れば、杉浦は自分に気づくだろう。普通ならそうすればいい。だが、杉浦が江崎マナの運転手と知り合いだというのが、何か引っかかる。いったい何が引っかかるのだろう……

思い出した！

あの車だ。あの、派手なポルシェだ！

マフラーにボロ布を詰められるという悪質ないたずらをされたあの日、あたしはあのポルシェを見ている。ボイストレーニングの教室のあるマンションの駐車場で。

不意に疑惑が心の中で膨れ上がった。

マウイに着いた初日の杉浦の不可解な行動が、あらためて思い出される。あのマフラーいたずら事件でいちばんの謎だったのは、犯人がどうして、海とあたしのあの日の行動予定を知っていたのか、ということではなかったか？　その謎が解けないから、犯人の狙いはあたしと海という特定の個人ではなく、オフィスK全体ではないかという話になったのだ。だが杉浦なら……杉浦なら、事務所のホワイトボードに書き込まれたあたしの行動予定を見れば、海とあたしが何時にどこで何をしているのか、細かく知ることが出来た。あの日、あらかじめあの運転手に駐車場に先回りして待たせ、車に細工するよう指示することだって、簡単に出来たのだ！

だけど。

信じたくない。そんなことは、信じられない。あの杉浦が、あたしに、レインコートになれと言ってくれた杉浦が、あたしと海に危害を加えようとしただなんて！

結論を急いではいけない。茉莉緒は自分に言い聞かせた。勝手な想像では結局、何も判らない、何もはっきりしないのだ。

茉莉緒は深呼吸して、二人の方へと歩き出した。だが、二人には気づかれないように、わざと遠回りして。

続いている江崎マナたちの収録の人だかりをぐるっと迂回《うかい》して、杉浦と男とが並んで腰掛けた植え込みに少しずつ近づいた。幸い、彼等の背後にあたるところにプルメリアが数本植えられた茂みがある。あの中に立てば、姿を見られずに二人の話を盗み聞きすることは出来るだろう。

アラモアナ公園は横に長い広大な公園で、浜に沿っているので見通しがいい。近いと思っていた距離は歩くと思いの外あって、プルメリアの茂みにたどり着くのに五分近くかかってしまった。

茉莉緒は、息を殺して茂みの中に腰をおろした。


「馬鹿げてるよ」

江崎マナの運転手が笑った。

「あんたは心配性だな、ほんとに。俺じゃないって言ってるだろうが」

「ほんとうにおまえじゃないのか？　だったらどうしてあの日、おまえの携帯はずっと電源が切られたままだった？」

「たまたまだよ、たまたま。何かで切って、それで入れるの忘れてただけだ。そんなことは誰にだってあるだろうが」

「だったらあの時間、おまえはどこにいた？　俺はな、おまえの勤務日誌をサンライズの知り合いに頼んでFAXして貰《もら》ったんだ。おまえはあの直前まで、テレビ局にいた。

だがその後は三時間も江崎マナと別行動をとってたじゃないか。音楽番組の収録でラジオ局にいた江崎マナをおまえが迎えに行ったのは、七時過ぎだぞ。その間、おまえはどこにいたんだ！」

「日誌を見たんなら知ってるだろ。車のメンテだよ。前からちょっと調子が悪かったんで、たまたま時間が空いたからメンテして貰ってたんだ。疑うんなら修理屋に問い合わせてみろよ」

「どうせ口裏を合わせてくれるよう頼んであるんだろうが」

杉浦の声は苦渋に満ちていた。

「……後悔してる。おまえを業界に引き入れたりするんじゃなかった。おまえが、何もかも忘れてやり直したいって言うから、サンライズに頼み込んで仕事を見つけてやったのに。おまえはやっぱり、復讐《ふくしゅう》を考えてたんだな……忘れろって、あれほど言ったのに！」

「忘れたさ」

男は低く笑った。

「芸能界で生きて行くコツは、昨日のことは一晩寝たら忘れることだもんな。どいつもこいつも、どんな事件を起こしてどんな恥をかいても、しばらくすると平然としてテレビに出始める。この業界の連中ってのは、恥なんて概念をもともと持ってないんだ」

ふたりはいったい、何の話をしているのだろう？　あの日って、いつのこと？　あ、そうか！　たぶん、車のマフラーにボロ布を詰められた日のことだ。つまり、あの嫌がらせはやはり、江崎マナの運転手がやったことなのだ。だがそうだとすると、杉浦の言っている「復讐」とはいったい、何のことなんだろう？　この男は海かあたしに対して、復讐しなくてはならないような恨みを持っているということなんだろうか……


「ともかく、あんたは俺に説教出来る立場じゃないんだぜ、な」

運転手は笑いを含んだ低い声で、脅すように杉浦に言った。

「一蓮托生《いちれんたくしょう》、俺の運が尽きた時にはあんただっておしまいなんだ。だから余計な心配はしないで、黙っててくれればいいのさ」

「ここまでだ」

杉浦の声は厳しかった。

「これ以上は、俺が許さん」

「だから、誤解だよ」

男はへらへらと笑った。

「俺は何もしちゃいない。したって証拠はどこにもない。あんたが余計な騒ぎさえ起こさないでくれれば、何も問題はない」

「考えてみろ！　おまえは無関係な人間を巻き添えにしたんだぞ！」

「世の中にはな、運の悪いヤツといいヤツがいるんだ。あんただってそのことは身に染みてわかってるはずだぜ。真美は運が悪かったんだ。そうさ、運がな。真美より才能もないし、真美よりよっぽどえげつないことを平気でやってる連中が、ちゃんと生き残って毎日のようにテレビに出て、豪邸に住んで正月はハワイだ。それなのに真美は……」

男の声が涙声になった。息づかいがすぐ近くから聞こえて茉莉緒の耳を震わせる。

「……真美は、芸能界になんか入ってなければ、今頃は昔の夢通りに美容師にでもなって、楽しく暮らしてた。結婚もして、子供くらいいたかも知れないんだ。こんな業界にかかわってさえいなければな」

「彼女は芸能界が嫌いだったわけじゃない。スカウトされて入ったにしても、自分の意思でやっていた」

「真面目だったんだ！」

男は怒鳴った。

「あいつは真面目だった。一所懸命だったんだよ！　一所懸命、矛盾だらけの業界で自分らしく生きようとしていたんだ……後ろを見てみろよ、江崎マナを！　あの女は本物のヤンキーで、デビュー前は渋谷の路上でアンパン吸って脳味噌《のうみそ》が崩れかけてたような奴なんだぜ。何も考えてない、何の主張もない、ただのバカ女だ」

男が、プッと唾《つば》を吐く音が聞こえた。

「それが、自分が書いたんでもない歌詞を歌っただけで若者の代弁者扱い、ロックの女神なんて言われていい気になってる。知ってるか、あの女は作詞なんてしてやしない、どの詞もみんな、売れない作詞家から元を買い取って、スタッフが手を加えたもんばっかりなんだ」

男は笑った。

「そりゃしょうがないよな、何しろあの女はよ、中学で習う漢字がほとんど読めないんだからよ！　それで何やってるかと言や、マルチ商法で大儲《おおもう》けした自称青年実業家と乳くりあって、セックスで奉仕したご褒美に二千万もするダイヤの指輪買って貰ってご満悦だ！　そんなただのヤリマン女を、周囲はこぞって甘やかし、腫《は》れ物にでも触るような扱いだ。あの女が生み出す金の為ならば、人間のプライドなんてみんな捨てちまう！」

「別に芸能界だけの話じゃないだろう、それは」

杉浦は男をなだめるように言った。

「どんな世界にいたって同じことだ。みんな生きて行かないとならないんだ。生きて行く為には、金を稼がないとならないんだ！　金を生み出す人間にプライドを捨てて頭を下げ、胡麻《ごま》をする。それだって辛《つら》いことなんだ。もともとプライドのない人間なんていやしない。プライドを捨てなくちゃいけないことで、みんな苦しんでいる……俺だってそうだ。タレントだってそうなんだよ。売れてない時にはどんなひどい役を割り振られても演じなければ食べて行けない。バラエティに出れば、とても親には見せられないような恥をかかされ、人間扱いされなくても、笑われることに耐えて要求されたことをやり遂げる、そうしなければ次の仕事が来ない」

杉浦の溜《た》め息が長く聞こえた。杉浦も、涙を含んだ声で喋《しゃべ》っていた。

「彼女は弱かった。そして、プライドが高過ぎた。誰のせいでもないんだ……わかってくれ、郁雄《いくお》。誰のせいでもないんだよ……」

「偽善者！」

運転手が立ち上がる気配がした。茉莉緒は思わず、首をすくめてからだを縮めた。

「あんたはそうやって、いかにも理解したような顔をしてるが、腹の中では俺以上にあの女を憎んでるんじゃないのか？　だから事務所を辞めないんじゃないのかよ！　あんただって、本当は狙ってるんだろう？　あの女に復讐する、機会をな！」

「郁雄！」

「ともかく、俺はあの事件とは無関係だよ。もうこれ以上は余計な詮索《せんさく》をしないでくれ。あんたが余計なことを警察に喋ったりすれば、俺もあんたのことを告発しなくちゃならなくなるからな。いくら親父が違ってるとはいえ、いちおう兄弟だ、警察に互いを売るような真似はしたくないしな」

運転手は去って行った。茉莉緒は身を縮めたまま、じっとしていた。

杉浦はしばらく動く気配もなく、座ったままだった。啜《すす》り泣いているのか、はなを啜り上げる音が時々聞こえて来る。

茉莉緒は混乱していた。杉浦の弟が復讐を企てている相手の「あの女」とはいったい、誰のことなんだろうか。そして、二人の会話の中心になっていた、真美、という名のタレントは?

茉莉緒は思いつく限りの「真美」という芸能人を思い浮かべた。四人ほど頭に浮かんだが、いずれもオフィスKとはほとんど無関係なタレントばかりだった。

今の会話だけでは、結局、何が何やらさっぱりわからない。だが、杉浦と弟との間に展開されているドラマの筋書きは、読むことが出来る。

二人の共通の知人であった「真美」という名の芸能人が、芸能界でひどい目に遭った。その原因を作ったのが「あの女」だ。そして杉浦の弟は、そのことに対する復讐を企てている。どう繋《つな》がるのかはわからないが、たぶん、自分と海とが乗っていた車に細工したのもその復讐の一環らしい。

茉莉緒の背筋に寒気が走った。

だとしたら……あの事故が復讐の一環なのだとしたら、「あの女」とは……冴子さん?

つまり、冴子さんの恋人であり、掌中の玉である海に危害をくわえることで、冴子さんに復讐しようとした……?

ガサッと音がして、茉莉緒は思わず首を縮めた。杉浦が立ち上がり、ゆっくりと歩き去って行く。茉莉緒は、杉浦の姿が公園から消えてしまうまでそのままじっとしていた。

自分の想像が総《すべ》て当たっているとすれば、弟の口振りからして、杉浦自身も冴子に対して恨みを抱き、復讐《ふくしゅう》しようと考えてもいい立場にあるということになる。そして、仮にそうだとすれば、杉浦ならばあらゆる機会を狙ってそれを行うことが出来る。実際、杉浦はすでに何かをやってしまった、と弟は指摘していた。自分がそのことを警察に話せばどうなるかわかってるだろうな、と弟は逆に杉浦を脅迫していたのだ。

いったい、杉浦は何をしたのだろう？


公園を出てアラモアナセンターに行き、細々とした買い物をしている間中、茉莉緒は、堂々巡りする考えの中に没頭していた。

冴子に対して復讐を企てるとして、冴子自身を狙う以外に最も効果的なのは、やはり、海を傷つけることだろう。冴子と海の間ではすでに、男と女の濃密な時間は終わっている。だがそれでも、冴子にとって海が宝物であることには、依然変わりはない。

そして、そのことを杉浦はよく知っている。

だが、海が具体的に狙われたのは茉莉緒が知る限り、車に細工されたあの時一回きりだ。公園での杉浦兄弟の会話からして、弟がやったのはあの嫌がらせにほぼ間違いないとは思うが、では、兄の杉浦自身がすでにやってしまった復讐とはいったい、何だったのか？

それとも、何か企てはしたけれどそれは結局不成功に終わっていたのだろうか。しかしそれならば、弟が警察を持ち出して杉浦を脅迫していることの意味が通らない。

……警察。

まさか……まさか……千夏の事件……？

茉莉緒は歩きながら、自分の考えを大きく首を振って否定した。

千夏を殺しても、それは、海に対しても冴子に対しても、復讐とは成り得ない。唯一考えられるとすれば、千夏殺しの罪を海に着せる計画だったということぐらいだが、それにしては、海があっさり警察から解放されたことからしても、海に関して何も仕掛けられた形跡はなく、不自然だ。千夏を殺しても、それが海の犯行だと証拠づけてしまうような罠《わな》を仕掛けていない限り無意味なのだ。

いくら考えても、そこから先へは進めなかった。

茉莉緒は、もやもやした頭のままでホテルへと戻った。

茉莉緒の部屋は杉浦と海の部屋の隣だったが、コネクティング・タイプではなかったので、隣の部屋に行くには一度廊下に出なくてはならない。茉莉緒は、杉浦と顔を合わせることが憂鬱《ゆううつ》で、そのまま寝た振りをしてしまおうかとも考えた。だが、時刻が七時に近くなって、決心して隣の部屋をノックした。

「あの、お夕飯とか、どうします?」

ドアの外で言うと、中からドアが開いた。

海だったので、ホッとする。

「帰ってたの。遅いなぁ、って思ってたんだ」

「ごめんなさい、戻ってから少し頭痛がしたんでベッドに横になったら、うっかり寝てしまって」

「大丈夫?」

海がからだをよけたので、茉莉緒は仕方なく部屋の中へと入った。だが杉浦の姿はなかった。

「あの、杉浦さんは?」

「うん、電話があってね、今夜は外で食事するって。なんか、偶然学生時代の友達に出《で》逢《あ》ったみたいだよ」

茉莉緒は、安堵《あんど》で大きな溜め息を吐きそうになった。杉浦はたぶん、また弟と落ち合って話し合いをしているのだ。

ともかく、杉浦自身は弟に対して、復讐を止《や》めるようにと説得しようとしている。そのことだけは信じてもいいだろう。

「どうする?　どこか近くの店で食べようか」

茉莉緒は同意した。海はTシャツにジーンズで部屋を出た。

ホテルを出て、あてもなくぶらぶらと歩く。茉莉緒は空腹を感じていなかったし、海もどうやら、食べることにこだわってはいないようだ。

それでも、何となく目に付いた小さなローカル食堂に入る。ハワイ風の照り焼きチキンにポイ、サラダのセットを頼んだ。海も魚を炒《いた》めて甘辛く味付けたローカルフードを頼み、二人でバドワイザーを缶から飲む。

店の中は、ロコやメインランドからの観光客でいっぱいだったが、日本人観光客の姿はなかった。

食事の間、二人はあまり会話しなかった。茉莉緒はアラモアナ公園で見聞きしたことについて、海にどう話したらいいかと考えていた。海は海で、ポスターの撮影が始まってからずっと続いている無口さの中に沈み込んでいる。

海の二本目の缶ビールが空になった時、ちょうど料理もあらかたなくなった。

「出ようか」

海の言葉に、茉莉緒は黙って頷《うなず》いた。

二人きりで食事をして、こんなに会話が出来なかったのは初めてだった。いちばん最初に出逢ったあの時でさえ、海は饒舌《じょうぜつ》なくらいに喋ってくれたのに。

海からの風が少し吹いていた。南国の花の匂いがその風に混じって鼻腔《びこう》をくすぐる。

「いい匂い」茉莉緒は思わず、呟《つぶや》いた。「プルメリアかしら」

「ジンジャーかも知れないね」

海が、風の中で深呼吸した。

「ほんとにいい匂いだ。ここは太平洋のど真ん中、南の島なんだなぁ。せっかく来たのに、海で泳がなかったね」

「仕事ですから」

茉莉緒は言ってから、くすっと笑った。

「でも泳ぎたかった」


「ごめん」

歩きながら、海が不意に言った。

「え?」

「俺、ずっと不機嫌だったろ。茉莉緒、気を遣ってくれたから……ごめん。俺がもっと陽気だったら、ちょっと泳ごうかって気分にもなったよね」

「……そんなことは、気にしないで」

茉莉緒は明るく言った。

「海、とってもいい仕事が出来たと思うの。本当に素晴らしい仕事でした。きっと今回のポスターは、海にとって大きなステップになる。あたし、それが嬉《うれ》しいんです。ほんとに、嬉しいの。ハワイに来て良かったって思っています」

「部屋に戻らない？」

海が言ったので、茉莉緒は少しだけがっかりした。このままもう少しだけ、二人で散歩していたかったのだ。それでも、茉莉緒は頷いた。

海はまた黙ったまま歩いて、ホテルに帰った。

エレベーターを降り、海と杉浦の部屋の前で頭を下げ、明日は八時にホテルを出ますから七時に起こしますね、とだけ言って自分の部屋に向かった。だがカードキーを差し込んだ時、背中に海の息づかいが聞こえた。

茉莉緒が振り返ると、海の手が伸びて茉莉緒の部屋のドアにかかった。

「話しておきたいんだ。中に入ってもいい？」

「あ……構いませんけど」

茉莉緒の返事が終わらない内に、海がドアを押した。


ビーチサイドの高級ホテルではなく、ラナイすらなかったが、ワイキキビーチとは反対側のマウンテンサイドがよく見える部屋だった。窓の向こうに、いくつものビルの谷間から山側の夜景が煌《きら》めいている。海は吸い寄せられるように窓のそばに行き、夜景を眺め出した。

茉莉緒は、スーツケースの整理をしようとベッドの上に広げたままにしていた洋服を抱えてクロゼットに押し込もうとした。慌てたのでうまく行かず、何枚かの服が床に落ちた。それを拾おうと屈《かが》んだ時、後ろから腕が伸びて胸の下を抱き抱えられた。

振り向こうとした瞬間に、つんとビールの匂いがして茉莉緒は反射的に目を閉じた。唇が塞《ふさ》がれ、息が停まった。背中がベッドのスプリングの弾力を感じた。からだが、何度か跳ねた。

あまりにも突然で、本当に予期していなかったので、茉莉緒は半ば呆然《ぼうぜん》としながら手足をばたつかせていた。だが、手の先が海の頭に当たった感触に思わずおびえて手を引っ込めてしまった。海の顔を傷つけたら大変だ、仕事に差し障る！　茉莉緒はそう考えている自分に気づいて、混乱した頭で笑い出しそうになった。

何がなんだかわからない。抵抗しているのかしていないのか、自分で判断出来なかった。口では何度も、ゆるしてと懇願している気がするのだが、からだの方は途中で諦《あきら》めてしまったように、もう動かなくなっていた。

わかっていたことはひとつだけだった。たとえどうなったとしても、海を突き飛ばしたり殴ったりしてはいけないのだ。海の顔に小さな傷がひとつ付けば、それだけで海の商品価値が下がってしまう。

やがて、茉莉緒は自分が泣き出したのに気づいて、泣くまい、と唇を噛《か》んだ。ゆるすと覚悟した以上、泣くのは反則だ。

最初の嵐のような時間が過ぎると、海は優しくなった。一言も喋《しゃべ》ってはくれなかったが、壊れやすいガラスの人形でも触るようにそっと、茉莉緒のからだを扱っていた。

もちろん、不快ではなかった。自分は海のことが好きなのだ、と茉莉緒はあらためて思っていた。好きだから、嫌ではない。

なのに、どうしてこんなに、悲しいんだろう。

情けないんだろう。

自分という存在に対して、海が何を求めていたのか、茉莉緒はわからなくなりかけていた。マウイでの最初の夜に、共に戦う戦友だと誓い合ったばかりだったのに、今、海は、自分の内部に起こった男としてのたかまりを鎮めるためだけに、茉莉緒を求めているのだ。もちろん、それで海が満足ならば、それで海の心が平穏になるのならば、一時のたかまりを受け入れることは何でもない。けれど、それだけがおまえの存在価値なんだと言われてしまったら、あまりにも淋《さび》しい。

結局、女には無理なんだろうか。

杉浦に対してなら、海はもっと別のものを求め、もっと別の接し方をする。たとえやり場のないたかまりや不安や悲しみ、淋しさにとらわれて、誰かにすがらなければ眠れない夜があったとしても、杉浦となら、二人で酒でも飲んで愚痴を言い合って、男同士の慰め方で慰め合い、励まし合って、そして眠りにつくのだろう。

上尾と別れてからしばらく経っていたせいなのか、海が内部に入って来た時に予想もしていなかった痛みがあった。茉莉緒はつい、からだを硬くした。海は戸惑ったようで、動きが停まった。

「……嫌?」

海が初めて、口をきいた。

茉莉緒は何だか腹が立った。今さら嫌かと訊《き》かれて、それで嫌だと答えたら、海はどうするつもりなんだろう?

答えるのが面倒になって、茉莉緒は足を高く揚げ、痛みを出来るだけ感じないようにからだの位置をずらしてその足で海の背中を挟んで自分の方に押しつけた。

やっと、海が小さく笑った。その笑いで茉莉緒の中の何かも弾《はじ》けた。

茉莉緒は笑いながら、海の頭に腕を回した。

後はもう、何も考えないことにした。

今のこの時間は、あたしと海の関係はとても単純な、女と男なのだ。それでいいじゃないか。他に何が必要?

4

「パリに行って、二年目ぐらいだったかな」

海は、茉莉緒の首の下に腕を滑り込ませ、腕枕の姿勢で囁《ささや》いた。

「まだシーズンになっても大きなメゾンでの仕事はないし、いつも金に困ってピーピーしてた頃にさ、あるオーディションで知り合ったフランス人のカメラマンに、アルバイトしないかって誘われたんだ。撮影会のモデルだって言われて、俺の他にも日本人やイタリア人のモデルの卵が何人か誘われていた。ギャラはびっくりするくらい良くてさ……内心、ちょっとヤバイかもなぁっていう気持ちはあったんだけど……日本から持って行った貯金はそろそろ底をつき出してて、このままだと次のシーズンの前に帰国しないとならなくなるかも知れない、そんな焦りがあったんだ。このまま、何ひとつまともな仕事をしないまま日本に帰ったら、完全な負け犬だ、それだけは嫌だって……」

「海」

茉莉緒は手を伸ばして海の口にあてた。

「無理して話さないで……聞かなくてもいいのよ、あたし」

海は茉莉緒の手を摑《つか》み、そっとどけた。

「話したいんだ。さっき、話しておきたいって言ったのは本気だったんだよ。聞きたくなかったら耳、塞いでてくれていい」

「……聞くわ」

茉莉緒は上を向き、ホテルの天井を見つめた。

だが、心の底には聞いてしまうことへの恐怖があった。海が伊澤瞬の目に脅えていた時の表情が頭に浮かんで来る。

「会場になったアパートメントにいたのは、身なりのいい金持ちの男ばかりだった。言葉もまちまちで、ヨーロッパやアメリカから集まった連中だと思う……ドラッグパーティだって気づいたのは、最初のワインを飲まされてすぐだった。俺の他に雇われたモデルの中には、何度か参加してて最初から納得してる奴もいた。でも俺は……ドラッグは覚悟していたけど……」

海は身じろぎした。それから、とても小さな声で言った。

「ヨーロッパで流行《はや》ってた、合成幻覚剤の類《たぐい》だったと思う。目の前がちかちか虹《にじ》みたいな色に光って、からだが熱くほてるんだ。気が付いたら何本も腕が伸びて、俺のからだ中を撫《な》で回してた。それが、薬のせいで、不快じゃなかったんだ……何だかわからない内に……何人も何人も、次々に……」

「もう、いいじゃない」

茉莉緒は耐えられなくなって、わざと明るい声で言った。

「昔のことなんでしょ？　みんな、遠い昔のことでしょ？」

「思い出すんだ」

海は話すのを止めなかった。

「ずっと忘れてても、ふとした拍子に思い出す。犯されてる間中、カメラのフラッシュが光ってたんだ。写されてる、撮られてるんだって意識だけがはっきりとあって、ああ、写されてるんだから、顔を作れ、作るんだって俺の中の別の俺が命令する」

海は、長い溜《た》め息をついた。

「あんな時でも、俺は意識してた。自分が被写体なんだってことを意識してたんだ。何でなのか、そのことだけを繰り返し、繰り返し思い出す。あの時もそうだった……伊澤先生の目が、俺の上にのしかかってた奴等の目と同じに見えた……ただの錯覚なんだ、きっと。錯覚だってわかってるのに……」

「錯覚よ」

茉莉緒は、はっきりと大きな声で言った。

「錯覚です。何もかも、もう終わったことです」

茉莉緒は横向きになって、海の頭を両腕に抱いた。

「話してすっきりしたら、忘れよう。ね?」

海は頷《うなず》いた。だがそのままの姿勢でじっとしていた。

「……茉莉緒……俺、本気だから」

海が口を開いたのは、随分経ってからだった。

「これ、冗談でも気まぐれでもない。本気なんだ。おまえとこれからも、ずっとこうしていたい……好きなんだ」

茉莉緒は答えなかった。嬉《うれ》しかったのだ。大声で泣きたいほど、嬉しかった。なのに、言葉は出なかった。

わかっている。茉莉緒は思った。海は嘘はついていない。だが、これもまた錯覚なのだ。海は、冴子と離れてひとりで歩き始めた途端に、不安になった。あたしを愛しているると錯覚することで、その不安を無意識に埋めようとしているのだ。過去の辛《つら》い体験をあたしに話したい衝動に駆られたのも、その不安の裏返しだ。いちばん弱い部分をあたしに見せてしまうことで、あたしにならいくらでも甘えられる状況を作りたかったのだ。

馬鹿みたい。

茉莉緒は泣き笑いしそうになった。

あたしは素直じゃない。せっかく海が、好きだって言ってくれたのに。一度だけ、欲情をなだめたかっただけだと言われても仕方ないと思っていたのに、ちゃんと本気だって言って貰《もら》って、それでどうして、こんなにひねくれた考え方しか出来ないんだろう。

でも。

現実から目をそらして甘い夢にひたっていても、いつかは目が覚めてしまう時が来る。

茉莉緒はこぼれそうになった涙を堪《こら》えて、ただ黙って、海の頭を抱きしめていた。

＊

杉浦は真夜中に戻って来た。そして海が茉莉緒の部屋にいると知っても、何も言わなかった。

まんじりともせずに夜が明けて、ハワイでの日々は終わった。

翌朝も、そして空港で出国手続きを済ませ、やがて飛行機に乗り込んでからも、三人はそれぞれに無口だった。

杉浦はとても疲れているように見えた。弟の説得に失敗したのだろうか。

茉莉緒は、杉浦に直接確かめたくなるのをぐっと堪えていた。まずは冴子に相談しなくては。茉莉緒の想像通りだとすれば、杉浦の弟に恨まれているのは冴子なのだ。

昼間のフライトだったので眠気はなかったが、茉莉緒は寝た振りをし続けた。海が時おり、そっと手を伸ばして茉莉緒の手を握ったが、茉莉緒はそのままにさせておいた。それでも、反応はしなかった。

少しでも心を揺るがせてしまえば、もう自分で自分が抑え切れなくなる。そうなったら、海のマネージャーでいることなど出来なくなるのだ。

辛いというよりも、淋《さび》しかった。こんなことになるのならどうして、海のマネージャーなんて引き受けたんだろう？　引き受けなければ……あの日、おにぎりをあげて普通の男と女として出逢《であ》って、そのまま……そのまま、海とゆうべみたいなことになったのなら。

飛行機は定刻に成田に着いた。

　機内はほぼ満席だった。このままだと入国手続きで時間がかかりそうだった。茉莉緒は、海の分の手荷物も抱えてせかすようにして機外へと出た。接続通路を通り、入国手続きを経て荷物を受け取って到着ロビーに出たところで、茉莉緒はぎょっとして足を停めた。

　レポーターだ。ワイドショーのレポーターが通路の端にぎっしりと集まっている！

　いったい、何だろう？　まさか海のことではないはず……

「杉浦さん、何か聞いてます？」

「いや」杉浦も戸惑っていた。「飛行機に乗る直前に事務所には連絡入れたけど、何も言われなかったよ。海くんのことなのかな？」

「でも……他にあの人たちが用のありそうな客って……」

　後ろから降りて来た客たちが迷惑そうに背中に触れた。杉浦が海の身体をひっぱって中に戻した。

「なに？　俺？」

　海が歩きながら不安げに訊《き》く。

「わかりません。どうしよう。あそこで待たれたら、逃げ場はないです」

　自動ドアの開閉でレポーターたちが海の顔に気づいた。途端に、数名がだっと走って近づいて来る。

　マイクが何本も、海めがけて突き出された。

「雨森さん！　ちょっとお話、聞かせてください！　今度の事件はやはり、雨森さんとのことが関係してるわけでしょうか！」

「夏草さんと最後に逢われたのはいつなんですか！　その時、彼女の様子に何か変わったことはありませんでしたか！」

レポーターたちはみんな一斉に質問を始めたので、いったい何のことを言っているのかまるで判らない。ただ、夏草麻衣に何かが起こり、それが海と関係あるとされていることだけは確からしい。

海も茉莉緒も、呆然《ぼうぜん》とした。それでも茉莉緒は海に向かって突き出されるマイクを自分のからだでどけるように頑張った。

「ちょっと待ってくださいよ、みなさん！」

杉浦が、レポーターたちに向かって怒鳴った。

「雨森も我々も、いったい何のことだかまるで知らないんです。飛行機の中にいたんですよ！」

「夏草麻衣さんですよ、夏草さんが、自殺未遂したんですよ！」

数名が同時に同じことを喋《しゃべ》った。茉莉緒は耳を疑った。海は、半分口を開けて茉莉緒を振り返った。茉莉緒は必死に首を横に振った。ともかく、海が今、ここで何かを喋ってはまずい！

茉莉緒の携帯が鳴った。

「もしもし、茉莉緒？」

洋子の声だった。

「飛行機着いたわね？　でも、囲まれてしまっていて」

「到着ロビーです。今、どこ？」

洋子が舌打ちする音が聞こえる。

「いい？　海には一言も喋らせないで、ともかくあんたと海は事務所に戻りなさい。スギさんに、後で必ず記者会見を開くからって連中に言って貰って！」

茉莉緒は慌てて前を歩く杉浦に追いつき、洋子の伝言を伝えた。杉浦は頷くと、レポーターに向かって両手を広げた。

「わかりました、みなさん。ともかく今はまだ雨森も何もわかってませんから、お話しするのは無理なんです。後で、記者会見を行います。場所と時間はおってお知らせします。ですから今は……」

茉莉緒は海の腕を摑《つか》み、駆け出すようにして出口へと急いだ。カメラとレポーターが数名追って来たが、杉浦が喋り続けていたので、何とか逃げ切れた。

それでもタクシーに乗り込んでしまうまで、生きた心地がしなかった。もちろん、レポーターたちにもこうした場合の流儀というのはあって、よほど社会的に大きな事件でもない限りは、そういつまでもしつこく追いかけて来たりはしない。空港のどこでインタビューするかは、混乱が起こって事故にならないよう、あらかじめ空港側と話をつけているものだと、洋子から教わったことがある。

それでも、初めての経験だっただけに、茉莉緒はぐったりと疲れていた。


夏草麻衣が自殺未遂……

茉莉緒は携帯を取り出して事務所に電話した。

「うちに第一報が入ったのが、七時間ちょっと前だったのよ。あんたたちの飛行機が飛び立った後ね」

電話の向こうで、洋子がうんざりした声で言った。

「冴子さんは今、夏草麻衣の入院してる病院に行ってる。実の妹なんだから、そりゃ心配よね」

「容態はどうなんですか」

「命に別状はないみたい。外国で買い込んだ睡眠薬を多量に飲んだそうだけど、発見が早かったんで処置出来たんでしょうね」

「でも、海さんと関係があるっていったい、どういうことなんですか」

「それがさっぱりわかんないのよ」

洋子は、困惑した声で言った。

「何でも、夏草麻衣が遺書みたいなもんを書いてて、それに海の名前があったらしいのね。でもその遺書そのものは、まだ夏草麻衣の事務所が公表してないんで中身がつかめない。ただ、マスコミに遺書のことリークしたのは、あっちの事務所サイドの誰かに間違いないわ」

洋子は腹立たしげにまた舌打ちした。

「海を悪者にしてこの騒動を乗り切る魂胆よ。まったく、ムカつくったら！　だいたい、海はどうなの、ほんとに夏草麻衣となんかあったの？　茉莉緒、あんた、何か聞いてる？」

茉莉緒は海の顔を見た。海は、聞こえていなくても会話の中身を察したのか、首を横に振って言った。

「俺、彼女とはほんと、仕事でしか会ったことないよ」

「海さんは知らないって言ってます。夏草麻衣とは何もなかったって」

「まあいいわ、海にはこっちに戻ってからちゃんと訊く。何とかして早急に遺書の文面を、あっちサイドから出させないとね」

洋子は苛立《いらだ》たしげに電話を切った。

「彼女、大丈夫なの？」

海が心配そうに訊く。茉莉緒は頷いた。

「命に別状はないそうです。今、冴子さんが夏草さんの入院している病院に行ってるんですって」

海は、大きな溜《た》め息をついた。

「俺……心当たりないよ。彼女とは、そりゃ撮影の時にはラブシーンもしたけど、プライベートでは一緒に飯食ったこともないんだぜ。休憩時間だってほとんど口きいたこと、なかったし……」

「でも、何だかあたし……繋《つな》がったように思うんです」

「繋がった？」

「ええ」

茉莉緒は、ゆっくりと頷《うなず》いた。

「夏草さんはあたしの部屋を見張っていた。その意味が、何となくわかって来たような気がします」

「どういうこと？」

海は真剣な顔で茉莉緒を見た。茉莉緒はその先を言葉にするのが辛《つら》くなった。

「ただの想像です。まるで見当違いかも知れません」

「うん……それでもいい。聞かせて」

茉莉緒はゆっくり深呼吸してから、言った。

「夏草さん……海のこと、好きなんじゃないかしら」

「だって茉莉緒、俺、ほんとに」

「だから！」茉莉緒は思わず、海の腕を摑んでいた。「だから……彼女の片想いなんです。一方的な、誰にも打ち明けていない。彼女は誰かから、海があたしをわざわざ京都から連れて来てマネージャーにしたと聞いて、誤解したんです。彼女は自分の実の姉である冴子さんと海とのことは、知っていたはずです。だから彼女は、恋心を抑えて我慢していたんだと思うの。それなのに、姉と別れた海が、まったくのシロウトの女をどこからか連れて来て自分のマネージャーにまでしてそばに置いた。それって、彼女にとってはゆるせないことだった。それであたしの部屋なんか見張っていた……ううん、見張っていたっていうより、自分でも抑えられない衝動に駆られて、あたしの生活を知ろうとしていた。あたしも女だからわかるの……自分の好きな男に恋人がいたら、その恋人がどんな人間なのか知りたいと思う。思って当然だわ」

「だけど……尋常じゃないよ！　肝心の俺には一言も言わないで、いきなり茉莉緒の私生活を監視するなんて。しかも、あんなに忙しい身なのに！　もし茉莉緒の言うとおりだったとしたら、彼女は……普通じゃない……」

「そう。彼女は、普通じゃないんです」

茉莉緒は、あの時の夏草麻衣を思い出していた。パン屋の店先から、チョコマーブルケーキを万引きし、紙袋に落とし入れてしまった、あの時の彼女を。

「あの万引きもそうだった……夏草さんはたぶん、神経を病んでいるんだと思います。きっと……周囲が気づかない内に、ぎりぎりの状態に追いつめられていたのよ。海への片想いだけが原因じゃない、たぶん、芸能界で生きて行く上での様々なストレスで、彼

女の精神は大きなダメージを受けていた。今回の自殺未遂は、その必然的な結末だった

……」

ふと、茉莉緒の頭に、耳慣れたヒット曲が甦《よみがえ》った。この曲は……松崎かすみの歌だ。

松崎かすみ。

自殺してしまった、人気歌手。

あ！

「海」

茉莉緒は、自分の頭に浮かんだ考えにおののきながら訊《き》いた。

「松崎かすみの本名、知ってます？」

「松崎かすみ？」

急に茉莉緒の口から出た名前に、海は戸惑った顔をしていたが、すぐに頷いた。

「知ってるけど……山田真美、じゃなかったかな。それがどうしたの？」

やっぱり！

茉莉緒は、アラモアナ公園での杉浦兄弟の会話を思い出し、思わず身を縮めて声を低くした。

「あたし、聞いてしまったんです」

「聞いたって、何を？」

「杉浦さんが弟さんと話していたの。杉浦さんと弟さんとは、松崎かすみが死んだことで、冴子さんを恨んでいます。そして弟さんは、冴子さんに復讐《ふくしゅう》するつもりでいるんです」

「それ……どういうこと？　スギさんの弟って……そう言えば、どこかの事務所で運転手しているって聞いたことがあったけど」

「サンライズで江崎マナの運転手をしています。そして、ほらあたしたちが乗った車に細工がされていたあの事件の日、その江崎マナの車をあたし、見ているんです。駐車場で。あれは杉浦さんの弟がやったことなんです……冴子さんに復讐する為に、冴子さんが大切にしている海を、傷つけようとしたんです」

「そんな」

海は座席に背中を預けて目を閉じ、苦しそうな顔になった。

「信じられないよ……スギさんが、そんな……」

「杉浦さんは、復讐には反対しています！　弟さんを止めようとしているんです。でも弟さんは、とことんやるつもりのようでした」

「とことんってまさか……冴子を……？」

海の瞳《ひとみ》が恐怖のせいか大きくなった。

「冴子が松崎かすみに何をしたって言うんだ……したい放題で事務所に迷惑ばかりかけていた彼女を、冴子は必死でかばっていたのに。彼女には才能があるんだからと問題を起こすたびに、クビにしろって何度も怒った社長を説得したのも、冴子だったのに……最後は冴子もさじを投げていたが、それだってかすみの自業自得じゃないか……」

「ともかく、杉浦さんと話し合って、弟さんが何かとんでもないことをしてしまう前に止めましょう。冴子さんに話してしまう前にそうした方がいいと思うんです」

茉莉緒は携帯電話を取り出した。杉浦の携帯を呼び出す。だが、出ない。

「変ね」茉莉緒は耳を離して携帯を見つめた。「留守番電話サービスが応答する……どうして留守電になんかしてるのかしら。こんな非常事態なのに……」

茉莉緒は、携帯電話を見つめたまま、奇妙な感覚を味わっていた。今何か……何かまた、思い出したのだ。何だろう……

茉莉緒の頭の中に、突然、以前に車中から携帯で電話をした時のことが甦って来た。

そう……あの時あたしは、千夏に連絡したのだ。それから……千夏が泊まるホテルを探した。何カ所かに電話して予約して……

あれは……あれは……

あれは、あの車の中でだった！

杉浦の弟が運転していた、江崎マナの車の中だ！

茉莉緒は震え出した。

違う。違っていた。杉浦兄弟が話していたことは、あの車に細工をしたことなんかじゃない……そうじゃなくて、あれは、千夏の事件のことだったのだ！　杉浦の弟は、あの時のあたしの会話を聞いていた。そして電話の相手が、千夏だと知った。それに千夏が泊まるホテルがどこなのかも。杉浦の弟なら、千夏の泊まってるホテルに出掛けて行って千夏を殺すことが、可能だったのだ。

だけど、だけどなぜ？　千夏を殺すことがどうして、冴子に対しての復讐になるのだ？　海に千夏殺しの容疑をかけて海を芸能界から抹殺しようとした？　そんな馬鹿な。だったら海が犯人であるかのような偽の証拠を現場に残していなければ、総《すべ》てが無意味だ。そんなものは何ひとつ残っていなかった。残っていなかったからこそ、警察は海を自由にさせてくれているのだ。

他に理由があるのか……千夏を殺すことが、冴子への復讐と関係する理由が……いや。違う！　杉浦は言っていた……関係ない者が巻き添えになった、と。

千夏は巻き添えで殺されたのか？　しかし、巻き添えで、わざわざ殺すというのはどういうこと？

わからない。茉莉緒は頭を抱えた。そして知らない内にすすり泣いていた。

「茉莉緒」

海の腕が茉莉緒の頭を抱いた。

「何も考えるな。考えちゃ駄目だ。警察に話そう。君が聞いたことを全部警察に話せば、後は警察が何とかしてくれる」

「……千夏さんを殺したのも、杉浦さんの弟なんです」

茉莉緒は泣きながら言った。

「あたしのせいなんです……あたしが、携帯でホテルの予約をしたのをあの人は聞いていた……」

「何言ってるのさ。千夏って、あの京都から来た女子大生？　どうして冴子に復讐する為に彼女を殺さないとならないのさ」

「……わからない。わからないけど、他には考えられない……千夏さんの泊まっていたホテルは、あたしと千夏さん本人以外は知らなかったはずなんです」

「スギさんはあの頃まだ休職中で、京都の撮影現場にはいなかったんだよ。いたとしたら、気がつかなかったはず、ないもの」

「でも、弟さんはいたかも知れない！　弟さんは……」

茉莉緒は今、はっきりと思い出した。

ハワイで杉浦の顔を見ていた時に、ふと甦ったあの感覚の正体は、これだった！

いたのだ。

あの時、テントの中で海に缶コーヒーを貰《もら》った時だ。テントの隅にいた男が自分と海のことをちらちらと見ていた。そして、ビニール袋をさし出してくれた。その男の顔が、茉莉緒の頭の中で杉浦と重なった。マウイで杉浦の顔を見ていた時に、ふととらわれた既視感の正体は、あの男だった。

あの男は、杉浦にどことなく似ていたのだ。

江崎マナの運転手の顔は、ほとんど見なかったので憶《おぼ》えていないし、アラモアナでは後ろから近寄っただけなので顔は見えなかった。だが間違いはない。

「杉浦さんの弟はあの時、撮影現場にいました。ほら、海に缶コーヒーを貰ったでしょ、あの時近くにいて、こっちを見てたんです。間違いないと思う。あの人は杉浦さんに、似てたのよ」

「だけど！」

海は苦しそうに言った。

「いったい、どうしてなんだ？　動機は何なんだ！」

「一ノ瀬という学生の中毒死が関係していることは間違いないと思います。結局、あそこに戻るのよ……あの言葉に。ひとつ貰っちゃいました。すみません。後で渡しますのかしら……貰っちゃった……貰う……貰う……」

……この言葉をもし、海が聞き違えていたとしたら、一ノ瀬さんは本当は、何と言ったのかしら……

「……漏らす」

海が、ふっと呟《つぶや》くように言った。

「漏らしちゃいました……でも、そんなふうには聞こえなかったな……」

漏らす。

漏らしちゃいました。

「それよ」

茉莉緒は海の腕を強く摑《つか》んだ。

「それだわ!」

「いやだけど、違ってたよ。漏らし、とは言ってなかった」

「こう言ったんじゃないですか」

茉莉緒は、ひとつ漏らしちゃいました、と、関西弁のアクセントで言った。海の顔つきが変わった。

「簡単なことだったのよ……どうして今まで気づかなかったのかしら。一ノ瀬さんは、海に話しかける時に意識して標準語を使おうとしたんです。でも咄嗟《とっさ》のことだったんで、イントネーションまでは変えられなかった。標準語だと、漏らしちゃいました、という時には、ら、のところにアクセントが来る。でも関西のアクセントだと、漏らしちゃいました、ならば、ま、のところにアクセントが来てしまうんです。貰っちゃいました、の時には、標準語のアクセントでも、どこが特に強いということはなく、平坦《へいたん》に流れます。ま、のところが強い関西のアクセントだと、どちらかと言えば、貰っちゃいました、の方が近いんです。それで海の耳には、貰っちゃいましたと聞こえたんです」

「漏らす……漏らす……」

海は口の中で呟いた。

「何か心当たり、あるんですね！」

海は、困ったような顔のままで頷《うなず》いた。

「だけど、一ノ瀬って人に頼んだはずはないんだ……冴子の話では確か、バイトさんに手伝って貰ったと……」

「いったい、どんなことだったの？」

「俺のファンクラブで誕生日のパーティを企画したんだけど、事務局のミスで定員オーバーの参加者を受け付けちゃってたことが判ってね、来場を断らないといけなくなったんだ。それでその通知に、俺がサインだけ自筆ですることになってたんだけど、あの日、撮影所に名簿と通知を持ち込んで、合間を見つけてサインしてた。本当だとそれをもう一度事務局に送って、事務局から発送して貰わないといけなかったんだ。でもパーティは東京に戻る日の翌日で、日にちがなかった。それで、事務局から京都のホテルに印刷した宛名のシールと封筒とを送って貰って、冴子が貼って出すことになっていた。それが、あの日届いた宛名シールがミスしてててね、住所の下半分が印刷されてなかったんだ。ほら、アパート名とかの部分。それでこんなの使えないからって、仕方なく宛名書きをすることになったんだけど、二百通以上あったからね、俺は、事務局に言ってもう一度シールを送って貰った方がいいよって言ったんだけど、冴子は案外せっかちで、撮影の合間にあたしがするって」

「それで、あそこでその作業をしたのね」

「うん。日本近代映画のプロデューサーが、冴子が宛名書きしてるの見て親切に、現場のバイトさんを貸してくれたんだ。俺がサインを終えると冴子が封筒に入れて、それを二十くらいずつ束にして、名簿のコピーを付けた。その束をバイトに渡して宛名書きと切手貼りを手伝って貰っていたんだと思う」

「わざわざ切手を貼ったの？」

「そう。一度は受け付けたのに断るわけだから、誠意は見せた方がいいって冴子のアイデアでね、サインも自筆にしたし、切手はあの、丸い切手にしたんだ。ディック・ブルーナの」

封筒に貼られた切手。何も文房具のない撮影現場。切手を貼る「水」は、どこから？

「それだわ」

茉莉緒は言いながら、目の前に今、見えてしまった殺人の仕組みに身震いした。

「切手よ。海、思い出せる？　その切手はどこから持って行ったものなのか」

「どこからって、冴子が事務所から……あ！」

「そう」

茉莉緒は頷いた。

「毒は、切手の裏に塗ってあったのよ」

「切手の裏に……だけどそれじゃ、誰が舐《な》めるかわからないし、舐めないで指を水で濡らして使われたら誰も死なないかも知れないよ」

海の言葉に、茉莉緒は首を横に振った。

「いいえ、それがそうじゃなかったんです。毒を持っていたのは杉浦さんの弟。そして彼は、その毒を冴子さんに飲ませる機会を窺《うかが》っていた。彼はテントの中で宛名書きを始めた冴子さんを見て、その傍らにあった切手シートに目を止めたんです。それで、冴子さんが何かでそこを離れた隙に、一枚の切手シートの裏に毒を塗り付けた。ところが、日本近代映画のプロデューサーが親切にバイトを貸してくれたおかげで、宛名書きと切手貼りは別の人間の仕事になってしまった。そして……その仕事をどうした偶然か、一ノ瀬拓也が引き受けた……それが真相だったんです」

5

タクシーでそのまま事務所の前まで乗り付けて、二人は転がるように車を降りて事務所に駆け込んだ。洋子に事の次第を説明するのに少し手間取ったが、三十分後にはもう、刑事が数名やって来て、茉莉緒は会議室で質問責めにされていた。

「つまり、一ノ瀬拓也は、その宛名書きを手伝った可能性が高いってことだね？」

刑事の問いに、茉莉緒は頷いた。

「それだと意味が通るんです。一ノ瀬さんは何束かの封筒を割り当てられた。ひとつ漏らした、というのは、一束漏らした、という意味だったと思います。彼は、わたしが食事のあと千夏さんと話をしていた間に宛名書きをしていたと思います。わたしが彼の姿を見なかったのは、その時だけでしたから。時間的にはわずかに十分くらいのことです。彼は割り当てを総《すべ》て書いたと勘違いして、それをバイトさんに手渡した。ところが後で、一束残っていたのに気づいたんです。それで、エキストラの出番が終わったら仕上げて渡そうと考えていた。だからたまたま雨森がそばにいたのでつい、言ったんだと思います。ひとつ漏らしちゃいました。後で渡します、と」

「それじゃ結局、その封筒の束ってのはどこにあるわけだ？」

「たぶん……千夏さんが持っていて、そのままバイトさんに渡してしまったんじゃないでしょうか。そのバイトさんは、まさかその封筒のせいで一ノ瀬さんが死んだなどとは想像もしないで、残りの宛名を書いて切手を貼り、冴子さんに総て渡した。冴子さんも、そんなものが事件と関係あるなどとはまったく思わずに、投函してしまった」

「一ノ瀬以外のバイトはなぜ、毒を舐めないで済んだのかな」

「犯人が切手シートの裏に毒を塗れた時間というのは、ほんの数十秒間だったと思うんです。ですから総ての面に塗れたわけではない。しかもあのディック・ブルーナの切手シートは、切手の部分よりも余白のイラストの方が多いデザインで、どうしてもロスが出ます。結果として、裏側に毒が塗られた切手というのは、ほんの数枚だったのだと思います。そしてその数枚を、運悪く総て、一ノ瀬さんが舐めてしまった」

「運が悪かったんだな……気の毒に」

刑事が呟《つぶや》いた。茉莉緒は、あの日千夏と楽しそうに喋《しゃべ》っていた一ノ瀬拓也の顔を思い出した。

「だが杉浦の弟は、なぜ千夏を？」

「あの時、あたしが携帯で千夏さんと話をするのを聞いていて、彼は千夏さんが東京に出て来たことを知りました。きっととても不安になったと思います。あの時撮影スタッフ用のテントの中にいたということは、杉浦さんの弟は撮影隊の誰かのコネでテントに入り込んでいたわけです。もし封筒のことが千夏さんの口からあたしに伝えられ、警察が動けば、あの日現場にいた者全員がもう一度捜査対象になってしまいます。そうなれば自分が疑われるかも知れない、彼はそう考え、千夏さんがどこまで知っているのか確かめようとしたんじゃないでしょうか」

「それで千夏のホテルを訪ねた。ところがそれがかえってやぶ蛇になってしまった……」

「会話の途中で千夏さんは真相に気づいたのかも知れませんね。……態度が急変した千夏さんを見て、さとられたと知った彼は……」

茉莉緒は顔を覆った。それ以上は想像したくなかった。

何の落ち度も罪もないのに、偶然のいたずらから殺されてしまった二人の若者のことを思うと、茉莉緒の胸は痛みで裂けてしまいそうだった。

スーツケースも事務所においたまま、茉莉緒は冴子から連絡が入るのを待った。海も家に戻ろうとはしなかった。二人とも、ほとんど言葉を交わさないままで、応接室のソファに座っていた。

時差ボケのせいもあってか、時間の感覚が摑《つか》めなかった。アルバイトの女の子が買って来てくれたパンを夕飯にかじったが、味もわからない。

殺人の真相は、ほぼ明らかになった。茉莉緒は自分の想像が大きくはずれてはいないと確信していた。しかし、少しも晴れやかな気持ちにはなれない。杉浦の携帯は、留守録になったままだった。

九時を過ぎて、やっと電話が入った。だが冴子からではなかった。電話を掛けて来たのは、夏草麻衣のマネージャーの、東条俊介だった。東条俊介は、社長の川谷と海とに今度の騒動の釈明をしに来ると言った。

東条俊介は、十時過ぎに現れた。

「川谷さんと雨森くんに迷惑を掛けたことをまず、謝らせて貰《もら》います」

東条俊介は、応接室に入るなり深く頭を下げた。

「騒ぎの元になった遺書はお持ちいただいたんでしょうね」

洋子が、厳しい調子で問い詰める。

「あんなに早い段階で雨森の名がマスコミに漏れたのは、どう考えてもおかしいですよ、東条さん。まずはその点を説明して欲しいもんですわ」

「誠に申し訳ない。誰がリークしたのかは責任持って突き止めます」

「と言うことは、東条さんの指示じゃなかったわけですわね、もちろん」

「洋子、もういい」川谷が制止する。「東条さんは責任を持つと言ってるんだ。お任せしよう。で、東条さん、夏草麻衣の自殺未遂の原因というのは結局、何なんですか」

東条俊介は、大きな溜《た》め息をついた。

「実は……ゆうべのことなんですが、仕事が終わってから麻衣は、自宅の近くのコンビニに行ったらしいんです。そこで……どうやら万引きをして……店員に捕まったんですよ」

茉莉緒は、思わず海と顔を見合わせた。

「店の方で夏草麻衣だと気づいたんで、警察は呼ばないでくれて、わたしが駆けつけました。もちろん、その場で示談にし、店員にも充分、口止めを頼んだんです。しかし……人の口に戸は立てられないと、麻衣はひどく落ち込んでしまって。どこからか漏れたらすぐにインターネットで広まる時代ですから、麻衣が絶望したのもわかるんです。ですがその時はまだ我々も、なんとか事態を収拾しないと、とばかり考えていて取りあえず今日の仕事は発熱ということでキャンセルするつもりで、明け方まで付き添って落ち着かせました。もう大丈夫かと思ってわたしは一度帰宅したんですが、その直後に薬を飲んだようです……迂闊《うかつ》でした、本当に。ずっと付き添っていれば良かった」

「つまり、万引きを見つかったことを苦にした自殺未遂ってことなわけですか。雨森は無関係だったんですね？」

「いや」東条は苦しそうに首を横に振った。「万引きのことが直接の引き金になったことは確かですが、麻衣はかなり前から軽いノイローゼのような状態になっていたんです。万引きもそのひとつの症状だったんだと思います。わたしも、薄々おかしいなとは思っていて、医者から精神安定剤は貰っていたんですが……雨森さんのことについては、わたしは気づいていませんでした。どうやら麻衣は、雨森さんに片想いをしていたようです。一年ほど前にドラマの撮影でご一緒した時以来、ずっとそうした感情を抱いていたようなんですが……わたしには、まったく打ち明けてくれませんでしたし……それが雨森さんに」

東条は言葉を切り、茉莉緒をちらっと見た。

「新しい恋人が出来たとわかった時から、ひどく思い詰めてしまったようなんです。麻衣が信頼していたスタイリストの前島《まえじま》という女性には、自分の気持ちを相談していたようです。前島さんの話では、十日ほど前に雨森さんがハワイに発《た》ってからは、毎晩のように麻衣から電話があり、一時間以上も雨森さんのことを喋り続けていたそうです。しかもその話の中で、麻衣は、テレビ局のＡＤに頼んで、雨森さんのマネージャーの手帳を盗ませたと告白した」

茉莉緒はおどろいた。あのバッグをひったくった男は夏草麻衣に頼まれていたのだ。

「雨森さんのスケジュールを知りたかったのと」

東条は、また茉莉緒を見た。

「雨森さんの……新しい恋人の住所が知りたかったようです。そんな話を聞いてしまって前島さんも麻衣の精神状態がかなり心配になって、実は今日にでもわたしに相談しようと思っていた矢先だったそうなんです」

東条は胸のポケットから畳んだ紙を取り出した。

「麻衣が書いた遺書のコピーです」

テーブルの上に置かれた紙に最初に手を伸ばしたのは洋子だった。一読し、複雑な表情のまま社長の川谷に手渡す。川谷はすぐにそれを海に渡した。最後に、海は茉莉緒の手にその紙を回して、小さな溜め息をついた。

『ごめんなさい、東条さん。社長、それからお姉さん。麻衣はなんだかとても、疲れてしまいました。ずっと眠っていたい気がします。もう眠らせてください。麻衣にはもう、麻衣の中に住んでいる悪い虫をやっつけることが出来なくなりました。このままだとまた、迷惑を掛けてしまうと思います。いい子でいたらきっと振り向いて貰えると思っていたあの人も、麻衣のことは見てくれない。いつまでたっても。あの人の瞳《ひとみ》には、麻衣は映っていません。麻衣の方を見て、といつも心の中で呼びかけていたのに、声は届きませんでした。生まれ変わったら今度は、海さんの恋人になります。でも芸能人にはなりません。今度は、お姉さんみたいに、マネージャーになります』

切なかった。余りにも、切なかった。茉莉緒は、手紙を握りしめたままで涙をこぼしていた。生まれ変わったら芸能人にはならない、と宣言した麻衣。芸能人であるがゆえに、抑えていなければならなかった恋心、そして、我慢しなければいけなかった、その他のたくさんの、こと。

輝くばかりの才能に溢《あふ》れ、順調にスター街道を駆けていた麻衣の心の中に育っていた、暗黒。

麻衣は、疲れ切ってしまったのだ。その暗黒の中で、それでも微笑み続け、演じ続けなくてはいけなかった、そのことに。

「気づいてやれなかったわたしの責任なんです」

東条はもう一度頭を下げた。

「わたしとしては、何とか麻衣を立ち直らせたい。しかし麻衣の希望があれば、引退も仕方ないと覚悟しています。いずれにしても、雨森さんに対する誤解だけは、事務所を挙げて解くようにいたしますので、出来ればどうか……雨森さんのコメントは……」

「最小限、雨森が夏草麻衣を弄《もてあそ》んだような印象だけは払拭《ふっしょく》させて貰いますよ」

洋子がぴしりと言った。

「こんな事態でなおかつ夏草麻衣が引退などすれば、雨森が徹底的に悪者にされてしまいそうですからね」

「もちろん、当然のことです」

東条は言って立ち上がった。

「それでは、また病院の方へ戻りますので」

事務所を出て行く東条の後ろ姿は、本当に淋《さび》しそうだと、茉莉緒は思った。

6

結局、杉浦は二度と事務所に戻らなかった。空港でマスコミに対応した後どこに行ってしまったのか。杉浦の弟も姿を消した。警察の調べでは、杉浦の弟はハワイから帰国せず、どこかに逃げてしまったのではないかということだった。警察はその逃亡自体を、一ノ瀬と千夏殺害の自白と受け取っているようだった。

冴子は東条が事務所を訪れた翌日から出勤して来たが、夏草麻衣のことは一言も喋《しゃべ》らなかった。そして事務所の誰も、洋子ですら、そのことは訊《き》かなかった。訊かなくても、冴子のやつれた顔を見れば、冴子の心中の苦しみは察することが出来た。

しばらくはワイドショーも騒いでいたが、東条が約束を守ったのか、夏草麻衣のサイドを情報源としているとわかる、海と夏草麻衣の交際に否定的な証言が女性週刊誌などに次々と掲載され、次第に海への風当たりは弱まり、夏草麻衣の片想いによる自殺未遂ということで決着する空気は流れ出していた。だが万引きの話も一部の週刊誌には載り、夏草麻衣のイメージは、最早回復が難しい感じになっていた。CMも次々と放映が中止され、決定していた連続ドラマも他の女優に主役が変更になった。海と共演した映画すら、撮影が残っていた麻衣の出る場面が撮れなくなり、編集がおくれて公開が延びている。

茉莉緒は、この業界で坂を転がり落ちる時のスピードの早さを目の当たりにし、ショックを受けた。

そんな最中に、マウイで撮影した海のポスターが発表された。

反響は、茉莉緒の想像を遥《はる》かに超えていた。

同時に発表された五人の俳優やタレントをモデルとしたシリーズの中で、海が映っているシリーズだけが、地下鉄の駅などで片っ端から盗まれ、電車の中吊《なかづ》り広告まで引き抜かれて持ち去られる騒ぎになった。女性雑誌などでは次々と海の特集が組まれ、テレビのトーク番組の出演依頼が殺到した。

「反動ね」

洋子は、いきなり火が点《つ》いた海の人気を指して言った。

「夏草麻衣の件が思いも掛けず、いい方に作用したのよ。あれだけの人気女優が死を思い詰めるほど惚《ほ》れた男。それなのに、男はあくまでクールで、人気女優に鼻の下を伸ばしたりはしなかった。これだから芸能界はやめられないわ。いったい何がプラスに働くか、十年やっても二十年やっても、まだ予測がつかない。茉莉緒、ここで一気に勝負よ。今なら海はどんな悪役をやってもイメージダウンしないで演技を正当に評価される。例のドラマ、山下さんにはOK出すからね、いい？」

茉莉緒は頷《うなず》いた。

そうだ、ここで勝負だ。

この賭《か》けに勝てば、海はもう、大丈夫だ！

日々はあっという間に過ぎて行った。いきなり忙しくなってしまった海と共に、茉莉緒もただひたすら働いた。そして、海が朝まで一緒にいたいと言った日は、自分の小さな部屋に海を泊めた。

恋愛なのか、それとも別の何かなのか、茉莉緒はもう、深くは考えなかった。冴子がそうであったように、自分の存在は、セックスの相手をすることも含めて海にとって重要なのだ、それが海という才能を支えるのだ、と信じることにした。

事実、海は総《すべ》てにおいて、ハワイへ行く前と大きく変化していた。以前から決まっていたドラマの脇役出演では主役を食うほどの存在感を示すようになっていたし、新しく来る仕事は、海をメインにしたものがほとんどになり、批評家の評価もひとつ何かに出るごとに高まって行く。大東テレビでのドラマ出演は本決まりになった。しかも、山下自らが電話で、ぜひ出てくれ、と言って来たのだ。

あれだけ抵抗を見せていた冴子は、今はもう、洋子や茉莉緒の言うことに何一つ反対しなかった。

茉莉緒は感じていた。

冴子は、オフィスKを去るつもりでいる。

「茉莉緒ちゃん、久しぶりに昼御飯、どう?」

冴子から誘われたのは、たまたま海がトーク番組の収録で徹夜し、午後まで自宅で休息になっていた時だった。冴子は、海のいないところで話がしたいのだ、と茉莉緒にはわかった。

会社の近くの小さな中華料理店で、茉莉緒は本当に久しぶりに冴子と向かい合った。

「茉莉緒にはほんとに、感謝してる」

冴子は、茉莉緒の前の茶碗《ちゃわん》にジャスミン茶を注ぎながら言った。

「あなたに来て貰《もら》って良かった。海は変わったわ……マウイで何があったにしても、海は大きく成長した。あなたのお陰よ」

「海さんは自分で脱皮したんです。あたしは、そばにいただけです」

「でも、あなた今……海と付き合ってるんでしょう？」

茉莉緒は言葉では答えず、ただ頷いた。

「海はとても安定してる、今。本当はね、あの子はいつも、おどおどしていたのよ。芸能界に入ってからずっとね。そしてびくついている自分を隠す為に、どこか気を抜いたような演技をわざとしていた。それが視聴者やスタッフに何となく伝わってしまって、あの子の魅力が半減されてしまっていたの。海……あなたに話したんじゃない？　パリであったことについて」

茉莉緒は熱い茶をすすりながら、また頷いた。

「あなたに打ち明けて、海はふっ切れたんだと思う。海はもう大丈夫よ。やっと、上昇気流に乗ったわ」

「冴子さん」茉莉緒は茶碗を置いた。「オフィスKを辞めるという噂、本当なんですか」

冴子は黙ったまま、茶をすすっていた。だが顔を上げると、微笑んで言った。

「本当よ。たぶん、今月末で退職させて貰うことになると思う。もう社長との話はついたの……だけど、世間の噂とは真相はちょっと、違う。あたしは独立して事務所を持つ気なんてなかったのよ。麻衣……妹があんなことになるまではね。夏草麻衣は今、芸能人としては瀕死《ひんし》だわ。本人ももう、引退するつもりでいる。でもあたしにはわかるの。麻衣は本当は引退なんてしたくないのよ。彼女はね、自分の才能をちゃんと知っている。この世界で頂点に上り詰められる数少ない、神に選ばれた人間なんだってことを、自覚しているの。辞めたくないのよ、本当は」

冴子は、一度息を大きく吐いた。

「あたしたち姉妹は今、お互いを必要としているの。たぶん、姉妹としてこの世に生まれて初めて。麻衣には、彼女を立ち直らせ、もう一度成功させてくれるサポートが必要。そしてあたしには……海が飛び立った後で、もう一度あたしの掌《てのひら》で育てる雛《ひな》が必要なの。あたしは、麻衣の為に東条が開く事務所に移ります。そしてあなたと同じ、ひとりのマネージャーとして再出発するの。一介のマネージャーとして、麻衣に尽くす為に、オフィスKを出るの」

冴子は爽《さわ》やかな顔をしていた。冴子の心の中ではもう、新しい戦いが始まっているのだ。瀕死の状態になった夏草麻衣を、もう一度この芸能界という空に羽ばたかせる為の戦いが。茉莉緒は、冴子という女性に今初めて、強い憧《あこが》れを感じた。本当の意味で、冴子は自分の目標になった、と思った。

＊

大東テレビ制作のドラマの脚本が遂《つい》に届いた。覚悟はしていたが、海の役どころは相当にハードな汚れ役だった。だがもう、茉莉緒は心配していなかった。海ならば絶対に、期待されたもの以上を表現出来る、そう信じていられた。

初めてのCDデビューの話も本決まりになり、コンセプトや戦略などの会議も頻繁に行われた。そうなると、海の仕事に最初から最後まで貼り付いていることも出来なくなり、現場に送り届けた後は終わる時間に迎えに行くまで別のところで会議に出る、ということも多くなる。茉莉緒は、目が回りそうな思いというのを社会に出て初めて経験していた。そして同時に、海と別々にいる時間がこれほど多かったのも、この仕事を始めてからはなかったことだった。

その日も、ドラマの台本の読み合わせに出掛けた海の代わりに、茉莉緒はCD制作のプロデューサーとの打ち合わせに出た。戻った時、ひとりで仕事をしていた洋子が言った。

「ちょっと茉莉緒、話があるんだけど」

洋子はなぜか、ひどく険しい顔をしている。茉莉緒は不安を覚えながら、会議室に洋子と入った。洋子は驚いたことに、ドアに鍵《かぎ》までかけた。

「あたしもまだ、確認したわけじゃないんだけどね」

洋子は珍しく煙草をくわえた。よほど落ち着かないらしい。

「いい、冷静に聞いてちょうだい。さっき、元堀口プロダクションにいた友達が電話で教えてくれたんだけど……堀口プロダクションが、海に移籍を持ちかけてるらしいのよ」

茉莉緒は一瞬、何の話なのかわからずに困惑した。だがすぐに事の重大さに気づいた。

「知っての通り、堀口プロはこの業界でもかなりの大手。うちなんかとはそれこそ、比較にならないわ。そりゃうちだって、黙って海を取られて指くわえて見てることは出来ない、それなりに抵抗はさせて貰うことになるでしょうけど、勝負はハナから見えてる。海がその気になれば、移籍を止めることは出来ないでしょうね……どうせ負ける戦なら、負け方を考えないとならないわね」

「それって」茉莉緒は唾《つば》を呑《の》み込んだ。「まさか、海さんを移籍させてしまうってことですか？　反対しないってことなんですか！」

茉莉緒は自分でも知らない内に立ち上がっていた。興奮で、手先が震えて来る。

「どうして止めないんですか！　ちゃんと説得すれば海さんだってきっと……」

「きっと、何？」

洋子は足を組み、煙を吐き出した。

「きっと海は情にほだされて移籍を取りやめる？　あなた、海を説得する自信、ある？

ねえ茉莉緒、あたしの目は節穴じゃない。ハワイから戻ってあんたと海の関係が前と違ったってことぐらいは気がついてるのよ。だから、本当にあんたが説得すれば海が留《とど》まるって言うなら、あんたに頭下げるから、海を思いとどまらせて。あたしだって悔しいのよ。なかなかブレイクしない海の為に、うちの事務所はそれだけお金をかけたし、お金だけじゃない、あんただってあたしだって、冴子さんだって、どれだけ考えて悩んで、時間も気持ちもつかったかわからない。それでようやく花開いたと思ったら、独立ならまだしも、大手に持って行かれるんじゃ、とってもじゃないけどやってらんないわ。たまらないわよ！　でもね茉莉緒、この業界では、タレントが売れたら移籍か独立するっていうのは、宿命なの。ある意味で、避けられないことなのよ。そしてうちは堀口よりいい条件を海に提示してやれる体力がない。うちの経営状態が苦しいのは、あんたも知ってるでしょ？」

「でも……でもそんな……」

茉莉緒は泣き出していた。宿命だと言われても、今になって海がオフィスKを出るなどということは納得出来ない。

「堀口に行けば、海の仕事の幅は確実に広がるわ。それに当然、うちにいるよりも高い収入が得られるでしょうね。あたしもタレントを育てる仕事をしている以上、海の将来のことを考えるとね、ただ情だけでうちに残ってとは、言えない」

洋子は淋《さび》しそうに笑った。

「その代わり負け方は選ばせて貰う。こうなった以上、それしかないと思うの。早い話が、ま、金銭トレードってことになるでしょうね。堀口との交渉はあたしがするつもりよ。ほんとはさ、正直言うとまだ、冴子さんがいないと不安なんだけど」

洋子は、肩をすくめて舌を出した。

「この話が具体化する頃には冴子さんはもう、オフィスKにはいないんだもんね。あたしも腹は括《くく》ったつもり。第二の冴子さんになって、社長のお尻叩《しりたた》くしかないって。それで、茉莉緒、あんたはどうするの？」

「……どうするって……」

「海と一緒に堀口に雇って貰う？　あんたに関しては、あたしは何も言うつもりないわよ。あんたが望めば、海はあんたを連れて行きたいって言うでしょうし。この業界では、マネージャーと男女関係になってるタレントはいくらでもいるから、心配することはないわよ。海があんたをつれて移籍したいって言えば、堀口はたぶん、承知してくれるわ」

「あたし、そんなこと、考えられません」

「考えるのよ。あんたの将来の問題でもあるんだから。まずはあんたに仕事言いつけるけど、海の本心を早急に確かめて。どっちみち移籍は、CDが出て、大東テレビのドラマが終わってからになるから、まだ三カ月以上はある。その間にゆっくり考えて結論を出すのね。それでもしあんたがここに残ってくれるって言うなら、塚田仁、あの子をあんたに任せるつもりよ」

「塚田さんをですか」

「そう。仁は、海よりブレイクが早いと確信してるのよ、あたし。あの子には海みたいな神秘的な魅力はないけど、もっと大衆的でわかり易い魅力がある。海よりもテレビ向きなのよ。そしてね、茉莉緒。あたしはあんたを買ってるの。方法がどんなものであったにしても、海を脱皮させたのはあんたよ。結局、それが出来るマネージャーと出来ないマネージャーとでは、決定的に違うってこと。あんたは、出来るマネージャーなの。あたしはそう思ってる」

洋子は立ち上がった。茉莉緒もつられて立ち上がったが、話の展開について行けずに半ばぼーっとしていた。

「ひとつだけ、わかってるでしょうけど、言っておかないといけないことがあるわ」

洋子は茉莉緒の目を覗《のぞ》き込んだ。

「もし海が移籍して、そしてあんたがここに残ったとしたら……海とは別れなさい。それが業界の、マナーよ」

洋子が出て行った会議室で、茉莉緒はソファに座り込んだ。涙が理由もなく流れて出るが、悲しいわけでも悔しいわけでもない、ただ驚いていただけなのだ。

いったいなぜ、今になって、海はオフィスKを出て行こうなどとするのだろう？　いや、本当に海がそんなことを考えているのだろうか……？

洋子から聞いた海の移籍の話は、茉莉緒にとって大きな衝撃だった。

そしてその衝撃をさらに大きくしたのは、もし海が移籍した後でもこの事務所に残るのであれば、海とは別れなければならない、という事実だった。

洋子はマナー、と言った。確かにそうだ。事務所の違うタレントと恋人同士でいては、何かと気まずいことも多くなる。事務所同士の利害関係が対立した場合には、情報が漏れる危険も起こって来る。

海と別れたくはない。海のことが、好きだ。ならば海と一緒に堀口プロダクションに行けばいい。行けばいいけれど……でも。

堀口プロダクションにとって、あたしは「おまけ」なのだ。

やっと、人生を賭《か》けてやってみたいと思える仕事に出逢《であ》ったのに。また「おまけ」になるのなんて、嫌だった。OL生活を辞めた時に味わった、あの、おまえなんていてもいなくてもいいんだ、という無言の軽蔑《けいべつ》をもう一度味わうのは、絶対に嫌だった。

海のバカ。茉莉緒は、どうして海が移籍など考えたのか、それが恨めしかった。オフィスKが海に対してどれだけ一所懸命やったのかも忘れて、なぜ移籍話などに乗ったり出来るんだろう。

茉莉緒が、それを海に確かめる為に口を開いたのは、大東テレビのドラマ撮影を明日に控えた晩だった。茉莉緒の運転する車で、二人は郊外から戻る途中だった。

「洋子さんから聞いたの。海……堀口プロダクションからの話、本当？」

海はすぐには答えなかった。高速道路の分離帯越しに、対向車のライトがきらきらと続いている。時間が無限に思えるほど、長い。

「ほんとなんだ」

やっと海が言った。小さな声で。

「どうして！」

海を責めては駄目だ、と自分に言い聞かせていたはずなのに、茉莉緒はつい、声を大きくした。

「オフィスKではどうして、駄目なんですか？　冴子さんはいなくなっても、社長だって洋子さんだって、海に期待していたのに……みんなでこれから海をうちの看板俳優にするって、すごく楽しみにしていたのに！」

「社長には感謝してる。洋子さんにも。オフィスKにはほんとに、お世話になったと思っている……」

「だったらなぜ？」

「……飛躍したい」

海は、まるで苦しんでいるかのように、言った。

「堀口の鷹井《たかい》さんから誘われたんだ。堀口は今度、ロスに事務所を構える。本格的に、ハリウッドを目指すつもりなんだ」

ハリウッド。

茉莉緒は軽い眩暈《めまい》を覚えた。

茉莉緒にとっては、まるで夢でしかないその言葉。

「マウイでの仕事で思った……俺は結局、海外でひとりでやって行く自信がなくなって冴子を追いかけて日本に戻ったんだなって。それが俺の、総《すべ》てのコンプレックスの源なんだって、気づいたんだ。もう一度……もう一度だけでいい、勝負してみたい。言葉の不自由な、文化も考え方もまるで違う人間たちの間で、俺って存在が通用するのかどうか、試してみたい。もちろん日本での仕事もする。だけど、活動の中心はあっちに置きたいんだ。今の日本の芸能界で、そうした仕事のスタイルがいちばんやりやすいのは、たぶん、堀口プロだと思った」

茉莉緒は、何も言えなかった。オフィスKは確かに、海を海外での仕事に売り込むほどのコネクションも資金も持ってはいない。総てを海だけに賭ければそれも可能かも知れないが、他にもタレントを抱え、その上負債もある状態ではどうしようもない。海の気持ちは理解出来た。それでも、何か非情だ、と感じた。海は結局、育ててくれた社長を、冴子や洋子を、裏切るのだ。

だが、それがこの世界の掟《おきて》なのかも知れない、と茉莉緒は思った。恩義や情を重くみてオフィスKに留《とど》まれば、海が海外で活躍することは難しくなるだろう。海はもう、そんなに若くはない。無駄に出来る時間は、ないのだ。

「茉莉緒」

海の声が、狭い車内でビブラートをかけたように茉莉緒の耳に響いた。

「一緒に来てくれるよね？」

言葉が出なかった。返事をしようと思うのに、なぜか、言葉が喉《のど》から出て来なかった。「はい」と一言口にすればそれでいいことなのに。それで、これからもずっと海と一緒にいられるのに。

突然、茉莉緒の携帯が鳴った。車のダッシュボードに取り付けた携帯ホルダーから、海が電話機を抜いてくれた。ハンドフリーを頭に掛けながら、通話ボタンを押した。

「……もしもし、茉莉緒ちゃん？」

茉莉緒は息を呑《の》んだ。

声は、杉浦のものだった。

7

「心配かけてすまなかった」

杉浦は、茉莉緒と海の前で床に膝《ひざ》をついた。

「何とか郁雄を説得しようと思ったんだけどうまく行かなくて……こんなことになったのはみんな、僕が悪いんです。僕が余計なことを郁雄に吹き込んでしまった」

杉浦が海の部屋にやって来たのと、茉莉緒たち二人がその部屋に駆けつけたのはほぼ同時だった。杉浦は、ハワイから戻って以来続けていた逃亡生活の為か、げっそりとやつれていた。

「弟さんはどうして、冴子さんとオフィスKをあんなに憎んだんですか」

茉莉緒の問いに、杉浦は床に両膝をつき目を閉じたまま、嘆息した。

「松崎かすみ……山田真美は、郁雄のガールフレンドだったんです……恋人だったと言ってもいいかも知れない。真美は当時、京都に住む中学三年、週末の夜は繁華街の路上にたむろしている、いわば不良少女でした。郁雄は二十歳、運送会社に勤めていて、たまたま社員旅行で出掛けた京都で真美と知り合ったそうです。真美の方が年上の郁雄に夢中になり、電話をしょっちゅうかけて来た。そして中三の夏休みに家出同然で東京に出て来てしまったんです。しかし真美が東京に出て来たのは郁雄のことだけが目的ではなく、別に目的があった。真美は、芸能界に入りたがっていました。真美が郁雄を頼ったのも、郁雄の兄である僕が芸能マネージャーだったということはあったと思います。それで郁雄は僕に、真美を何とかデビューさせてやれないかと言って来たんです。僕は真美を見て、この子はけっこう行けるんじゃないかと思い、社長に会わせました。社長も気に入ってデビューが決まった。郁雄のことは、事務所としてはあまり有り難いおまけではなかった。まだ中学三年なのに大人の恋人がいるというのはね……それで郁雄の存在を隠す為に、真美は社長が旅行先の京都で見つけてスカウトしたことにし、真美と別れるよう説得したんです」

「無理に別れさせたんですか」

「……結果的にはそうなりました。しかし、郁雄も最後には、真美の将来を思って身をひいたんです。真美は歌手になれることに有頂天で郁雄のことは忘れかけているような状態でしたから、別れはスムーズに行きました。しかし郁雄はそれからもずっと、真美のことを想い続けていたんでしょうね……真美が自殺した時は半狂乱になり、芸能界なんかに入らなければ良かったんだと……」

「でも、真美さん……松崎かすみは自殺だったんですよ。彼女が自殺した責任は冴子さんだけにあったわけでは……」

「だから、僕のせいなんです。僕が余計なことを郁雄に言ってしまった」

杉浦は両手で頭を抱えて啜《すす》り泣いた。

「あれは……真美が死んで数日後のことでした。僕はすっかり神経が参ってしまって休職を願い出ていた。その手続きで事務所にいた時に、冴子さんが社長と話している声を聞いてしまった……かすみは前々から危ないと思っていたのよ、だから杉浦をマネージャーに付けたんじゃないの。杉浦ならいざとなった時でも余計なことは喋《しゃべ》らないから……冴子さんはそう言っていた。僕は愕然《がくぜん》とした。冴子さんはもしかしたら真美が自殺するかも知れないとわかっていて、それなのにそれを防いでやろうとしなかった……そう思ったんです。それで怒りにまかせて郁雄にそのことを話してしまった。郁雄が復《ふく》讐《しゅう》を考えたのはその時からだと思います。しかし……一ノ瀬という学生が殺された後になって判ったことなんですが、真美は、躁鬱病《そううつびょう》にかかっていたんですよ……躁鬱病の鬱状態の時の発作的自殺は、周囲に止めることはほとんど不可能です。冴子さんのせいではなかった……しかし遅かった。すでに郁雄は殺人を実行してしまいました。しかも、失敗して無関係な人間を殺してしまった……」

「でも弟さんは杉浦さんを脅迫していましたよね……ごめんなさい、アラモアナ公園での会話、聞いてしまったんです、あたし」

杉浦は、淋《さび》しげに微笑んだ。

「知ってました……茉莉緒ちゃんがプルメリアの後ろにいたのに、郁雄が去ってから気づいたんだ……いいんだ、聞かれたことで僕も決心が付いたんです。郁雄を何としてでも自首させようと思った……郁雄が僕を同罪だと言ったのは、一ノ瀬さんを殺すのに使った毒薬は僕が日本に持ち込んだものだったからなんだ。数年前、テレビの仕事で南米に行った時に、アマゾンの原住民が使っているという狩猟用の矢尻《やじり》に塗る植物毒を、小瓶に詰めて持ち帰っていたんですよ。もちろん、単なる記念品、お土産として。だから一ノ瀬さんの事件の時、毒物が不明の中毒死と新聞で読んで、もしや、と思ったんです。殺害場所も、真美の故郷である京都だったし……しかし郁雄は最初、否定した。僕は弟を信じたかった。それなのにあの女子大生が殺されて……」

「車に細工したのも弟さんなのかな」

海が訊《き》くと、杉浦は顔を覆ったまま頷《うなず》いた。

「そうです。郁雄は冴子さんのいちばん大事なものが海くんだということを知っていた。茉莉緒ちゃんが事故でも起こして海くんが再起不能にでもなればいいと、思いつきでやったことらしい。しかし信じて欲しい……あなたたちのスケジュールを郁雄に教えたりはしていない。あれは本当に偶然だった。あのマンションに、江崎マナの新しい恋人の音楽プロデューサーが住んでいるんだよ……僕はあの事件で弟の憎悪の深さを知り、京都の事件も女子大生殺しも郁雄の犯行だと確信した。それでたまたま江崎マナがハワイで仕事だと知り、一日だけ郁雄と僕とがオアフで日程が重なるとわかって、郁雄と話し合うことにしたんだ。でも……」

杉浦の啜り泣きが大きくなった。

「マウイに着いた日、買い物に出掛けて車を走らせている内にね……郁雄と会って自首を勧めたところで、もう郁雄の死刑は免れないのではないかとふと……そう考えたらたまらなくなって……死ぬつもりで……」

杉浦は泣き笑いしていた。

「コンビニで買ったカミソリなんかで手首を斬ろうとしたって斬れるもんじゃなかった……海に飛び込む勇気もなく……夜まで、車の中でね……血を分けた兄弟が殺人者として死刑にされるなんて、耐えられない……逃げてしまいたかった。だが……夜になってやっと、逃げてはいけないと……」

あの日、杉浦が真夜中まで戻らなかった理由はそれだったのだ。茉莉緒は思わず、自分も啜り泣いていた。

「……結局郁雄は僕の勧めを受け入れてはくれなかった。そしてハワイから日本に戻らずに逃亡してしまいました。空港であなたたちと別れてからオアフに電話して、郁雄が行方不明だと知り、郁雄が高飛びしてしまったとわかって僕は、何としてでも郁雄を探そうと考えた。この半月、考えられる限りのツテを調べて郁雄の行方を追っていたんです。郁雄は一度ロスに飛び、そこから他の日本人のパスポートを使って日本に戻っていました。どうしても冴子さんを殺すまでは諦《あきら》めないつもりのようです……しかし安心して下さい。今頃は、郁雄が匿《かくま》ってもらっている大阪の知人の家に警察が急行しているでしょう。僕も……今から警察に行きます」

エピローグ

「おはよう」

控え室代わりの部屋に冴子が顔を覗《のぞ》かせた。

「冴子さん！　来てくれたんですね」

茉莉緒は思わず冴子に駆け寄った。半月振りに見る冴子は、以前よりいくらかふっくらとしていた。

「今日は海の勝負の日だものね。つい、応援に来たくなっちゃったの」

「海さん、今、下の喫茶室で打ち合わせしてるんです。ね、会って行って下さい。ここにもうすぐ戻って来ますから」

冴子は笑って頭を横に振った。

「撮影は見学させて貰《もら》うわ。でも、海の緊張を解いてやるのはあたしの役目じゃない。もうあなたの役目よ……あら、仁くん？」

ソファに座っていた仁が立ち上がってお辞儀をする。

「勉強したいって言うんで、丸一日撮影を見学させているんです」

「そうなの。頑張ってね」

「ありがとうございます！」

仁の元気な返事に、冴子はにっこりして手を振ると、ドアを閉めて出て行った。

冴子は、やっぱり来てくれた。茉莉緒には予感があった。冴子は今でも、海を「愛している」。だがそれはもう、女が男を愛するという次元を超えた、慈愛に似た世界の愛だ。

今日、海は俳優としての新しい第一歩を踏み出す。いよいよ、渡された脚本の中でももっともハードなレイプシーンと、それに続く連続殺人シーンの撮影が始まる。現場はぴりぴりと張りつめた緊張感を保っていた。みな、海に対して最大限に気をつかっている。今日の海の演技の出来が、このドラマの総《すべ》てを決定づけてしまうことをみんな理解している。

しかし海自身は、茉莉緒が驚くほどの自然体だった。もう海には迷いがない。海は、俳優としてこの世界で頂点に立つ為の覚悟を決めたのだ。他の総てのことを犠牲にしてでも、海は突き進んで行くだろう。

あたしは。

あたしも……覚悟は決めていた。

「セリフ、ちょっと変更になったんだ」

戻って来た海が台本をばたつかせる。

「茉莉緒もメモして。三十二頁のね……」

茉莉緒は海の言葉を台本に書き込みながら、海の指先を見つめていた。ハワイでのあの夜から、もう何度も自分の髪に触れ、胸に触れたその指先。


「あのね今さっき、冴子さん来てくれたの」

茉莉緒は、一息ついている海に言った。

「撮影、見学させて貰いますって」

海は表情も変えずに頷く。

「夏草さん、年末に復帰するらしいね。単発のドラマだって」

「そう……良かった、ほんとに」

海は大きく伸びをした。

「俺も気合い入れてかからないとな。彼女が復帰したらどうせまた、いろいろ書かれるだろうしさ。冴子さんなら仕掛けぐらい考えるもんな。そう思わない？」

「さあ、どうかしら」茉莉緒は笑った。「でも確かに、以前とは立場が逆ですもんね。今は海と絡めて記事にして貰うことで夏草さん側にメリットが大きい。冴子さんなら、やりますね、たぶん」

そんな冴子だから、尊敬出来るのだ、と茉莉緒は思う。だからこそ、彼女はあたしの目標。

「雨森さん、そろそろお願いしまーす」

ドアが開いて声が掛かった。海は両手で頬を一回叩《たた》いて立ち上がった。

「よしっと。一発、人生賭《か》けて来ようか。あのね、茉莉緒」

海は茉莉緒を見た。じっと。

「今日の撮影終わったら、この前の返事、聞かせてくれないかな」

茉莉緒は頷《うなず》いた。

「はい」

海は微笑んだ。温かい微笑みだった。


愛している、と、茉莉緒は思った。

誰よりも愛してる。大好きよ、海。


海が部屋を出て行った。

この前の返事。一緒に堀口プロに移籍して欲しい、と、海は言ってくれた。その返事。

言えるだろうか。

さよなら、と、上手に言えるんだろうか。

茉莉緒の頬に涙が伝った。

泣かないで言うのは無理だ。できっこない。きっと泣いてしまう。だが、総てはもう、決めたことだった。あたしは決めたのだ。あたしの人生。この先の一歩。これからの、歩く道。

永遠のさよならではないはずだ。……いつかはあたしも冴子のように、本当に大切な人の為だけに仕事をする、そんなマネージャーになれる日が来るかも知れない。その日が来たら、あたしはまた、海のレインコートになって彼のからだを雨から守り、そっと抱きしめてあげられる。いつか、その日が来たら。


「仁、行こう」

座ったまま熱心に台本を読んでいた仁が頷いて立ち上がった。彼は海のセリフを総て暗記してしまっている。仁にとって、今は海が最初の目標なのだ。海に追いつき追い越して、仁も頂点を目指そうとしている。そしてこれからしばらくは、あたしはこの子のレインコートになる。この子の為に代わりに雨に濡《ぬ》れ、寒さに耐えて。それがあたしの選択。

あの日、おにぎりをあげただけで、友達になっただけでいたのなら。マネージャーなど引き受けないで、ただ、海のガールフレンドとして楽しく暮らしていられたのなら。さよならが言えなかったら……言わなくたっていいじゃない。おまけでいたっていいじゃないの。一緒に移籍してしまえば……

一分ごとに、心の中であたしが叫んでいる。海と別れたくないと、泣いている。

それでも、やっぱりあたしは言うだろう。

さよなら、と。

窓の外は雨降り。ガラスにあたる水滴が流れて、涙そっくりにどこかに消える。

やわらかな雨。絹糸のような小糠《こぬか》雨。

それでもその雨にあたり続ければ、海は風邪をひいてしまう。

あたしが包んであげたかった。

いつまでも、あたしが……

新しい海のレインコートは、どんな人なんだろう。海が寒くなくて、ぬれたりしないで、元気に歩いて行けますように。

茉莉緒は仁に気づかれないように涙を手の甲で拭《ぬぐ》って、小さく深呼吸した。

「海の演技を良く見ておくのよ。頭に焼き付けて、必ず超えてやるって、自分に言い聞かせるの。いい？」

茉莉緒は仁を振り返った。頷いた仁の顔が、初めて逢《あ》った日の海の顔と重なった。

茉莉緒の目の前がまた、涙で滲《にじ》む。

記憶の中で、海がおにぎりを頬張った。

愛が始まったあの日が、遠くに霞《かす》んで、消えた。

（完）

解説

畑中葉子

「愛されることを望む」ではなく「愛することを望む」。茉莉緒と海は、それを知っていたのかもしれない。

一九七八年、私は、恩師、平尾昌晃先生とのデュエット「カナダからの手紙」でデビューしました。高校受験の時、私立高校に受かり、都立高校の試験日に友だちと原宿へ遊びに行きスカウトされたのがキッカケとなり、平尾昌晃歌謡教室に通い始めたのが十六歳の時。デビューするまでに二年半は、早い方かもしれませんが、それでも、それまでは、たくさんのオーディションを受け、落ち続けていました。

「カナダからの手紙」の平尾昌晃先生のデュエット相手を選ぶオーディションで私が選ばれた理由が、「平尾先生と声質が合う」「平尾先生と背丈が合う」、この二点。

「カナダからの手紙」の大ヒットのおかげで、デビュー以来、寝る暇もなく、お仕事をさせていただいたわけですが、最初に私についてくれたマネージャーは、中学卒業後、大物歌手の付き人をし、既に二十年のキャリアを持つ、凄腕の男性マネージャーでした。

朝は、「お化粧が濃いんじゃないの」「もう少し、可愛い洋服が着れないかな」「衣装の下の下着はベージュにしなさい」と、私のお化粧と服装のチェックから始まります。

まだ十代の私は、「うるさいな」っと思いながらも反論はできず、お説教が済むのをジッと待つしかない日々でしたが、今、思い返せば、マネージャーとしては、当たり前のことを言ってくれていたんだと、感謝しています。このマネージャーは、先方が番組スケジュールを入れてくれるまで、その局担当のデスクから離れないと言うことで、業界でも有名で、私のテレビ、ラジオ等の露出が多かったのは、「カナダからの手紙」のヒットのおかげもありますが、このマネージャーのおかげでもあると思っています。

その後、何人ものマネージャーに担当してもらいましたが、私にしてみれば、マネージャーというよりは、付き人のような存在でした。一方で、女性のマネージャーは、私よりも前に出たがるマネージャーが多く、二人三脚で「畑中葉子」を作り上げていくという感じにはなりきれずに終わってしまったように思います。

本書のなかに、茉莉緒が先輩マネージャーである冴子と洋子と、今後の海の仕事について話をするくだりがあります。あのような会話は、現実のマネージャーの間でも、頻繁にかわされていると思います。とくにこの場面では、男性マネージャー同士では見られないであろう、女性の独特の嗅覚に基づく感覚的な言葉の羅列が印象的です。それぞれの海に対する、女として、マネージャーとしての愛と計算。柴田よしき先生は、ともすれば、辛辣でいやらしいだけになりかねない女性の性をサラッと、その余韻だけを香らせては、女性の内面を美しく描いていきます。これが、私を柴田先生の著書から引きつけて離さない理由でもあると思います。

私自身の経験についていえば、「カナダからの手紙」を含め、四曲のデュエット曲をリリースした後、一年で平尾先生とのデュエットは解消することになっていました。その後、私としてはソロで頑張ろうと決意したのですが、別の男性とのデュエットを組ませたい事務所との間に齟齬が生じ、最終的には事務所から、「ウチとしては、畑中葉子がほしかったわけではなくて、『カナダからの手紙』がほしかっただけなんだよ」という言葉を投げられました。

その時、私は、まだ十九歳。泣きましたね。「これが、ザ・芸能界か」とも思いました。しかし、私は、諦めませんでした。事務所に食い下がり、ソロでのデビューを決めたのです。ソロで活動を始めてみると、平尾先生がご一緒くださったときとは違い、いきなりの新人扱いで、改めて平尾先生の力の大きさを思い知ることになりました。

ソロになって上手くいかないことばかりが起きて、自分だけでは、どうすることもできなくなって、言い方はよくありませんが、私は男性に逃げてしまいました。事務所に知らせずの入籍。そのときは、結婚した相手しか、私のことを理解してくれないんだと思いこんでいました。これが、二十歳の時。

本書にも書かれてましたが、この業界は、意外に、本音の吐ける場所が、少ないのかもしれません。気を許して話したことが、週刊誌に載るということもありましたので。そんな結婚は長続きせず、八か月で離婚。実際には、三か月で実家に帰っていました。大バッシングをされましたが、事務所も、〝面倒見きれない〟といったふうで、そっぽを向いていました。今、思えば、当然のことですね。この後、私は、この一件の責任を取るため、事務所から「脱ぐんだったら、面倒をみる」という条件付きで仕事を再開するわけです。ご存知の方もいらっしゃるかもしれませんが、待っていた仕事は、ヌードグラビア、ロマンポルノとハードな仕事に変化していくわけです。

本書もそうですが、柴田先生の作品は、すぐに犯人が分からない。勘の良い私は、だいたいのミステリーは、最初に犯人が分かってしまい、それを確認するために、最後まで読み遂げるパターンが多いのですが、柴田先生の作品は、「なぜ?」「えっ?」「はっ?」「そこで、こうくるか」の不思議が、最後まで続きます。また、ミステリーなのに、心にドンッと落ち込む暗さがなく、あと味スッキリといった感じ。そして、読み終えたときには、ほのかな桃色のふわっと感に包まれて、自分をも、一歩、踏み出させてやれる、爽快感に、遭遇します。これが、柴田よしきワールド。

茉莉緒と海が、偶然に出会う鴨川の河原。

二人とも行き場がなくて迷っている気持ちが見えないところで、重なりあう。不倫、裏切り、別れ、余儀なく宣告された退職。自分の望んだ方向ではない方向へ全てが流れていくのに、その流れに逆らえずに一緒に流されていく弱さ。誰かのせいにしたい、何かのせいにしたい。そうしなければ、自分が、ここを乗り切れない。そんな茉莉緒の感情は、誰にでも経験があるものだという気がします。それでいながら、「何もしないでいたら、食べていけなくなる」と立ち上がる茉莉緒の根底にある強さには、とても、魅かれました。そして、エキストラ参加。海との再会。

海が、茉莉緒をマネージャーに抜擢し、それに応える茉莉緒。偶然は、必然。行動を起こさないと、偶然もないということ。いろいろな事件に巻き込まれながらも、必死に海を守ろうとする茉莉緒。それは、愛情なのか、マネージャーの仕事としてなのか。自分を必要とする人間がいることとの強さ。信じるものがある強さ。自分から切り開く強さ。諦めない強さ。いくつもの強さは、茉莉緒と海との間にある信頼関係から成り立っているんだと感じました。そして、それが、自分を信じる強さに繋がる。茉莉緒と海、立場は違うけれども、同じ境遇から、それを支え合うことでお互いを求め合っていたように思います。そして、自信と、満たされる愛を確保できたときに、人間は、次のステップへ立ち向かおうとするんですね。

最近、とみに思います。動いていなければ、出会いもなく、進展は何一つないのだと。

私も、結婚をし、子どもたちも大学生となったところで、仕事を再開しておりますが、歌謡界全盛期のときの芸能界とは、全く様子が変わっていて、今でも、少しとまどうことがシバシバですが、これも時間の流れなので、この中で、自分の望むところを見定めて、仕事を続けていかなければと思っているところです。

[illegible]で行き詰ったら、コンビニでおにぎりを買って、コンビニ袋を手にさげて、[illegible]かな。


（歌手・女優）